HARLAN COBEN zdobył uznanie w kręgu
miłośników literatury sensacyjnej trzecią
książką BEZ SKRUPUŁÓW, opublikowaną
w 1995. Jako jedyny współczesny autor
otrzymał trzy najbardziej prestiżowe nagrody
literackie przyznawane w kategorii powieści
kryminalnej, w tym najważniejszą – Edgar
Poe Award. Światowa popularność pisarza
zaczęła się od thrillera NIE MÓW NIKOMU
(2001) – bestsellera w USA i Europie (zekrani-
zowanego w 2006 przez Guillaume Caneta).
Kolejne powieści, za które otrzymał wielo-
milionowe zaliczki od wydawców – BEZ
POŻEGNANIA (2002), JEDYNA SZANSA
(2003), TYLKO JEDNO SPOJRZENIE (2004),
NIEWINNY (2005) i OBIECAJ MI (2006) –
uczyniły go megagwiazdą gatunku i jednym
z najchętniej czytanych autorów. W kwietniu
2007 ukaże się jego następny thriller – *The
Woods*.

Harlan
COBEN

Jeden fałszywy ruch

Z angielskiego przełożył
ANDRZEJ GRABOWSKI

WARSZAWA 2007

Tytuł oryginału:
ONE FALSE MOVE

Redakcja: Klemens Górski
Ilustracja na okładce: Jacek Kopalski
Projekt graficzny okładki i serii: Andrzej Kuryłowicz

Książka wydana we współpracy z Wydawnictwem Albatros A. Kuryłowicz

ISBN 978-83-88722-22-6

Dystrybucja
Firma Księgarska Jacek Olesiejuk
Kolejowa 15/17, 01-217 Warszawa
t./f. 022-535-0557, 022-721-3011/7007/7009
www.olesiejuk.pl

Sprzedaż wysyłkowa – księgarnie internetowe
www.merlin.pl
www.ksiazki.wp.pl
www.empik.com

WYDAWNICTWO ALEKSANDRA I ANDRZEJ KURYŁOWICZ S.C.
adres dla korespondencji:
Wiktorii Wiedeńskiej 7/24, 02-954 Warszawa

Wydanie IV
Skład: Laguna
Druk: B.M. Abedik S.A., Poznań

Pamięci moich Rodziców,
Corky i Carla Cobenów,
oraz na cześć ich wnuków,
Charlotte, Aleksandra, Benjamina i Gabrielle

Podziękowania

Tę książkę napisałem samodzielnie. Nikt mi w tym nie pomógł. Jeśli jednak znalazły się w niej jakieś błędy, to — nawiązując do głęboko zakorzenionej amerykańskiej tradycji zrzucania winy na innych — podziękowania za nie zechcą przyjąć następujący cudowni ludzie: Aaron Priest, Lisa Erbach Vance i wszyscy z Agencji Literackiej Aarona Priesta; Carole Baron, Leslie Schnur, Jacob Hoye, Heather Mongelli i wszyscy z Wydawnictwa Dell; Maureen Coyle z drużyny New York Liberty; Karen Ross, patolog z Instytutu Medycyny Sądowej w Dallas; Peter Roisman z Advantage International; sierżant Jay Vanderbeck z policji w Livingston; detektyw porucznik Keith Killion z policji w Ridgewood; Maggie Griffin, James Bradbeer, Chip Hinshaw i oczywiście Dave Bolt. Powtórzę: wszelkie błędy — rzeczowe i inne — to całkowita zasługa wyżej wymienionych. Autor jest bez winy.

Prolog

15 września

Cmentarz sąsiadował z podwórzem szkoły.

Myron trącił czubkiem rockporta piach. Płyty jeszcze nie było, tylko metalowy pręt i przywiązana do niego zwykła kartotekowa karta z imieniem i nazwiskiem. Pokręcił głową. Stał tu niczym sztampowa postać z kiepskiego serialu telewizyjnego. Scena ta powinna wyglądać inaczej: zatopiony w smutku, stałby ze zwieszoną głową, nie zwracając uwagi na ulewę siekącą go w plecy, a jedna z błyszczących mu w oczach łez ściekałaby po policzku, mieszając się z deszczem. W tym momencie włączyłaby się nastrojowa muzyka, kamera odsunęła od jego twarzy i wolno, bardzo wolno się cofając, ukazałaby jego zgarbione ramiona, strugi wody, inne groby i nikogo w polu widzenia. Potem zaś, wciąż się cofając, wyłowiłaby jego wiernego druha, Wina, który z szacunku dla bólu przyjaciela trzymałby się dyskretnie z boku. W tym miejscu obraz zastygłby, na ekranie rozbłysło duże żółte nazwisko producenta i po małej zwłoce, tuż przed reklamami, zachęcono by widzów do obejrzenia migawek z przyszłotygodniowego odcinka.

Na taką scenę nie było jednak szans. Słońce świeciło jak w dniu stworzenia, niebo lśniło, jakby świeżo wyszło spod pędzla malarza, Win siedział w swoim biurze, a on sam nie płakał.

Co więc tutaj robił?

9

Czekał na mordercę. Był pewien, że wkrótce się zjawi. Szukając sensu w cmentarnym krajobrazie, dostrzegał w nim samą sztampę. Od pogrzebu minęły dwa tygodnie. Spod ziemi zdążyły już wystrzelić pędy chwastów i mleczy. Czekał, aż wewnętrzny głos palnie wyświechtaną mówkę, że chwasty i mlecze są oznaką wiecznie odradzającego się życia, ale tym razem ów głos litościwie milczał. Myron z chęcią dopatrzyłby się ironii w tym, że na tchnące niewinnością szkolne podwórze — z wyblakłymi śladami kredy na czarnym asfalcie, trójkołowymi kolorowymi rowerkami, lekko zardzewiałymi łańcuchami huśtawek — pada cień grobów, niemych strażników, którzy zdają się obserwować dzieci i przyzywać je do siebie. Lecz o ironii nie mogło być mowy. Na szkolnych podwórzach nie kwitła niewinność. Panoszyli się za to brutale, pączkujące psychozy, czyhający na okazję socjopaci i dzieciaki przepojone nienawiścią już w łonach matek.

„Wystarczy tego abstrakcyjnego młócenia słomy" — pomyślał.

Poniekąd zdawał sobie sprawę, że ów wewnętrzny dialog służy odwróceniu uwagi, że jest filozoficznym wybiegiem, chroniącym jego kruchy, napięty umysł przed trzaśnięciem jak sucha gałązka. Jakże pragnął się poddać, ugiąć, paść na ziemię, drzeć ją gołymi rękami, prosić o przebaczenie i błagać najwyższą moc, żeby dała mu jeszcze jedną szansę!

Ale o tym również nie mogło być mowy.

Za plecami usłyszał kroki. Zamknął oczy. Tak jak oczekiwał, kroki się zbliżyły. Nie odwrócił się, gdy ucichły.

— Zabiłeś ją — powiedział.

— Tak.

W brzuchu stajała mu bryła lodu.

— Ulżyło ci? — spytał.

— Rzecz w tym, Myron, czy ulżyło tobie — odparł zabójca, pieszcząc jego kark głosem jak zimna, bezkrwista ręka.

1

30 sierpnia

— Nie jestem niańką. Jestem menedżerem — wybąkał Myron, garbiąc się w ramionach.

— Naśladujesz Belę Lugosiego? — spytał z bolesnym grymasem Norm Zuckerman.

— Człowieka słonia.

— Aj, nieładnie. Kto mówi o niańczeniu? Czy ja powiedziałem „niańka", czy ja powiedziałem „niańczenie"? Czy ja powiedziałem „mamka", „piastunka", „opiekunka do dziecka" albo choćby, na ten przykład, „dziecko"...

Myron podniósł rękę.

— Zrozumiałem, Norm.

Siedzieli pod koszem w Madison Square Garden na drewnianych krzesłach o płóciennych oparciach, na których widnieją nazwiska gwiazd filmowych. Krzesła ustawiono tak wysoko, że siatka kosza niemal muskała Myronowi włosy. Na boisku trwały zdjęcia. Pełno było reflektorów z blendami, wysokich, chudych kobiet-dzieci, trójnogów i zaganianych, krzątających się osób. Myron czekał, aż ktoś weźmie go omyłkowo za modela. Nadaremnie.

— Musisz mi pomóc. Tej młodej kobiecie może coś grozić — rzekł Norm.

Dobijający siedemdziesiątki Zuckerman, dyrektor naczelny Zoomu, wielkiego koncernu odzieży sportowej, miał więcej pieniędzy niż Donald Trump, ale wyglądał jak bitnik, któremu odbiło na haju. Fala retro wzbiera, wyjaśnił wcześniej. Zabrał się z nią, odziewając się w psychodeliczne poncho, wojskowe spodnie polowe, paciorki i kolczyki z pacyfami. Obłęd, bracie! W jego szpakowatej zmierzwionej brodzie mogłyby się zalęgnąć larwy, a na głowie miał świeży ondul jak statysta z filmowego obciachu *Godspell*.

Che Guevara żyje i nosi trwałą!

— Ty nie mnie potrzebujesz. Ty potrzebujesz ochroniarza — odparł Myron.

Norm zbył to machnięciem ręki.

— Odpada.

— Dlaczego?

— Ona na to nie pójdzie, Myron. Co wiesz o Brendzie Slaughter?

— Nie za dużo.

— Co znaczy, nie za dużo? — zdziwił się Norm.

— Którego z tych słów nie rozumiesz?

— Daj spokój, Myron, byłeś koszykarzem.

— I co?

— To, że Brenda Slaughter jest zapewne najlepszą koszykarką wszech czasów. Pionierką w swojej dyscyplinie, a do tego, co się będę szczypał, wabikiem mojej nowej ligi.

— To wiem.

— No, to wiedz również, że się o nią martwię. Gdyby coś jej się stało, całą ligę ZKZ, Związku Koszykarek Zawodowych, w którą sporo włożyłem, przyjdzie spuścić z wodą.

— Jeśli ze względów humanitarnych, to proszę bardzo.

— Owszem, jestem chciwą świnią kapitalistyczną. Ale ty, przyjacielu, jesteś menedżerem sportowym. Należysz do gatunku najbardziej pazernych, podłych, odrażających kreatur kapitalistycznych, jakie nosi ziemia.

Myron skrzywił się.

— Podlizuj mi się dalej — wtrącił. — Poskutkuje.

— Daj dokończyć. Owszem, jesteś menedżerem. Ale świetnym. Właściwie najlepszym. Ty i ta hiszpańska siksa dbacie o swoich klientów, że lepiej nie można. Bardziej, niż na to zasługują. Każda pertraktacja z tobą to istny gwałt. Bóg świadkiem, jesteś nie do pobicia. Wpadasz do mojego biura, zdzierasz ze mnie ubranie i wyprawiasz ze mną, co chcesz.

— Litości!

Myron zrobił minę.

— A poza tym znam twoją tajemnicę. Wiem, że pracowałeś dla FBI.

Też mi tajemnica. Myron wciąż się łudził, że wreszcie uda mu się spotkać powyżej równika kogoś, kto o tym nie słyszał.

— Skup się na sekundę. Wysłuchaj mnie. Brenda to ładna dziewczyna, świetna koszykarka... i wrzód na moim lewym półdupku. Nie winię jej za to. Gdybym miał takiego ojca, też bym był taki.

— Więc to jej ojciec sprawia kłopoty?

Norm zrobił gest „na dwoje babka wróżyła".

— Prawdopodobnie.

— To postaraj się o nakaz ograniczający mu kontakty z córką.

— Już się postarałem.

— Więc w czym problem? Wynajmij detektywa. Jeżeli stary Brendy zbliży się do niej na sto kroków, wezwijcie policję.

— To nie takie proste.

Norm spojrzał na boisko. Członkowie ekipy zdjęciowej uwijali się jak cząsteczki wody w ukropie. Myron łyknął kawy. Kawy dla smakoszy. Jeszcze przed rokiem nie brał jej do ust. A potem zaczął wpadać do jednej z nowych kawiarni, mnożących się jak kiepskie filmy w kablówce, i w tej chwili nie mógł przeżyć ranka bez wypicia małej czarnej.

Trudno powiedzieć, czy była to jeszcze niewinna przerwa na kawę, czy już tkwił w szponach nałogu.

— Nie wiemy, gdzie jest — dodał Norm.

— Słucham?

— Jej ojciec. Zniknął. Brenda cały czas ogląda się za siebie. Jest wystraszona.

— Myślisz, że on jej zagraża?

— Ten gość to domowy tyran na sterydach. Kiedyś sam grał w kosza. W lidze Pacific Ten. Nazywa się...

— Horace Slaughter.

— Znasz go?

Myron bardzo wolno skinął głową.

— Tak, znam — odparł.

Norm bacznie mu się przyjrzał.

— Nie grałeś z nim. Jesteś za młody.

Myron nie odpowiedział. Norm jak zwykle słabo jarzył.

— Skąd znasz Horace'a Slaughtera? — spytał Zuckerman.

— To nie ma nic do rzeczy. Dlaczego myślisz, że Brenda Slaughter jest w niebezpieczeństwie?

— Dostała pogróżki.

— Jakie?

— Grożono jej śmiercią.

— Możesz to uściślić?

Wir sesji zdjęciowej trwał w najlepsze. Modelki i modele prezentowali najnowsze wyroby firmy Zoom, przybierając coraz to inne pozy, wyrazy twarzy, postawy i miny. Ktoś wzywał Teda. Gdzie, do jasnej cholery, jest Ted, przeklęta primadonna! Dlaczego jeszcze się nie przebrał?! Jak Boga kocham, szlag mnie przez niego trafi!

— Dostaje telefony. Jeździ za nią samochód. Te rzeczy.

— Czego oczekujesz ode mnie?

— Żebyś jej pilnował.

Myron pokręcił głową.

— Nawet gdybym się zgodził, a nie zgadzam się, to sam powiedziałeś, że ona nie zaakceptuje ochroniarza.

Norm uśmiechnął się i poklepał Myrona po kolanie.

— Mam dla ciebie przynętę. Rybkę na haczyku.

— Oryginalna analogia.

— Brenda Slaughter nie ma w tej chwili menedżera.

Myron nic nie powiedział.

— Zapomniałeś języka w gębie, przystojniaku?

— Myślałem, że podpisała duży kontrakt reklamowy z Zoomem.

14

— Akurat gdy miała go podpisać, zniknął jej stary. Był jej menedżerem. Ale się go pozbyła. Teraz nie ma nikogo. W jakiejś mierze polega na mojej opinii. Ta dziewczyna nie jest w ciemię bita, Myron. Oto mój plan. Brenda wkrótce się tu zjawi. Polecę jej ciebie. Ona powie cześć. Ty powiesz cześć. A potem podbijesz ją swoim słynnym czarem.

Myron uniósł brew.

— Podkręconym na maksa?

— No, co ty?! Nie chcę, żeby biedaczka wyskoczyła z szatek.

— Poprzysiągłem służyć swą potęgą tylko zbożnym celom.

— Ten jest dobry, wierz mi.

Myrona to nie przekonało.

— Nawet gdybym zgodził się na udział w twoim poronionym planie, to co z nocami? Oczekujesz, że będę jej strzegł na okrągło?

— Skądże. Pomoże ci Win.

— Win ma coś lepszego do roboty.

— Powiedz temu boyowi gojowi, że to robota dla mnie. On mnie kocha.

W stronę ich grzędy ruszył żwawo wzburzony fotograf, jeden z wielu bogatych Europejczyków pracujących w Stanach. Miał szpiczastą bródkę i włosy sterczące jak Sandy Duncan w dniu wolnym od spektaklu. Widać, że kąpiel nie była dla niego najważniejsza. Raz po raz wzdychał, aby nikt nie miał wątpliwości, jaka z niego ważna figura i że jest wkurzony.

— Gdzie jest Brenda? — zapiszczał.

— Tutaj.

Myron obrócił się w stronę głosu, ciepłego jak miód na niedzielnych naleśnikach. Brenda Slaughter weszła długim zdecydowanym krokiem — nie nieśmiało jak gidia ani paskudnie sztywno jak modelka — przepływając przez salę niczym śledzony radarami front wyżowy. Bardzo wysoka, dobrze ponad metr osiemdziesiąt wzrostu, miała skórę koloru ciemnej mokki obficie zaprawionej chudym mlekiem. Jej zachwycająco, acz nie wyzywająco obcisłe, spłowiałe dżinsy i narciarski sweter

15

usposabiały do marzeń o pieszczotach w ośnieżonej chacie z bali.

Myron powstrzymał się od głośnego wyrażenia podziwu.

Brenda Slaughter — o wiele za wysoka i za szeroka w ramionach, żeby być modelką — była nie tyle piękna, ile elektryzowała. I to tak, że trzaskało wokół niej powietrze. Myron znał kilka zawodowych modelek. Leciały na niego — ha, ha! — niedorzecznie chude, cieniutkie jak sznurki zwieńczone balonikami z helem. Brenda nie była chudziną. Z tej masywnej dziewczyny biła siła, moc, jak kto woli, potęga, co bynajmniej nie ujmowało jej kobiecości ani ogromnego powabu.

— Sam widzisz, że to dziewczyna z plakatu — szepnął mu do ucha Norm.

Myron skinął głową.

Norm zerwał się z krzesła.

— Brenda, podejdź tu, kochanie! — zawołał. — Chcę ci kogoś przedstawić!

W jej wielkich piwnych oczach, które napotkały Myrona, odbiło się wahanie. Uśmiechnęła się lekko i ruszyła w ich stronę. Myron, urodzony dżentelmen, wstał. Podeszła wprost do niego i wyciągnęła rękę. Był dobre kilka centymetrów wyższy od niej. Miała prawie metr dziewięćdziesiąt, mocny uścisk.

— Kogo ja widzę — powiedziała. — Myron Bolitar.

Norm zrobił gest, jakby pragnął popchnąć ich ku sobie.

— To wy się znacie? — spytał.

— Pan Bolitar na pewno mnie nie pamięta — odparła. — Minęło tyle czasu.

Już po kilku sekundach Myron uznał, że gdyby ją kiedyś spotkał, na pewno by zapamiętał. To znaczyło, że spotkali się bardzo dawno temu i w całkiem innych okolicznościach.

— Kręciła się pani po parkietach — powiedział. — Z tatą. Miała pani z pięć, sześć lat.

— A pan zaczął naukę w szkole średniej. Był pan jedynym białym chłopcem grającym w pierwszej piątce. Z drużyną liceum w Livingston zdobył pan szkolne mistrzostwo stanu, z drużyną Uniwersytetu Duke'a akademickie mistrzostwo kraju, w pierwszej rundzie zaciągu trafił pan do Celtics...

Oddała mu głos. Był do tego przyzwyczajony.

— Miło mi, że pani to pamięta — rzekł, kokietując ją męskim urokiem.

— Dorastałam, patrząc, jak pan gra. Ojciec śledził pańską karierę tak, jakby pan był jego rodzonym synem. Kiedy pan odniósł kontuzję...

Znów urwała, ściągając usta.

Uśmiechnął się na znak, że rozumie i docenia jej uczucia.

— Myron jest obecnie menedżerem — skorzystał z ich milczenia Norm. — I to dobrym. Moim zdaniem, najlepszym. Rzetelnym, uczciwym, lojalnym jak wszyscy diabli... — urwał i z niedowierzaniem potrząsnął głową. — I ja to mówię o agencie sportowym?!

Znów nadciągnął koziobrody Sandy Duncan.

— *Monsieur* Cikermann! — zawołał z francuskim akcentem, równie autentycznym jak francuski akcent Pepe LePew z kreskówki.

— *Oui?* — spytał Norm.

— Potrzebna jest pańska pomoc, *s'il vous plait.*

— *Oui.*

Myron miał ochotę zażądać tłumacza.

— Usiądźcie. Na chwilę was zostawię. — Dla wzmocnienia kwestii Norm poklepał puste krzesła. — Myron pomaga mi w zorganizowaniu ligi. Jako... konsultant. Porozmawiaj z nim, Brendo. O swojej karierze, przyszłości i reszcie. To menedżer w sam raz dla ciebie.

Mrugnął do Myrona — co za subtelność — i odszedł.

— To wszystko prawda? — spytała Brenda, siadając w jego reżyserskim krześle.

— Częściowo.

— W jakiej części?

— Chciałbym zostać pani agentem. Ale jestem tu w innej sprawie.

— Tak?

— Norm martwi się o panią. Chce, żebym pani pilnował.

— Pilnował? Mnie?

Myron skinął głową.

— Sądzi, że ktoś pani zagraża.

Zacisnęła szczękę.

— Powiedziałam mu, że nie życzę sobie pilnowania.

— Wiem. Mam to robić potajemnie. Cicho, sza.

— Dlaczego pan mi o tym mówi?

— Mnie się nie trzymają tajemnice.

Skinęła głową.

— No i?

— Jeśli mam być pani menedżerem, to nie warto zaczynać naszej współpracy od kłamstwa.

Usiadła wygodnie, krzyżując nogi dłuższe niż kolejka w wydziale komunikacji w porze lunchu.

— Co jeszcze zalecił panu Norm?

— Żebym użył swego czaru.

Zamrugała.

— Bez obawy. Uroczyście przysiągłem używać go wyłącznie w dobrych sprawach.

— Moje szczęście. — Brenda uniosła w górę długi palec i kilkakroć stuknęła nim w podbródek. — A więc Norm uważa, że potrzebuję niańki.

Myron wyrzucił ręce w górę.

— A kto mówi o niańce? — spytał, parodiując Zuckermana.

Choć wyszło mu to lepiej niż naśladowanie człowieka słonia, to z pewnością nikt nie ostrzegłby w te pędy parodysty Richa Little'a, że wyrosła mu konkurencja.

Brenda uśmiechnęła się.

— Dobrze. — Skinęła głową. — Zgadzam się.

— Jestem mile zaskoczony.

— Niepotrzebnie. Zamiast pana Norm mógłby wynająć kogoś, kto nie byłby ze mną taki szczery. A tak będę przynajmniej wiedzieć, co się dzieje.

— Logiczne.

— Ale mam pewne warunki.

— Tak myślałem.

— Chcę mieć pełną swobodę w tym, co robię. Nie pozwolę naruszać mojej prywatności.

— Oczywiście.

— Jeżeli każę panu zejść mi z oczu, to spyta się pan, na jak długo.

— Dobrze.

— Żadnego szpiegowania mnie bez mojej wiedzy.

— Tak jest.

— I wtrącania się w moje sprawy.

— Zgoda.

— Ani słowa, jeżeli nie wrócę na noc do domu.

— Ani mru-mru.

— Ani słowa, jeśli wezmę udział w orgii z pigmejami.

— A nie mógłbym chociaż popatrzeć?

Uśmiechnęła się.

— Nie chcę wyjść w pana oczach na zołzę, ale dość mam w życiu ojcowania. Dziękuję bardzo. Chcę, aby to było jasne: nie będziemy przebywać ze sobą dwadzieścia cztery godziny na dobę. To nie film z Kevinem Costnerem i Whitney Houston.

— Niektórzy mówią, że jestem do niego podobny.

Myron posłał jej cyniczny, łobuzerski uśmiech à la Kevin w roli Bulla Durhama.

Przejrzała jego gierkę, bo odparła:

— Może z wysokiego czoła.

Au! W połowie boiska koziobrody Sandy Duncan znowu wezwał Teda. Świta fotografa poszła w jego ślady i imię Teda rozbiegło się po sali jak rój skocznych piłeczek.

— Rozumiemy się? — spytała Brenda.

— Doskonale. — Myron poprawił się na krześle. — Naświetli mi pani sytuację?

Na salę, z prawej, wkroczył wreszcie Ted. To musiał być on, bo kto? Dwudziestoparoletni, modelowo przystojny, w majtkach firmy Zoom, miał brzuch pofałdowany jak trójwymiarowa mapa terenu wyrzeźbiona w marmurze, a oczy zmrużone jak więzienny klawisz. Podążał tanecznym krokiem na plan, przeczesywał dłońmi kruczoczarne włosy supermana, poszerzając tym ruchem klatkę piersiową, zwężając talię i demonstrując ogolone przedramiona.

— Idzie paw — mruknęła Brenda.

— Krzywdzi go pani. Może jest stypendystą Fulbrighta.

— Już z nim pracowałam. Gdyby Bóg obdarzył go drugim rozumem, to ten rozum umarłby z samotności. — Spojrzała na Myrona. — Czegoś nie rozumiem — powiedziała.

— Czego?

— Dlaczego pan? Agent sportowy. Dlaczego to właśnie pana Norm poprosił, żeby mnie pan chronił?

— Kiedyś pracowałem... — Myron urwał i zrobił nieokreślony gest — dla rządu.

— Pierwsze słyszę.

— To kolejna tajemnica. Cicho, sza!

— Pana nie trzymają się tajemnice.

— Może mi pani zaufać.

— Jako biały koszykarz umiał pan skakać, więc pewnie jest pan dobrym menedżerem — odparła po krótkim namyśle.

Zaśmiał się. Zapadło niezręczne milczenie.

— Opowie mi pani o tych groźbach? — spytał, po raz drugi próbując z niej coś wydobyć.

— Niewiele mam do powiedzenia.

— Więc Norm wszystko zmyślił?

Nie odpowiedziała. Jeden z asystentów naoliwił bezwłosy tors Teda, który wciąż mierzył zebranych zmrużonymi oczami twardziela. Naoglądał się filmów z Clintem Eastwoodem. Stał z zaciśniętymi pięściami i cały czas grał mięśniami piersiowymi. Myron postanowił uprzedzić falę powszechnej nienawiści i znienawidzić go od razu.

Brenda milczała.

— Gdzie pani mieszka? — spytał, podejmując kolejną próbę.

— W akademiku Uniwersytetu Restona.

— Studiuje pani?

— Medycynę. Czwarty rok. Żeby grać zawodowo w koszykówkę, wzięłam urlop dziekański.

— Wybrała już pani specjalizację?

— Tak. Pediatrię.

Myron skinął głową.

— Tata z pewnością jest z pani bardzo dumny — rzekł, chcąc wyciągnąć z niej coś więcej.

Twarz Brendy na chwilę się zmieniła.

— Pewnie tak. — Zrobiła ruch, żeby wstać. — Muszę się przebrać do zdjęć.

— Nie powie mi pani, co się dzieje?

Pozostała na krześle.

— Tata zniknął.

— Dawno?

— Tydzień temu.

— I to wtedy zaczęły się groźby?

Nie odpowiedziała.

— Chce pan pomóc? — spytała. — To niech pan go znajdzie.

— Czy to on pani grozi?

— Mniejsza o groźby. Tata lubi mieć kontrolę. Zastraszanie to jedna z metod.

— Nie rozumiem.

— Nie musi pan. Tata jest pańskim przyjacielem, prawda?

— Pani ojciec? Nie widziałem go od ponad dziesięciu lat.

— Z czyjej winy?

Zaskoczyło go to pytanie, ale i gorycz w jej głosie.

— Dlaczego pani pyta?

— Wciąż obchodzi pana jego los?

Myron nie musiał myśleć nad odpowiedzią.

— Przecież wie pani, że tak — odparł.

Skinęła głową i zerwała się z krzesła.

— Ma kłopoty. Niech pan go znajdzie — powiedziała.

2

Brenda pojawiła się w spodenkach z lycry i staniku sportowym. Mocno zbudowana, o silnych nogach, ramionach, mięśniach, odróżniała się od patrzących z urazą na jej sylwetkę zawodowych modelek (nie wzrostem, gdyż większość z nich miała po metr osiemdziesiąt) niczym wybuchająca supernowa od gwiazdek gazowych.

Najwyraźniej krępowały ją sugestywne pozy, które kazano jej przybierać. Ted przeciwnie. Falował całym ciałem i łypał na nią zmrużonymi oczami, w założeniu wyrażającymi stłumiony erotyzm. Dwa razy Brenda nie wytrzymała i zaśmiała mu się prosto w twarz. Myron, niechętny modelowi, czuł do niej rosnącą sympatię.

Wyjął telefon komórkowy i zadzwonił do Wina. Win był głównym konsultantem finansowym w Lock-Horne Securities, bardzo starej szacownej firmie, która już na statku Mayflower sprzedawała akcje pierwszym osadnikom. Jego biuro mieściło się w centrum Manhattanu, w budynku Lock-Horne'a, na rogu Park Avenue i Czterdziestej Siódmej Ulicy. Myron wynajmował od niego lokal. Agent sportowy na Park Avenue? To się nazywa klasa.

Po trzech sygnałach usłyszał drażniąco wyniosły głos z taśmy: „Niczego nie nagrywaj, odwieś słuchawkę i się powieś". Pip! Pokręcił głową, uśmiechnął się i jak zwykle nagrał wiadomość.

Rozłączył się i zadzwonił do agencji.

— RepSport MB — odezwała się Esperanza.

M oznaczało Myron, B Bolitar, a RepSport, że agencja reprezentuje sportowców. Sam wymyślił tę nazwę, bez pomocy speców od marketingu. Mimo oczywistych sukcesów i pochwał pozostał skromny.

— Są jakieś wieści? — spytał.

— Tysiące.

— A z ważnych?

— Greenspan pyta, ile zarobiłeś na nagłych zwyżkach stóp procentowych. Poza tym nic. Czego chciał Norm? — spytała czujnie.

Esperanza Diaz — „hiszpańska siksa", jak nazwał ją Norm — pracowała w agencji RepSport MB od zarania. Przedtem, jako Mała Pocahontas, zajmowała się zawodowo damskim wrestlingiem. Krótko mówiąc, przebrana w bikini, takie jak Raquel Welch w filmie *Milion lat przed naszą erą*, obłapiała inne kobiety na oczach rozentuzjazmowanej tłuszczy. Swój awans na reprezentantkę sportowców uważała poniekąd za krok wstecz w karierze.

— Chodzi o Brendę Slaughter — odparł.

— Tę koszykarkę?

— Tak.

— Widziałam kilka jej meczów. W telewizji wygląda na gorącą sztukę.

— Na żywo również.

— Myślisz, że uprawia miłość, która nie śmie wymówić swego imienia? — spytała po chwili.

— Co?

— Czy lubi kobiety?

— O mamo. Zapomniałem sprawdzić, czy ma lesbijski tatuaż.

Preferencje seksualne Esperanzy zmieniały się jak poglądy polityków po wyborach. Obecnie gustowała w mężczyznach. Był to, jak się domyślał, jeden z plusów biseksualności: kochasz, kogo wola. Coś o tym wiedział. W szkole średniej miał takiego pecha, że na randkach z reguły trafiał na biseksualistki — gdy tylko wspomniał o seksie, natychmiast robiły w tył zwrot. Dowcip był stary, zgoda, ale jary.

— Nie szkodzi. Ja naprawdę lubię Davida — powiedziała, mając na myśli obecnego kochasia. Ich związek nie miał szans. — Lecz musisz przyznać, że Brenda Slaughter jest seksowna.

— Przyznaję.

— Fajnie byłoby spędzić z nią parę nocek.

Myron skinął głową. Ktoś pośledniejszego formatu mógłby wyczarować w głowie kilka niezłych widoczków gibkiej, filigranowej hiszpańskiej piękności w namiętnych obłapkach z zachwycającą czarną amazonką w staniku sportowym. Ale nie taki dżentelmen i światowiec jak on.

— Norm chce, żebyśmy jej pilnowali — powiedział i zdał jej relację.

Kiedy skończył, usłyszał westchnienie.

— O co chodzi? — spytał.

— Chryste Panie, Myron, jesteśmy agencją sportową czy agencją Pinkertona?

— Agencją, która ma zdobywać klientów.

— Powtarzaj to sobie na okrągło.

— O co chodzi, do licha?

— Nic. Co mam zrobić w tej sprawie?

— Jej ojciec zniknął. Nazywa się Horace Slaughter. Spróbuj znaleźć coś na jego temat.

— Będzie mi potrzebna pomoc.

Myron potarł oczy.

— Myślałem o zatrudnieniu kogoś na stałe — rzekł.

— Kogoś, kto dysponuje czasem?

Nie odpowiedział.

— Dobra. — Westchnął. — Zadzwoń do Wielkiej Cyndi. Ale zaznacz, że zatrudniamy ją na próbę.

— W porządku.

— Kiedy zjawi się jakiś klient, masz ją ukryć w moim gabinecie.

— Tak, tak...

Esperanza odłożyła słuchawkę.

Po zakończeniu zdjęć Brenda Slaughter podeszła do Myrona.

— Gdzie teraz mieszka pani ojciec? — spytał.

— Tam gdzie mieszkał.

— Była pani w jego mieszkaniu po tym, jak zniknął?

— Nie.

— Więc zacznijmy od niego.

3

Newark w New Jersey. Podła dzielnica. Potrzebna jak wrzód. Ruiny — to słowo pierwsze cisnęło się na usta. Budynki nie tyle się rozpadały, ile waliły, topniały jak polane nieznanym kwasem. Pojęcie odbudowy było tu równie obce jak marzenie o podróżach w czasie. Otoczenie wyglądało na kadr z wojennej kroniki filmowej — jak Frankfurt po nalocie aliantów — a nie na ludzkie siedlisko.

Było tu jeszcze straszniej, niż pamiętał. Gdy jako nastolatek przejeżdżał tą samą ulicą z tatą, zamki w drzwiczkach ich samochodu same się zablokowały, jakby wyczuły niebezpieczeństwo. „Latryna" — mruknął ze ściągniętą twarzą ojciec, który dawno temu dorastał niedaleko stąd. Myron nikogo nie kochał i nie czcił bardziej od swojego taty, i oto ten najpoczciwszy człowiek na świecie ledwo nad sobą panował. „Popatrz, co oni zrobili z tą starą dzielnicą" — powiedział.

Popatrz, co zrobili.

Oni.

Wolno minął swoim fordem taurusem stare boisko, śledzony przez wrogie oczy. Obserwująca mecz pięciu na pięciu, ustawiona przy bocznych liniach gromada czarnych kolesiów czekała na zmierzenie się ze zwycięzcami. Nie grali w trampkach z tanich supermarketów jak za jego czasów, tylko w kosztujących od stu baksów w górę rozmaitych najkach niezdzierajkach i adaśkach, na które nie było ich stać. Myron poczuł wyrzuty sumienia. Rad by z pozycji szlachetnego oburzenia potępić zanik wartości, materializm i resztę, jednakże bardzo mu ciążyło, że jako agent czerpie zyski z reklam obuwia sportowego. Nie czuł się z tym dobrze, ale z drugiej strony nie chciał być hipokrytą.

Nikt też nie nosił już spodenek. Cała młódź paradowała w niebieskich i czarnych dżinsach, zjeżdżających nisko w stronę ziemi jak pantalony, które cyrkowi klauni wkładają dla większego śmiechu. W pasie opadały im na jaja, odsłaniając szpanerskie markowe bokserki. Myron nie chciał uchodzić za zgreda, który zrzędzi na modę młodego pokolenia, lecz przy niej spodnie dzwony i buty na platformach wydawały się całkiem praktyczne. Jak możesz dać z siebie wszystko, skoro bez przerwy musisz podciągać opadające sztany?

Ale największa zmiana zaszła w spojrzeniach. Kiedy przyjechał tu po raz pierwszy jako piętnastoletni uczeń szkoły średniej, był wystraszony, jednakże wiedział, że jeśli chce się wznieść na wyższy poziom, musi zmierzyć się z najlepszymi rywalami. A to oznaczało grę tutaj. Nie powitano go z otwartymi rękami. Skądże. Połączona z zaciekawieniem niechęć w oczach tamtych chłopców była niczym w porównaniu ze śmiertelną wrogością, z jaką patrzyli na niego ci. Ich nienawiść była jawna, bezpośrednia, pełna zimnej rezygnacji. Pewnie to banał, ale wówczas — niespełna dwadzieścia lat temu — było tu nieco inaczej. Może więcej nadziei. Trudno powiedzieć.

— Nawet ja bałabym się tu grać — odezwała się Brenda, jakby czytając w jego myślach.

Myron skinął głową.

— Nie było ci łatwo, co? Przyjeżdżać tutaj, żeby grać w kosza.

— Twój ojciec mi to ułatwił — odparł.

Uśmiechnęła się.

— Nie mogłam pojąć, dlaczego tak cię polubił. W zasadzie nienawidził białych.

— To ja jestem biały? — spytał Myron, udając, że wzdycha.

— Jak Pat Buchanan.

Zaśmiali się z przymusem.

— Opowiedz mi o tych groźbach — ponowił prośbę Myron.

Brenda spojrzała w szybę. Minęli plac usłany kołpakami samochodowymi. W słońcu lśniły setki, może tysiące dekli. Osobliwy interes. Ludzie kupują nowe dekle tylko wtedy, kiedy im je ukradną. Kradzione dekle lądują w miejscu takim jak to. Tak się nakręca koniunkturę.

— Dostaję telefony — zaczęła. — Głównie w nocy. Raz zagrozili mi, że mnie uszkodzą, jeśli nie znajdę ojca. Innym razem powiedzieli, że lepiej dla mnie, by pozostał moim menedżerem.

Zamilkła.

— Podejrzewasz, co to za jedni?

— Nie.

— Nie domyślasz się, dlaczego ktoś chce znaleźć twojego ojca?

— Nie.

— Ani dlaczego zniknął?

Potrząsnęła głową.

— Norm wspomniał, że jeździ za tobą jakiś samochód.

— Nic o tym nie wiem.

— A ten głos w telefonie. Jest zawsze ten sam?

— Nie.

— Męski, żeński?

— Męski. Głos białego. W każdym razie tak brzmi.

— Czy Horace uprawia hazard?

— Nie. Hazard uprawiał mój dziadek. Przegrał wszystko, co miał, czyli niewiele. Tata się w to nie bawił.

— Pożyczał pieniądze?

— Nie.

— Na pewno? Nawet jeśli otrzymywał pomoc finansową, twoje wykształcenie musiało sporo kosztować.

— Od dwunastego roku życia dostawałam stypendium.

Myron skinął głową. Na chodniku przed nimi potknął się mężczyzna w bieliźnie od Calvina Kleina, butach narciarskich nie do pary i wielkiej rosyjskiej czapie uszance w stylu doktora Żywago. Nie miał na sobie nic poza tym. Żadnej koszuli ani spodni. W dłoni ściskał brązową torbę w taki sposób, jakby pomagał jej przejść przez ulicę.

— Kiedy zaczęły się te telefony?

— Tydzień temu.

— Po zniknięciu twojego taty?

Brenda skinęła głową. Z jej spojrzenia wyczytał, że ma więcej do powiedzenia. W końcu doczekał się odpowiedzi.

— Za pierwszym razem kazano mi zadzwonić do matki — powiedziała cicho.

Myron czekał na dalszy ciąg, a kiedy zrozumiał, że nie nastąpi, spytał:

— Zadzwoniłaś?

— Nie.

Uśmiechnęła się smutno.

— Gdzie mieszka twoja matka?

— Nie wiem. Ostatni raz widziałam ją, kiedy miałam pięć lat.

— Mówiąc, „ostatni raz"...

— Dobrze usłyszałeś. Porzuciła nas dwadzieścia lat temu. — Brenda wreszcie na niego spojrzała. — Wyglądasz na zaskoczonego.

— Bo jestem.

— Dlaczego? Czy wiesz, ilu chłopaków z tamtego boiska porzucili ojcowie? Myślisz, że matka nie może zrobić tego samego?

Zabrzmiało to beznamiętnie, choć było stwierdzeniem faktu.

— Więc ostatni raz widziałaś ją, kiedy miałaś pięć lat?

— Tak.

— Czy wiesz, gdzie mieszka? W jakim mieście, stanie?

— Nie mam pojęcia — odparła, starając się zachować obojętny ton.

— Nie miałaś z nią żadnego kontaktu?

— Przysłała kilka listów.

— Był na nich jakiś adres?

Potrząsnęła głową.

— Wiem tylko tyle, że wysłano je z Nowego Jorku.

— Czy Horace wie, gdzie ona mieszka?

— Nie. Przez dwadzieścia lat nie wymienił jej imienia.

— W każdym razie przy tobie.

Brenda skinęła głową.

— Może ten dzwoniący mówił nie o twojej matce, tylko kimś innym. Masz macochę? Czy twój ojciec powtórnie się ożenił albo żyje z kimś...

— Nie. Od jej odejścia nie miał nikogo.

Zamilkli.

— Po co więc ktoś zainteresował się twoją matką po dwudziestu latach?

— Nie wiem.

— Nie masz żadnych domysłów?

— Żadnych. Przez dwadzieścia lat była dla mnie duchem. — Wskazała przed siebie. — W lewo.

— Mogę zamontować przy twoim aparacie identyfikator? Na wypadek, gdyby znowu zadzwonili?

Skinęła głową.

Jechał, kierując się jej wskazówkami.

— Opowiesz mi o swoich stosunkach z ojcem? — zagadnął.

— Nie.

— Nie pytam o to ze wścibstwa...

— To bez znaczenia. Czy go kochałam, czy nienawidziłam i tak będziesz musiał go znaleźć.

— Ale postarałaś się, żeby dostał zakaz zbliżania się do ciebie, tak?

Chwilę milczała.

— Pamiętasz, jak zachowywał się na boisku? — spytała.

Myron skinął głową.

— Jak wariat. I najlepszy trener, jakiego miałem.

— Najbardziej wymagający.

— Tak. Oduczył mnie grać zbyt finezyjnie. Nie zawsze były to łatwe lekcje.

— Właśnie, a byłeś tylko chłopakiem, którego polubił.

Wyobraź więc sobie, co znaczyło być jego dzieckiem. Wyobraź sobie, czego wymagał ode mnie na boisku i jak bardzo się bał, że mnie straci. Że ucieknę i zostawię go.

— Jak twoja matka.

— Właśnie.

— Przytłaczał cię.

— Dusił — sprostowała. — Trzy tygodnie temu zagrałyśmy sparing w liceum w East Orange. Znasz je?

— Pewnie.

— Dwóch chłopaków na widowni zaczęło rozrabiać. Może się upili, może naćpali, a może były to zwykłe łobuzy. Nie wiem. W każdym razie zaczęli do mnie wykrzykiwać różne rzeczy.

— Jakie rzeczy?

— Grube słowa, świństwa. Co by ze mną chętnie zrobili. Ojciec wstał i rzucił się na nich.

— Wcale mu się nie dziwię.

— W takim razie też jesteś neandertalczykiem — odparła, kręcąc głową.

— Słucham?

— Po co ich atakować? W obronie mojej czci? Mam dwadzieścia pięć lat. Nie potrzebuję rycerzy.

— Ale...

— Daj spokój. Ta cała afera, to, że tutaj jesteś... Nie jestem wojującą feministką, ale to jedna wielka seksistowska heca.

— Co?

— Gdybym między nogami miała penisa, toby cię tu nie było. Gdybym nazywała się Leroy i dostała kilka dziwnych telefonów, to też byś się tak bardzo palił, by mnie chronić, biedną małą?

Zawahał się chwilę za długo.

— Ile razy widziałeś mnie na boisku?

— Słucham? — spytał, zaskoczony nagłą zmianą tematu.

— Przez trzy lata z rzędu byłam najlepszą koszykarką akademicką. Moja drużyna była dwa razy mistrzem kraju. Wszystkie nasze mecze transmitowała ESPN, a mecze o akademickie mistrzostwo kraju CBS. Studiowałam na uniwerku Restona, który jest pół godziny jazdy od twojego miasta. Ile moich meczów obejrzałeś?

Myron otworzył usta, zamknął je i powiedział:

— Żadnego.

— Właśnie. Babska koszykówka. Strata czasu.

— Nie w tym rzecz. Rzadko teraz chodzę na zawody.

Nie zabrzmiało to przekonująco.

Pokręciła głową i zamilkła.

— Brenda...

— Zapomnij, że cokolwiek powiedziałam. Byłam głupia, że poruszyłam ten temat.

Ton jej głosu nie zachęcał do dalszej rozmowy. Myron miał ochotę się bronić, lecz nie wiedział jak. Uznał więc, że najlepiej zamilknąć. Powinien to robić częściej.

— Przy następnej przecznicy skręć w prawo — powiedziała.

— Co się stało potem? — spytał.

Spojrzała na niego.

— Z łobuzami, którzy cię wyzwali. Co się stało, gdy twój ojciec się na nich rzucił?

— Do niczego poważnego nie doszło, bo wkroczyli ochroniarze. Wyrzucili tych chłopaków z sali. Tatę również.

— A gdzie puenta tej historii?

— To nie był jej koniec. — Brenda urwała, opuściła oczy, wydobyła z pamięci jakiś szczegół i podniosła głowę. — Trzy dni potem tych dwóch chłopców... Claya Jacksona i Arthura Harrisa... znaleziono na dachu kamienicy. Ktoś ich związał i przeciął sekatorem ścięgna Achillesa.

Myron zbladł. Żołądek mu zanurkował.

— Twój ojciec?

Skinęła głową.

— Robił podobne rzeczy przez całe życie. Nie takie potworne. Ale zawsze mścił się na tych, którzy mnie skrzywdzili. Kiedy byłam małą dziewczynką, półsierotą, chętnie uciekałam pod jego skrzydła. Ale już nie jestem mała.

Myron w roztargnieniu sięgnął ręką w dół i dotknął nogi nad

kostką. Ścięgno Achillesa przecięte sekatorem? Starał się nie okazać po sobie osłupienia.

— Policja z pewnością go podejrzewała — powiedział.

— Tak.

— Dlaczego go nie aresztowali?

— Nie mieli dowodów.

— Ofiary go nie wydały?

Znów wpatrzyła się w szybę.

— Za bardzo się bali. — Wskazała ręką na prawo. — Stań tam.

Myron zatrzymał wóz. Ludzie snuli się po ulicy. Patrzyli na niego, jakby pierwszy raz widzieli białego człowieka. W tej dzielnicy było to całkiem możliwe. Starając się zachowywać swobodnie, uprzejmie skinął im głową. Niektórzy odpowiedzieli mu skinieniami. Inni nie.

Z przejeżdżającego żółtego samochodu — a raczej głośnika na kołach — zagrzmiał rap. Basy były ustawione na taki ful, że Myronowi wibrowały płuca. Nie rozumiał słów piosenki, ale brzmiały bardzo gniewnie. Brenda poprowadziła go do ganku. Na schodach leżeli, jak ranni w boju, dwaj Murzyni. Brenda bez wahania przestąpiła przez nich. Myron zrobił to samo. Raptem zdał sobie sprawę, że jest tu pierwszy raz. Jego znajomość z Horace'em Slaughterem nie wykroczyła poza koszykówkę. Spotykali się wyłącznie na boisku, w sali lub po meczu, na pizzy. Nigdy nie był w domu Horace'a ani Horace u niego.

Nie było tu oczywiście portiera, zamka, dzwonków ani nic z tych rzeczy. Słabe oświetlenie w korytarzu nie mogło ukryć, że ze ścian odłazi farba. Wyglądały, jakby cierpiały na łuszczycę. W skrzynkach na listy brakło drzwiczek. Powietrze było ciężkie niczym zasłona z paciorków.

Brenda wspięła się po betonowych schodach. Skądś dobiegał charkot mężczyzny, który kaszlał, jakby chciał wypluć płuca. Płakało dziecko. Po chwili dołączyło do niego drugie. Brenda przystanęła na pierwszym piętrze i skręciła w prawo. W ręce trzymała klucze. Wykonanych ze stali zbrojeniowej drzwi do mieszkania strzegły wziernik i trzy zamki z zasuwami.

Otworzyła wszystkie trzy. Odskoczyły z hałasem, niczym w filmowej scenie z więzienia, w której strażnik woła: „Ryglować!". Po otwarciu drzwi Myrona naszły dwie myśli naraz. Pierwsza, jak ładnie mieszka Horace. Nic z całego brudu i smrodu na ulicach i w korytarzu nie miało wstępu za te drzwi ze stali. Ściany w środku były bieluśkie jak krem do rąk z telewizyjnej reklamy. Podłogi świeżo wypolerowane. Meble zaś stanowiły mieszankę odnowionych rodzinnych antyków z nabytkami z Ikei. Był to więc naprawdę przyjemny i wygodny dom.

Drugą rzeczą, która rzuciła mu się w oczy zaraz po otwarciu drzwi, było to, że ktoś przeszukał mieszkanie.

— Tato? — zawołała Brenda, wpadając do środka.

Myron podążył za nią, żałując, że nie ma broni. Ta scena wprost się prosiła o broń. Wyjąłby pistolet i po daniu Brendzie znaku, by milczała, skradając się z nią, trwożnie uczepioną jego wolnego ramienia, zbadałby mieszkanie. Przyczajony, wymachując pistoletem, sprawdziłby wszystkie pokoje, przygotowany na najgorsze. Niestety, nie nosił broni na co dzień. Nie dlatego, że nie lubił — zagrożony, czuł się raźniej, mając ją przy sobie — lecz pistolet był ciężki i tak miły dla ciała, jak wełniana prezerwatywa. A poza tym, co się oszukiwać, u większości potencjalnych klientów agent sportowy, nierozstający się z gnatem, nie wzbudzał zaufania, a z tymi, u których je wzbudzał, Myron wolał nie mieć do czynienia.

W przeciwieństwie do niego Win nie rozstawał się z pistoletem, a właściwie z dwoma, nie licząc imponującego arsenału broni niewidocznej. Ten człowiek był uzbrojony jak Izrael.

Mieszkanie składało się z trzech pokojów i kuchni. Szybko przez nie przeszli. Nie było tam nikogo. Żadnego trupa.

— Coś zginęło? — spytał Brendę.

Spojrzała na niego z urazą.

— A skąd mam wiedzieć, do diabła?

— Mówię o tym, co się rzuca w oczy. Widzę telewizor. Widzę magnetowid. Pytam, czy obrabowano mieszkanie?

Rozejrzała się po dużym pokoju.

— Nie. Nie wygląda to na rabunek — odparła.

— Podejrzewasz, kto mógłby się tu włamać i czego szukać?

Pokręciła przecząco głową, oczami wciąż chłonąc bałagan.

— Czy Horace ukrył gdzieś pieniądze? W słoiku, pod podłogą, w jakimś innym miejscu?

— Nie.

Rozejrzeli się po pokoju. Brenda otworzyła szafę. Przez dłuższą chwilę stała bez słowa.

— Brenda?

— Brakuje wielu jego ubrań — powiedziała cicho. — I walizki.

— To dobrze. A więc najprawdopodobniej uciekł. Zmniejsza to możliwość, że spotkało go coś złego.

Skinęła głową.

— To niesamowite.

— Dlaczego?

— Powtarza się historia z mamą. Do tej pory pamiętam, jak tata stał tutaj i wpatrywał się w puste wieszaki.

Wrócili do dużego pokoju i weszli do małej sypialni.

— Twój pokój? — spytał Myron.

— Tak, owszem, choć nieczęsto tu bywam — odparła.

Spojrzała na podłogę przy nocnym stoliku, z cichym jękiem opadła na kolana i zaczęła przerzucać rzeczy.

— Brenda?

Przerzucała je coraz zapamiętalej, oczy jej pałały. Niebawem wstała, pobiegła do sypialni ojca, a potem do dużego pokoju. Myron trzymał się z boku.

— Zniknęły — oznajmiła.

— Co?

Spojrzała na niego.

— Listy matki do mnie. Ktoś je zabrał.

4

Myron zaparkował przed akademikiem. Podczas jazdy Brenda milczała, jeśli nie liczyć monosylabowych wskazówek, jak ma jechać. Nie narzucał się z rozmową. Zatrzymał samochód i obrócił się w jej stronę. Patrzyła przed siebie.

Uniwersytet Restona był pełen trawników, wielkich dębów, ceglanych budynków, talerzy frisbee i bandan. Jego profesorowie wciąż nosili długie włosy, rozczochrane brody i tweedowe marynarki. Panował tu duch niewinności, fantazji, młodości i niezwykłych porywów. Ale właśnie na tym polegał urok takich uczelni — studenci rozprawiali na tematy życia i śmierci w otoczeniu odizolowanym od świata jak Disney World. Rzeczywistość nie miała tu wstępu. I słusznie. Tak właśnie powinno być.

— Odeszła — przemówiła Brenda. — Gdy miałam pięć lat, po prostu zostawiła mnie z ojcem.

Myron pozwolił jej mówić.

— Bardzo dobrze ją pamiętam. Jak wyglądała. Jak pachniała. Jak wracała do domu z pracy tak skonana, że powłóczyła nogami. Przez minione dwadzieścia lat rozmawiałam o niej może z pięć razy. Ale co dzień o niej myślę. Zastanawiam się, dlaczego mnie porzuciła. I dlaczego nadal za nią tęsknię.

Dotknęła ręką podbródka i odwróciła głowę. W samochodzie zapadła cisza.

— Jesteś w tym dobry, Myron? — spytała. — W poszukiwaniu ludzi?

— Myślę, że tak.

Brenda nacisnęła klamkę.

— Znajdziesz moją matkę?

Nie zaczekała na odpowiedź, szybko wysiadła z samochodu i weszła po stopniach. Myron patrzył, jak znika w kolonialnym budynku z cegły. A potem uruchomił silnik i ruszył do domu.

Znalazł wolne miejsce na Spring Street tuż przed poddaszem Jessiki. Wciąż nazywał swoje nowe lokum jej poddaszem, chociaż mieszkał tu i płacił połowę czynszu. Aż dziw, jak sprawdzał się taki układ.

Wszedł po schodach na drugie piętro i zaraz po otwarciu drzwi dobiegł go jej okrzyk:

— Pracuję!

Wprawdzie nie słyszał klikania klawiatury komputera, ale to o niczym nie świadczyło. Przeszedł do sypialni, zamknął drzwi i włączył sekretarkę. Podczas pisania Jessica nigdy nie odbierała telefonów.

Wcisnął odtwarzanie.

— Cześć, Myron. Tu mama — oznajmiła z taśmy jego matka, tak jakby nie znał jej głosu. — Boże, jak ja nienawidzę tej maszyny. Czy ta twoja nie może odebrać telefonu? Wiem, że jest w domu. Czy to tak trudno podnieść słuchawkę, przywitać się i przyjąć wiadomość? Jestem w biurze, dzwonią telefony, to je odbieram. Nawet gdy pracuję. Albo zlecam to sekretarce. Nie maszynie. Świetnie wiesz, jak nie znoszę tych automatycznych sekretarek.

Wyrzekała w tym stylu jakiś czas. Myron zatęsknił za epoką, gdy automatyczne sekretarki zmuszały do zwięzłości. Postęp nie zawsze był korzystny.

Wreszcie zeszła z niej para.

— Dzwonię, żeby cię pozdrowić, ślicznoto moja. Porozmawiamy później — zakończyła.

Przez pierwsze trzydzieści lat życia Myron mieszkał w podmiejskim Livingston, w stanie New Jersey. Najpierw, jako brzdąc, w małym pokoju dziecinnym na górze z lewej. Od lat trzech do szesnastu w sypialni na górze po prawej. A od siedemnastego roku życia do bardzo niedawna w suterenie. Oczywiście nie cały czas. Przez cztery lata studiował na Uniwersytecie Duke'a w Karolinie Północnej, w lecie jeździł na obozy koszykarskie, a niekiedy zatrzymywał się u Jessiki lub Wina na Manhattanie. Jednakże jego prawdziwym domem był zawsze, co tu kryć, dom mamy i taty — i to, o dziwo, z wyboru, choć niektórzy podejrzewali, iż poważna terapia u psychiatry ujawniłaby głębsze motywy takiego upodobania.

Zmieniło się to kilka miesięcy temu, kiedy Jessica poprosiła go, żeby z nią zamieszkał. To, że propozycja ta wyszła od niej, było w ich stosunkach rzadkością. Myron był zarazem wniebowzięty, odurzony i przerażony. Jego obawy nie miały nic wspólnego ze strachem przed zaangażowaniem się — ta fobia dręczyła nie jego, tylko ją — ale w przeszłości ich związek przechodził trudne chwile, dlatego, mówiąc prosto, nie chciał, żeby Jessica znowu go zraniła.

Nadal spotykał się z rodzicami co tydzień — wpadał do nich na obiad albo oni przyjeżdżali do Nowego Jorku. Poza tym prawie codziennie rozmawiał z mamą lub tatą przez telefon. Co dziwne, choć byli denerwujący, to ich lubił. Może to zabrzmi niedorzecznie, ale naprawdę dobrze się z nimi czuł. Że to żenada? Oczywiście. Obciach jak polka na akordeonie? Totalny. Ale bywa.

Chwycił z lodówki yoo-hoo, potrząsnął, otworzył i pociągnął duży łyk słodkiego nektaru.

— Na co masz ochotę? — zawołała Jessica.

— Bo ja wiem.

— Chcesz wyjść?

— A moglibyśmy zamówić coś do domu?

— Tak.

Pojawiła się w drzwiach, w za dużej koszulce z godłem uniwerku Duke'a i czarnych spodniach z dzianiny. Włosy miała związane w koński ogon. Kilka luźnych kosmyków spadało jej na twarz. Kiedy się uśmiechała, wciąż mu przyśpieszał puls.

— Cześć — powiedział, dumny ze swoich oryginalnych powitalnych odzywek.

— Zjesz coś chińskiego? — spytała.

— Jasne. Po hunańsku, syczuańsku, kantońsku?

— Syczuańsku.

— Zgoda. Syczuański ogród, syczuańskiego smoka czy syczuańskie cesarstwo?

— Poprzednim razem smok był tłusty — odparła po chwili. — Weźmy cesarstwo.

Przeszła przez kuchnię i cmoknęła go w policzek. Jej włosy pachniały jak dzikie kwiaty po letniej burzy. Myron uścisnął ją krótko, chwycił z szafki menu i po ustaleniu, że zjedzą pikantną kwaśną zupę oraz porcje krewetek z warzywami, zadzwonił, natrafiając jak zwykle na barierę językową. Czy nie mogli choć raz posadzić w dziale zamówień kogoś, kto mówił po angielsku?! Po sześciokrotnym powtórzeniu numeru swojego telefonu odwiesił słuchawkę.

— Dużo napisałaś? — spytał.

Skinęła głową.

— Pierwszą wersję skończę do Bożego Narodzenia.

— Myślałem, że ostateczny termin to sierpień.

— O co ci chodzi?

Usiedli przy kuchennym stole. Kuchnia, salon, jadalnia i pokój telewizyjny tworzyły jedno wielkie przestronne pomieszczenie z sufitem zawieszonym cztery i pół metra nad głowami. Za sprawą ceglanych ścian i odsłoniętych metalowych belek było tu zarazem artystowsko i trochę jak na stacji kolejowej. Jednym słowem, klawo.

Przywieziono jedzenie. Wdali się w pogawędkę o minionym dniu. Myron opowiedział Jessice o Brendzie Slaughter. Siedziała i słuchała na swój wyjątkowy sposób. Należała do osób, przy których opowiadający miał wrażenie, że na świecie jest tylko ich dwoje. Kiedy skończył, zadała mu kilka pytań.

Wstała, nalała sobie ze szklanego dzbanka wody i usiadła.

— We wtorek lecę do Los Angeles — powiedziała.

— Znowu?

Skinęła głową.

— Na długo?

— Nie wiem. Tydzień, dwa.

— Dopiero co stamtąd wróciłaś.

— Tak. I co z tego?

— Byłaś tam w sprawie filmu.

— Tak.

— Więc po co tam znowu lecisz?

— Muszę poszukać materiałów do książki.

— A nie mogłaś zrobić jednego i drugiego w zeszłym tygodniu, kiedy tam byłaś?

— Nie. — Przyjrzała mu się. Bawił się pałeczką. — Coś się stało?

Spojrzał na nią i odwrócił wzrok.

— Czy nam to wychodzi? — spytał.

— Co?

— Życie razem.

— Myron, wyjeżdżam tylko na dwa tygodnie. Poszukać materiałów.

— A potem w objazd na promocję książki. Do pisarskiej samotni. W sprawie filmu. I znowu zbierać materiały.

— Chcesz, żebym siedziała w domu i piekła ciasteczka?

— Nie.

— No, to co się dzieje?

— Nic... — odparł. — Jesteśmy ze sobą bardzo długo.

— Z przerwami dziesięć lat. No i?

Nie bardzo wiedział, jak rozwinąć temat.

— Lubisz podróżować.

— Jasne!

— Tęsknię za tobą, gdy cię nie ma.

— Ja za tobą również. Też za tobą tęsknię, kiedy wyjeżdżasz w interesach. Ale nasza wolność... to też przyjemność, prawda? A poza tym — pochyliła się lekko do przodu — wynagradzam ci to po powrocie.

— Wynagradzasz — przyznał.

Położyła dłoń na jego przedramieniu.

— Nie chcę dokonywać pseudoanaliz, ale ten krok był dla ciebie poważną zmianą. Rozumiem to. Na razie układa nam się znakomicie.

Miała oczywiście rację. Byli nowoczesną parą robiącą błyskawiczne kariery, świat stał przed nimi otworem. Rozstania należały do układu. Wszelkie gnębiące go wątpliwości były ubocznym produktem jego wrodzonego pesymizmu. Wszystko szło tak doskonale — Jessica wróciła do niego, zaproponowała wspólne mieszkanie — aż obawiał się, że zdarzy się coś złego. Musiał skończyć z tymi natręctwami. Obsesja nie wykrywa problemów i nie rozwiązuje ich. Tworzy je z niczego, podsyca i wzmacnia.

Uśmiechnął się.

— Może to wszystko jest apelem o więcej uwagi — powiedział.

— Tak?

— A może fortelem, by się z tobą częściej kochać.

Posłała mu spojrzenie, od którego skręciły się jego chińskie pałeczki.

— Czuję, że skutecznym.

— W takim razie przebiorę się w coś wygodniejszego.

— Byle nie znowu w maskę Batmana.

— Nie zaczynaj! Możesz włożyć pas monterski.

— Zgoda — odparła po chwili. — Pod warunkiem, że nie przerwiesz w trakcie akcji, oznajmiając: „Jutro o tej samej Bat-porze, na tym samym Bat-kanale".

— Umowa stoi.

Jessica podniosła się, zbliżyła do niego, usiadła mu na kolanach, objęła i przysuwając usta do jego ucha, powiedziała:

— Dobrze nam z sobą, Myron. Nie spieprzmy tego.

Miała rację. Wstała z jego kolan.

— Sprzątnijmy ze stołu.

— A potem?

— Pobatmanimy.

5

Ledwie następnego ranka wyszedł z domu, zatrzymała się przed nim czarna limuzyna, z której wytoczyło się dwóch wielkich bezszyich troglodytów w źle skrojonych garniturach. Ale Myron nie winił za to ich krawca. Na king kongach takich jak oni nic nie leży dobrze. Opaleniznę zawdzięczali solarium i, choć nie mógł tego naocznie potwierdzić, szedł o zakład, że torsy mają bezwłose jak nogi Cher.

— Wsiadaj — polecił mu jeden z buldożerów.

— Mamusia zabroniła mi wsiadać do samochodu z obcymi.

— Trafił nam się komik, kurde — powiedział drugi buldożer.

— Powaga? — spytał buldożer pierwszy, nachylając głowę w stronę Myrona. — Jesteś komikiem?

— A do tego boskim wokalistą. Zaśpiewać wam moją, ulubioną przez publiczność, wersję *Volare*?

— Wskakuj do gabloty, bo zaśpiewasz drugim końcem dupy.

— Drugim końcem dupy? — spytał Myron z taką miną, jakby wytężał myśli. — Nie kumam. Końcem dupy, zgoda, to ma sens. Ale drugim końcem?! Co to znaczy? No, bo jeśli cofniecie się przewodem pokarmowym w górę, to drugim końcem dupy są w praktyce usta.

Buldożery spojrzały na siebie, a potem na niego. Niezbyt się przestraszył. Te dwa zbiry zajmowały się dostawą. Pakunek mieli dostarczyć niepoobijany. Mógł się więc z nimi trochę podroczyć. A poza tym takim gościom nie wolno okazać strachu. Jeśli go u ciebie wyczują, dopadają cię i gnoją. Naturalnie mógł się co do nich mylić. A jeżeli byli niezrównoważonymi psycholami, gotowymi wybuchnąć przy najlżejszej prowokacji? Życie pełne jest małych niespodzianek.

— Chce cię widzieć pan Ache — oznajmił pierwszy buldożer.

— Który?

— Frank.

Myron zamilkł. Niedobrze. Bracia Ache byli czołowymi nowojorskimi gangsterami. Liczby nieszczęść i cierpień, które miał na sumieniu starszy z nich, Herman, głowa gangu, pozazdrościłby mu niejeden dyktator z kraju Trzeciego Świata. Ale w porównaniu ze swoim porąbanym młodszym bratem Frankiem Herman Ache był niegroźny jak Kubuś Puchatek.

Gangsterzy strzelili szyjami i skwitowali jego milczenie uśmiechami.

— Wymiękłeś, cwany gapo?

— Wiecie, od czego kurczą się jaja? — Myron podszedł do samochodu. — Od sterydów.

Była to jego stara, ale jara odzywka, a poza tym uwielbiał klasykę. Nie miał wyboru. Musiał jechać. Wsunął się na tylne siedzenie długiej limuzyny. Był tam barek i telewizor, nastawiony na show Regisa i Kathy Lee.

— Litości, poddaję się. Powiem wszystko — powiedział.

Buldożery nie zrozumiały. Myron zgasił telewizor. Nikt nie zaprotestował.

— Jedziemy do Clancy'ego? — spytał.

Tawerna Clancy'ego była siedzibą braci Ache'ów. Był tam przed dwoma laty z Winem i miał nadzieję, że po raz ostatni.

— Siedź cicho, frajerze.

Myron zamilkł. Wjechali na West Side Highway, pomknęli na północ — w przeciwną stronę niż Tawerna Clancy'ego — i skręcili w prawo w Pięćdziesiątą Siódmą Ulicę. Gdy dotarli do garażu na Piątej Alei, Myron zorientował się, dokąd zmierzają.

— Jedziemy do biura TruPro — rzekł głośno.

Buldożery nie odpowiedziały. Nie szkodzi. Nie mówił do nich.

TruPro było jedną z największych agencji sportowych w kraju. Przez wiele lat zarządzał nią Roy O'Connor, padalec w garniturze, niezrównany spec w łamaniu prawa. Był mistrzem w podpisywaniu nielegalnych kontraktów ze sportowcami, którzy ledwo wyszli z pieluch, pozyskując ich przekupstwem i szantażem. Ale, tak jak wielu skorumpowanych macherów przed nim, i jego w końcu upolowano. Myron dobrze znał ów scenariusz. Facet sądzi, że można być „trochę w ciąży", poflirtować sobie chwilkę z gangsterami. Ale mafia tak nie działa. Daj jej palec, a wciągnie rękę. I to właśnie spotkało agencję TruPro. Roy był winien pieniądze, a kiedy nie mógł ich zwrócić, zasługujący na swoje nazwisko bracia Ache — czyli Ból — przejęli ją w swoje łapy.

— Wysiadka, frajerze.

Myron podążył za brysiami Ache'ów, Bubbą i Rockym — jeśli nie wabili się tak, to powinni — do windy. Wysiedli na siódmym piętrze i minęli recepcjonistkę. Nie podniosła głowy, ale ukradkiem zerknęła. W przelocie pozdrowił ją ręką. Zatrzymali się przed drzwiami biura.

— Obszukaj go.

Buldożer pierwszy przystąpił do obmacywania.

Myron zamknął oczy.

— Boże, ale miło. Bardziej w lewo — powiedział.

Buldożer skończył go obszukiwać i groźnie łypnął.

— Właź!

Myron otworzył drzwi i wszedł do środka.

— Myron!

Frank Ache rozpostarł ręce i ruszył mu naprzeciw.

Choć był niebywale dziany, nie tracił kasy na stroje. Jego ulubionym wdziankiem były tanie welurowe dresy w stylu tych, w których tak wygodnie jest gościom z *Zagubionych w kosmosie*. Dziś paradował w ciemnopomarańczowym z żółtym wykończeniem. Zamek w bluzie miał zsunięty niżej niż

44

modele na okładkach „Cosmopolitan", a siwe włosy na piersi tak gęste jak góralski sweter. Z ogromną głową na wąziutkich ramionach i zapasową oponą w pasie, której pozazdrościłby mu Michelin Man, przypominał klepsydrę, w której skończył się czas. Był duży, nalany, a czubek jego głowy wyglądał jak łysa góra, wypiętrzona podczas trzęsienia ziemi.

Zamknął go w dzikim niedźwiedzim uścisku. Myrona zamurowało, bo zwykle Frank był tak chętny do przytulanek jak szakal chory na półpasiec.

— Ja cię, Myron, świetnie wyglądasz — powiedział Ache, trzymając go na wyciągnięcie ręki.

— Dzięki, Frank — odparł, starając się nie mrugnąć.

Frank zrewanżował mu się pełnym uśmiechem, demonstrując dwa rzędy ciasno upakowanych zębów koloru ziaren kukurydzy. Myron postarał się nie wzdrygnąć.

— Ileśmy się nie widzieli?

— Rok z małym okładem.

— Spotkaliśmy się u Clancy'ego, dobrze mówię?

— Nie.

— A gdzie? — zdziwił się Frank.

— Na drodze w Pensylwanii. Przestrzeliłeś mi opony, zagroziłeś, że wybijesz moją rodzinę, a na koniec kazałeś spadać z samochodu, zanim urwiesz mi orzechy i nakarmisz nimi wiewiórki.

Frank zaśmiał się i klepnął Myrona w plecy.

— To były czasy, co?

Myron zachował spokój.

— Jaką masz do mnie sprawę, Frank? — spytał.

— A co, śpieszy ci się?

— Chciałem od razu przejść do rzeczy.

— Myron! — Frank szeroko rozłożył ramiona. — Widzisz te przyjaźnie rozłożone ręce? Zmieniłem się. Jestem nowym człowiekiem.

— Znalazłeś wiarę?

— Można tak powiedzieć.

— Aha.

Z twarzy Franka spełzł uśmiech.

— Wolisz moje stare metody?

— Są przynajmniej szczere.

Po uśmiechu nie zostało śladu.

— Znów to robisz, Myron.

— Co?

— Wchodzisz mi w dupę. Przytulnie tam?

— Przytulnie. — Myron skinął głową. — Z ust mi to wyjąłeś.

Otworzyły się drzwi i weszło dwóch mężczyzn. Jeden z nich, Roy O'Connor, fasadowy prezes TruPro, wsunął się tak cicho, jakby prosił, by pozwolono mu żyć. Zapewne tak właśnie było. W obecności Franka Roy chyba podnosił palce, żeby spytać, czy może wyjść na siusiu. Drugi, dwudziestokilkuletni, nienagannie ubrany, wyglądał jak bankowiec świeżo po studiach menedżerskich.

Myron pozdrowił ich szerokim gestem.

— Cześć, Roy — powitał O'Connora. — Dobrze wyglądasz.

Roy skinął sztywno głową i usiadł.

— A to mój syn — rzekł Frank. — Frankie Junior. Nazywaj go FJ.

— Cześć — powiedział Myron. FJ?!

FJ spojrzał na niego spode łba i usiadł.

— Roy właśnie go zatrudnił — wyjaśnił Frank.

Myron uśmiechnął się do Roya O'Connora.

— Pewnie strasznie się namęczyłeś z wyborem, przedzierając się przez tę górę życiorysów etcetera, co, Roy?

Roy nie zareagował.

Frank obszedł kaczym chodem biurko.

— Ty i FJ macie coś wspólnego, Myron — powiedział.

— Tak?

— Studiowałeś na Harvardzie, nie?

— Prawo.

— A FJ skończył tam zarządzanie.

Myron skinął głową.

— Tak jak Win.

Na dźwięk tego imienia zapadła cisza. Roy O'Connor

skrzyżował nogi. Pobladł. Tylko on zetknął się z bliska z Winem, ale pozostali go znali. Wina ucieszyłaby ich reakcja. Do pokoju z wolna powróciło życie. Zajęli miejsca. Frank położył na biurku łapy wielkie jak puszki szynki.

— Podobno reprezentujesz Brendę Slaughter — rzekł.

— Gdzie tak słyszałeś?

Frank wzruszył ramionami, jakby chciał powiedzieć: „Co za głupie pytanie!".

— To prawda, Myron?

— Nie.

— Nie reprezentujesz jej?

— Nie, Frank.

Frank spojrzał na Roya, który siedział jak tężejący gips, i na syna. FJ pokręcił głową.

— Więc stary Brendy wciąż jest jej menedżerem?

— Nie wiem, Frank. Czemu jej nie spytasz?

— Byłeś z nią wczoraj.

— I co z tego?

— To co robiliście razem?

Myron wyciągnął nogi i skrzyżował je w kostkach.

— A dlaczego cię to interesuje? — spytał.

Frankowi powiększyły się oczy. Spojrzał na Roya, na FJaya i wymierzył mięsisty paluch w Myrona.

— Wybacz mi, kurwa, łacinę, ale czy ja wyglądam na takiego, co odpowie na twoje pytania?

— Jesteś nie do poznania, Frank. Nowy. Przyjazny. Odmieniony.

FJ pochylił się do przodu i spojrzał Myronowi w oczy. Myron odpowiedział tym samym. W jego oczach nie dostrzegł nic. Jeśli oczy Franka Juniora były oknami duszy, to wisiała na nich kartka „pustostan".

— Panie Bolitar? — odezwał się FJ cichym, miękkim głosem.

— Tak?

— Chuj panu w dupę.

Młody Ache wyszeptał te słowa z najdziwniejszym uśmiechem na twarzy. Nie cofnął się i nie usiadł wygodnie. Myron poczuł, jak coś zimnego pełznie mu po plecach, ale nie odwrócił wzroku.

Zadzwonił telefon na biurku. Frank nacisnął guzik.

— Tak?

— Dzwoni wspólnik pana Bolitara — poinformował kobiecy głos. — Chce rozmawiać z panem.

— Ze mną? — zdziwił się Frank.

— Tak, panie Ache.

Zdezorientowany Frank wzruszył ramionami i nacisnął przycisk.

— Tak — powiedział.

— Cześć, Francis.

Wszyscy w pokoju zamarli jak na zdjęciu.

Frank odchrząknął.

— Cześć, Win.

— Mam nadzieję, że nie przeszkadzam.

Frank Ache nie odpowiedział.

— Jak się ma twój brat?

— W porządku.

— Muszę do niego zadzwonić. Nie kontaktowałem się z Hermanem od wieków.

— Tak. Przekażę mu, że o niego pytałeś.

— To świetnie, Francis, świetnie. Muszę kończyć. Pozdrów ode mnie Roya i swojego czarującego syna. Niegrzecznie z mojej strony, że nie odezwałem się wcześniej.

Win zamilkł.

— Hej, Win?

— Tak, Francis.

— Wsadź se w dupę te zasrane aluzje, słyszysz?

— Słyszę wszystko, Francis.

Trzasnęła odłożona słuchawka.

— Wynoś się — powiedział Frank Ache, patrząc groźnie na Myrona.

— Dlaczego tak bardzo interesuje cię Brenda Slaughter?

Frank podźwignął się z fotela.

— Win jest groźny — powiedział. — Ale nie kuloodporny. Jeszcze słowo, a przywiążę cię do krzesła i sfajczę ci kutasa.

Myron wyszedł bez pożegnania.

Zjechał windą na dół. W holu wejściowym czekał Win, czyli Windsor Horne Lockwood III. Tego ranka był ubrany jak uczeń elitarnej amerykańskiej prywatnej szkoły średniej — w granatową marynarkę, jasnooliwkowe spodnie, białą bawełnianą koszulę zapinaną na guziki i jaskrawy krawat od Lilly Pulitzer, bardziej pstrokaty niż widownia na turnieju golfa. Przedziałek na jego blond głowie był dziełem bogów, podbródek wysunięty w niepowtarzalny sposób, wysokie kości policzkowe porcelanowo piękne, oczy błękitne jak lód. Swoją twarzą w każdym wzbudzał nienawiść, posądzenie o przynależność do elity, o poczucie wyższości, snobizm, rasizm, antysemityzm i bogactwo wyrosłe na trudzie i pocie bliźnich. Ci, którzy oceniali Windsora Horne'a Lockwooda III tylko na podstawie wyglądu, zawsze się mylili. Często niebezpiecznie.

Win nie spojrzał na Myrona. Stał w takiej pozie jak rzeźby w parku.

— Właśnie się zastanawiałem — przemówił.

— Nad czym?

— Gdybyś się sklonował, a potem odbył seks z samym sobą, to popełniłbyś kazirodztwo czy samogwałt?

Cały Win.

— Jak to dobrze, że nie marnujesz czasu — odparł Myron.

Win przyjrzał mu się.

— Gdybyśmy nadal studiowali w Duke'u, to dyskutowalibyśmy na ten temat godzinami.

— Dlatego że bylibyśmy zalani.

— Właśnie.

Wyłączyli komórki i ruszyli Piątą Aleją. Była to ich stosunkowo nowa sztuczka, którą stosowali ze świetnym skutkiem. Chwilę po tym, jak podjechały do niego pędzone hormonami He-meny, Myron włączył telefon i nacisnął guzik zaprogramowany na komórkę Wina. Dzięki temu Win słyszał każde słowo. Właśnie dlatego Myron głośno skomentował, dokąd go wiozą. Win zaś dokładnie wiedział, gdzie jest przyjaciel i w której chwili zadzwonić. Nie miał nic do powiedzenia Frankowi Ache'owi. Chciał mu tylko uświadomić, iż wie, gdzie jest Myron.

— „Przywiążę cię do krzesła i sfajczę ci kutasa" — zacytował. — To by naprawdę bolało.

Myron skinął głową.

— Strasznie piekłoby przy sikaniu.

— Pewnie. Opowiadaj.

Myron zaczął mówić. Win jak zwykle wyglądał tak, jakby go nie słuchał. Ani razu nie spojrzał w jego stronę, oczami penetrując ulice w poszukiwaniu pięknych kobiet. Na środkowym Manhattanie było ich w czasie godzin pracy pod dostatkiem. W kostiumach, jedwabnych bluzkach i białych reebokach. Co jakiś czas Win nagradzał którąś uśmiechem i często, co w Nowym Jorku należało do rzadkości, w rewanżu otrzymywał uśmiech.

Kiedy Myron opowiedział mu o ochronie Brendy Slaughter, Win zatrzymał się nagle i zanucił: „And I-i-i-i-i will always love you-ou-ou-ou-ou-ou-ou".

Myron zmierzył go wzrokiem. Win zamilkł, przybrał zwyczajną minę i ruszył dalej.

— Kiedy to śpiewam, mam wrażenie, jakby w pokoju była ze mną Whitney Houston — wyznał.

— Pewnie, już to widzę.

— A jaki interes mają w tym bracia Ache?

— Nie wiem.

— Może TruPro ma na nią chrapkę.

— Wątpię. Brenda może przynieść menedżerowi zyski, ale nie takie, by ktoś szedł na podobny numer.

Win po chwili namysłu skinął głową.

— Młody FJ może narobić kłopotów.

— Znasz go?

— Trochę. To interesująca historia. Tatuś zapewnił mu

ogładę, by się zajął legalnymi interesami. Posłał go do Lawrenceville, potem do Princetown, a na koniec do Harvardu. Teraz zaś ustawia go w branży menedżerów sportowych.

— Ale...

— Ale FJayowi to nie w smak. Jest synem Franka Ache'a i chce zdobyć jego szacunek. Udowodnić, że mimo wykształcenia pozostał twardzielem. Co gorsza, jest jego nieodrodnym synem. Co sądzę? Że jeśli pogrzebiesz w jego dzieciństwie, to natrafisz na mnóstwo beznogich pająków i bezskrzydłych much.

Myron pokręcił głową.

— Niedobrze.

Win nic na to nie powiedział. Dotarli do siedziby firmy Lock-Horne na Czterdziestej Siódmej Ulicy. Myron wysiadł na jedenastym piętrze. Win został w windzie, jego biuro mieściło się dwa piętra wyżej. Kiedy Myron spojrzał na biurko w recepcji, przy którym zwykle zasiadała Esperanza, o mało go nie cofnęło. Okupowała je bowiem, patrząc na niego bez słowa, Wielka Cyndi. Była na nie za potężna — za potężna na ten budynek — tak że biurko huśtało się na jej kolanach. Nawet członkowie zespołu Kiss uznaliby jej makijaż za „zbyt krzykliwy". Krótkie włosy olbrzymki miały kolor wodorostów, a z koszulki z wyrwanymi rękawami wyskakiwały bicepsy wielkości piłek do koszykówki.

Myron pomachał jej niepewnie ręką.

— Witam, Cyndi — powiedział.

— Witam, panie Bolitar.

Wielka Cyndi — dwa metry wzrostu, sto czterdzieści kilo żywej wagi — znana w ringu jako Wielka Szefowa, była partnerką Esperanzy w walkach wrestlingowych. Przez lata Myron nie słyszał z jej ust słów, tylko same pomruki. Ale mogła zrobić ze swoim głosem, co chciała. Kiedy pracowała jako bramkarka w klubie Skura-i-Chóć na Dziesiątej Ulicy, mówiła z akcentem, przy którym wymowa Arniego Schwarzeneggera brzmiała nieskazitelnie jak angielszczyzna Gabor Sisters. W tej chwili zaś szczebiotała jak Mary Richards po odstawieniu kawy bezkofeinowej.

— Jest Esperanza? — spytał.

— Panna Diaz jest w gabinecie pana Bolitara — odparła, posyłając mu uśmiech.

Myron postarał się nie skulić. Od uśmiechu Franka Ache'a cierpły zęby, ale od uśmiechu Cyndi rwały plomby.

Skierował się do gabinetu. Esperanza siedziała przy jego biurku i rozmawiała przez telefon. Była w żółtej bluzce, jej oliwkowa skóra zawsze kojarzyła mu się z gwiazdami błyszczącymi w ciepłych wodach zatoki Amalfi. Spojrzała na niego, zasygnalizowała palcem, żeby dał jej minutę, i mówiła dalej. Usiadł na wprost niej. Ciekawie było zobaczyć, co widzą po wejściu tutaj klienci i sponsorzy. Uznał, że plakaty z broadwayowskich musicali są za krzykliwe. Tak jakby chciał nimi podkreślić swoją nonszalancję.

— Spóźniłeś się — powiedziała, gdy skończyła rozmowę.

— Dostałem zaproszenie od Franka Ache'a.

Skrzyżowała ręce na piersi.

— Potrzebował czwartego do madżonga?

— Chciał zasięgnąć języka o Brendzie Slaughter.

— A więc mamy kłopoty.

— Może.

— Pozbądź się jej.

— Nie.

Spojrzała na niego beznamiętnie.

— Wytatuuj mi słowo „zaskoczona".

— Dowiedziałaś się czegoś o Horasie Slaughterze?

Wzięła kartkę.

— Horace Slaughter. Od tygodnia nie korzystał z żadnej z kart kredytowych. Ma konto w banku Fidelity w Newark. Stan konta: zero.

— Zero?

— Wyczyścił je.

— Z ilu dolarów?

— Jedenastu tysięcy. Gotówką.

Myron gwizdnął i zagłębił się w fotelu.

— A więc planował ucieczkę. To pasuje do tego, co zastaliśmy w jego mieszkaniu.

— Aha.

— Mam dla ciebie trudniejszy orzech. Jego żonę, Anitę Slaughter.

— Wciąż są małżeństwem?

— Nie wiem. Być może wobec prawa. Uciekła od niego dwadzieścia lat temu. Wątpię, czy zadbali o rozwód.

Esperanza zmarszczyła brwi.

— Powiedziałeś: dwadzieścia lat temu?

— Tak. Od tamtej pory nikt jej nie widział.

— Co właściwie chcemy znaleźć?

— Ściśle: ją.

— Nie wiesz, gdzie jest?

— Nie mam zielonego pojęcia. Tak jak mówię, znikła dwadzieścia lat temu.

— Może nie żyć.

— Wiem.

— Jeśli udało jej się tak długo pozostać w ukryciu, mogła zmienić nazwisko. Albo wyjechać z kraju.

— Pewnie.

— Nie będzie wielu danych o niej albo wcale. A na pewno nic w komputerze.

Myron uśmiechnął się.

— Przecież nie znosisz za łatwych zadań.

— Wiem, że jestem tylko twoją skromną asystentką...

— Wcale nie jesteś moją skromną asystentką.

Spojrzała na niego wymownie.

— Ani twoją wspólniczką.

To zamknęło mu usta.

— Wiem, że jestem tylko twoją skromną asystentką, ale czy naprawdę mamy czas na takie bzdury?

— Sprawdź to, co zwykle. Może dopisze nam szczęście.

— Jak chcesz — odparła tonem, który zabrzmiał jak trzaś-nięcie drzwiami. — Ale mamy do omówienia inne sprawy.

— Wal.

— Kontrakt Milnera. Nie chcą go renegocjować.

Rozebrali sytuację Milnera na czynniki pierwsze, omówili

wszystko, rozwinęli i dopracowali strategię i na koniec doszli do wniosku, że się nie sprawdzi. Do Myrona dotarły odgłosy remontu. Robotnicy odcinali część poczekalni i salki konferencyjnej, żeby stworzyć pokój dla Esperanzy.

Po kilku minutach Esperanza zamilkła i wpatrzyła się w niego.

— O co chodzi? — spytał.

— Widzę, że nie zrezygnujesz — powiedziała. — Odszukasz jej rodziców.

— Jej ojciec to mój stary przyjaciel.

— Jezu, tylko oszczędź mi gadki: „Jestem mu to winien".

— To jedno. A drugie, to dobry interes.

— To nie jest dobry interes. Za rzadko jesteś w agencji. Klienci chcą rozmawiać bezpośrednio z tobą. Podobnie sponsorzy.

— Mam komórkę.

Potrząsnęła głową.

— Tak dłużej być nie może.

— Jak?

— Albo zrobisz mnie swoją wspólniczką, albo odchodzę.

— Nie dobijaj mnie tym w tej chwili. Proszę.

— Znów to robisz.

— Co?

— Grasz na zwłokę.

— Nie gram na zwłokę.

W jej krytycznym spojrzeniu dostrzegł pożałowanie.

— Wiem, jak nienawidzisz zmian...

— Wcale nie nienawidzę zmian.

— ...ale na pewno nie będzie tak, jak było. Więc załatwmy tę sprawę.

Miał chęć zawołać: „Dlaczego?". Tak jak było, było przecież dobrze. Czy nie namówił Esperanzy do podjęcia studiów prawniczych? Zmiana, proszę bardzo, ale po ich ukończeniu. Powoli zwiększał zakres jej decyzji. Ale partnerstwo?!

— Będziesz miała swój pokój — powiedział, wskazując za siebie.

54

— I co?

— Czy to nie świadczy, jak bardzo mi na tobie zależy? Nie popędzaj mnie. Stawiam dopiero pierwsze kroki.

— Zrobiłeś jeden krok i klapnąłeś. — Pokręciła głową. — Nie naciskałam cię od czasu Merion.

Od otwartych mistrzostw Stanów w golfie w Filadelfii. Zażądała, żeby zrobił ją swoją wspólniczką, kiedy szukał tam ofiary porwania. Od tamtej pory, no cóż, grał na zwłokę.

Esperanza wstała.

— Chcę być wspólniczką — oznajmiła. — Nie pełną. Rozumiem to. Ale żądam równych praw. — Podeszła do drzwi. — Daję ci tydzień.

Myron nie wiedział, jak zareagować. Była jego najlepszą przyjaciółką. Kochał ją. Potrzebował jej w agencji. Była jej bardzo ważną częścią. Ale sprawy nie wyglądały tak prosto.

Otworzyła drzwi, oparła się o framugę i spytała:

— Jedziesz się zobaczyć z Brendą Slaughter?

Skinął głową.

— Za kilka minut.

— Zacznę szukać. Zadzwoń za parę godzin.

Zamknęła za sobą drzwi. Myron dotarł do swojego fotela, wziął telefon i zadzwonił do Wina.

Win odebrał po pierwszym sygnale.

— Wysłów się.

— Masz jakieś plany na wieczór?

— *Moi?* Oczywiście.

— Jak zwykle seans poniżającego seksu?

— Poniżającego seksu? — powtórzył Win. — Mówiłem ci, żebyś nie czytał czasopism Jessiki.

— Możesz go odwołać?

— Mogę, ale to śliczne dziewczątko będzie bardzo zawiedzione.

— A wiesz choć, jak ma na imię?

— Co? Mam ci je podać z głowy?

Któryś z robotników zaczął walić młotem. Myron zakrył wolną dłonią ucho.

— Możemy się spotkać u ciebie? Chcę odbić od ciebie kilka piłek.

— Jestem ścianą, która czeka na twoją grę w słownego squasha — odparł bez wahania Win.

Myron uznał to za zgodę.

6

Drużyna Brendy Slaughter, New York Dolphins, trenowała w gimnazjum w Englewood w New Jersey. Wchodząc na salę, Myron poczuł, jak go ściska w piersi. Z przyjemnością wsłuchał się w miły odgłos kozłowanych piłek i wciągnął w nozdrza zapach szkolnej sali — znajomą mieszankę napięcia, młodości i niepewności. Grał na wielkich arenach sportowych, lecz ilekroć, nawet jako widz, wchodził do nowej sali gimnastycznej, miał wrażenie, że przekracza wrota czasu.

Wszedł po schodach na drewnianą, wąską, składaną trybunę. Trzeszczały przy każdym kroku. Technologia zrobiła postępy w życiu codziennym, ale stan szkolnych sal gimnastycznych na to nie wskazywał. Na jednej ze ścian wisiały nieśmiertelne aksamitne proporce, dokumentujące zdobycie rozmaitych tytułów w mistrzostwach grupowych, stanowych i kraju, a w kącie lista szkolnych rekordów lekkoatletycznych. Elektryczny zegar był wyłączony. Zmęczony woźny zamiatał parkiet, sunąc po nim jak maszyna do wyrównywania tafli lodowiska.

Brenda Slaughter ćwiczyła rzuty osobiste z tak uszczęśliwioną miną, jakby całkiem zatraciła się w prostych rozkosznych ruchach. Podkręcone wstecznie jej palcami piłki nie dotykały obręczy, wprawiając spód siatki w leciutkie podskoki. Miała na sobie koszulkę bez rękawków, nałożoną na czarny obcisły top. Jej skóra błyszczała od potu.

Zauważyła Myrona i się uśmiechnęła. Niepewnym uśmiechem nowej kochanki rano po pierwszej wspólnie spędzonej nocy. Pokozłowała w jego stronę i podała mu piłkę. Chwycił ją, palcami odruchowo odnajdując rowki.

— Musimy porozmawiać — powiedział.

Skinęła głową i usiadła obok niego na ławce. Twarz miała szeroką i spoconą, naturalną.

— Twój ojciec przed zniknięciem wyjął z konta wszystkie pieniądze.

Z jej twarzy znikła błogość, oczy uciekły w bok, potrząsnęła głową.

— Niesamowite.

— Co?

Wyjęła mu piłkę z rąk i ścisnęła ją tak, jakby się bała, że wyrosną jej skrzydła i odleci.

— Zupełnie jak moja matka. Najpierw znikły ubrania. A potem pieniądze.

— Twoja matka zabrała pieniądze?

— Co do centa.

Myron przyjrzał się Brendzie. Wpatrywała się w piłkę. Minę miała tak szczerą i naiwną, że poczuł, jak w nim coś topnieje. Odczekał chwilę i zmienił temat.

— Czy przed zniknięciem Horace gdzieś pracował? — spytał.

Koleżanka z drużyny, piegowata dziewczyna z końskim ogonem, zawołała do Brendy i klasnęła w dłonie, prosząc o piłkę. Brenda uśmiechnęła się do niej i podała piłkę. Pieguska, szybko kozłując, pobiegła w stronę kosza.

— Pracował w szpitalu Świętego Barnaby jako ochroniarz. Znasz ten szpital?

Myron skinął głową. Szpital Barnaby był w jego rodzinnym mieście, w Livingston.

— Też tam pracuję — powiedziała. — W klinice pediatrycznej. Łączę studia z praktyką. Dopomogłam mu w zdobyciu tej pracy. Właśnie tam dowiedziałam się, że przepadł. Od jego szefa, który spytał mnie, co się z nim dzieje.

— Jak długo Horace tam pracował?

— Czy ja wiem. Cztery, pięć miesięcy.

— A jak się nazywa ten szef?

— Calvin Campbell.

Myron zapisał na kartce imię i nazwisko.

— Gdzie jeszcze bywa Horace?

— Tam gdzie zwykle.

— Na boiskach?

Brenda skinęła głową.

— Poza tym nadal dwa razy w tygodniu sędziuje mecze drużyn szkolnych.

— Czy ktoś z bliskich przyjaciół mógł mu pomóc w ucieczce?

Pokręciła głową.

— Nie znam takich.

— A członkowie rodziny?

— Ciocia Mabel. Jeżeli komukolwiek by zaufał, to swojej siostrze.

— Mieszka gdzieś niedaleko?

— Tak. W West Orange.

— Możesz do niej zadzwonić? I powiedzieć, że chciałbym wpaść?

— Kiedy?

— Zaraz. — Myron spojrzał na zegarek. — Jeżeli się pośpieszę, to zdążę wrócić przed końcem treningu.

Brenda wstała.

— Na korytarzu jest automat. Zadzwonię do niej — powiedziała.

7

Kiedy jechał do domu Mabel Edwards, odezwał się jego telefon komórkowy.

— Dzwoni Norm Zuckerman — poinformowała Esperanza.

— Daj go.

Trzasnęło.

— Norm? — powiedział Myron.

— Jak się masz, złociutki?

— Świetnie.

— To dobrze, dobrze. Dowiedział się czegoś?

— Nie.

— Dobrze, świetnie, doskonale. — Norm zawahał się. Wesołość w jego głosie była nieco wymuszona. — Gdzie jesteś?

— W samochodzie.

— A, rozumiem, rozumiem. Wybierzesz się na trening Brendy?

— Właśnie stamtąd jadę.

— Zostawiłeś ją samą?

— Trenuje. Jest z nią tuzin osób. Nic jej się nie stanie.

— Pewnie tak — rzekł bez przekonania Norm. — Musimy porozmawiać, Myron. Kiedy wrócisz na trening?

— Za jakąś godzinę. O co chodzi, Norm?

— Za godzinę. To do zobaczenia.

Ciotka Mabel mieszkała w West Orange, podmiejskiej

miejscowości za Newark, należącej do tych „zmieniających się" suburbiów, w których procent białych rodzin wciąż malał. Zjawisko to narastało. Mniejszości etniczne wynosiły się z dużych miast do najbliższych przedmieść, wskutek czego biali, uciekając stamtąd, przenosili się dalej od miast. W języku branży handlu nieruchomościami nazywano to postępem.

Lecz i tak wydawało się, że wysadzana drzewami aleja, przy której mieszkała Mabel, leży milion lat świetlnych od miejskich slamsów, które Horace nazywał domem. Myron dobrze znał West Orange. Sąsiadowało z jego rodzinnym Livingston. Livingston też zaczęło się zmieniać. Kiedy chodził do szkoły średniej, to miasto było białe. Bardzo białe. Śnieżnobiałe. Tak białe, że na sześciuset absolwentów z jego rocznika tylko jeden dzieciak był czarny — należał do drużyny pływackiej. Trudno o bielsze miasto.

Dom był parterowy — entuzjaści nazwaliby go pewnie willą — na oko z trzema sypialniami, łazienką, toaletą i zaadaptowaną piwnicą z wysłużonym stołem bilardowym. Myron zaparkował forda taurusa na podjeździe.

Mabel Edwards dobijała pięćdziesiątki, choć mogła być nieco młodsza. Po otwarciu drzwi posłała Myronowi uśmiech, który zmienił jej pospolite rysy w niemal niebiańskie. Była dużą kobietą z mięsistą twarzą i kędzierzawymi włosami. Jej sukienka wyglądała jak stare draperie. Na olbrzymich piersiach spoczywały zawieszone na łańcuszku okulary z półszkłami. Prawe oko miała zapuchnięte, chyba wskutek uderzenia. W ręku ściskała robótkę.

— A niech mnie — powiedziała. — Myron Bolitar. Zapraszam.

Myron wszedł za nią. W środku panował lekki zaduch domu dziadków. Kiedy jesteś dzieckiem, taki zapach przyprawia cię o ciarki. Jako dorosły, z chęcią byś go zabutelkował i w złe dni doprawiał nim kubek kakao.

— Zaparzyłam kawę, Myron. Napijesz się?

— Z przyjemnością, dziękuję.

— Usiądź. Zaraz wrócę.

Myron usiadł na twardej kanapie w kwiecisty wzór. Z jakie-goś powodu położył ręce na kolanach, jakby czekał na nau-czycielkę. Rozejrzał się. Na stoliku stały afrykańskie rzeźby z drewna. Gzyms kominka okupował rząd rodzinnych fotografii. Młody człowiek widniejący na prawie wszystkich wyglądał mu znajomo. Domyślił się, że to syn Mabel Edwards. Miał przed sobą typowy rodzicielski ołtarz — oprawioną w ramki foto-graficzną dokumentację życia latorośli od niemowlęctwa po dorosłość. Było tam zdjęcie bobasa, szkolne portrety na charak-terystycznym tęczowym tle, grający w kosza młodzian z wiel-kim afro, bal maturalny w smokingach, para absolwentów i tak dalej. Banał, ale takie fotograficzne montaże zawsze go wzru-szały, grając na jego nadwrażliwości jak głupawa reklama okolicznościowych kartek firmy Hallmark.

Mabel Edwards wróciła z tacą.

— Już kiedyś się widzieliśmy — powiedziała.

Myron skinął głową, próbując sobie przypomnieć. Coś zaczęło mu świtać, ale niewyraźnie.

— Chodziłeś do szkoły średniej. — Podała mu filiżankę na talerzyku, a potem podsunęła tacę z cukrem i śmietanką. — Horace zabrał mnie na mecz. Graliście z Shabazzem.

Myron przypomniał sobie. Pierwsza klasa liceum, turniej w Essex. Shabazzem nazywano w skrócie szkołę średnią Malcolma X Shabazza w Newark. Nie było w niej białych. W pierwszej piątce grali tam zawodnicy z imionami takimi jak Rhahim i Khalid, a gimnazjum otaczało ogrodzenie z drutu kolczastego, na którym wisiały tabliczki: „Teren strzeżony przez psy".

Psy na straży szkoły średniej. Kurka wodna!

Mabel parsknęła śmiechem, od którego zatrzęsło się całe jej ciało.

— W życiu nie widziałam nic równie śmiesznego, jak ci bladzi chłopcy na parkiecie, nieprzytomni ze strachu, z oczami wielkimi jak spodki. Tyś jeden był u siebie.

— Dzięki pani bratu.

— Byłeś najlepszym koszykarzem, z jakim pracował. Twierdził, że jesteś skazany na wielkość. — Pochyliła się do przodu. — Byliście dla siebie stworzeni, co?

— Tak.

— Horace kochał cię, Myron. Wciąż o tobie mówił. Tak szczęśliwego jak wtedy, gdy podpisałeś zawodowy kontrakt, nie widziałam go, wierz mi, od lat. Zadzwoniłeś do niego?

— Jak tylko się dowiedziałem.

— Pamiętam. Przyszedł tu i powiedział mi o tym — dodała rzewnym głosem i poprawiła się w siedzeniu. — A kiedy odniosłeś kontuzję... rozpłakał się. Mój wielki, twardy brat przyszedł tu, usiadł tam, gdzie siedzisz, i poryczał się jak dziecko.

Myron milczał.

— Chcesz usłyszeć więcej? — spytała.

Łyknęła kawy. Trzymający filiżankę Myron nie był w stanie się poruszyć. W końcu zdobył się na skinienie głową.

— Kiedy w zeszłym roku próbowałeś wrócić do gry, strasznie się o ciebie martwił. Chciał do ciebie zadzwonić, porozmawiać.

— Dlaczego nie zadzwonił? — spytał Myron ze ściśniętym gardłem.

Mabel uśmiechnęła się łagodnie.

— Kiedy ostatnio z nim rozmawiałeś?

— Właśnie wtedy. Tuż po przyjęciu do Celtics.

Skinęła głową, jakby to wyjaśniało wszystko.

— Horace wiedział, jak cierpisz. Pewnie uznał, że zadzwonisz, jak będziesz gotów.

Myron poczuł w oczach wzbierające łzy. Odsunął jednak od siebie napływ wyrzutów sumienia i żalów. Nie było na to czasu. Zamrugał kilkakrotnie oczami i podniósł do ust filiżankę.

— Widziała pani ostatnio brata? — spytał, łyknąwszy kawy.

Mabel wolno odstawiła filiżankę i przyjrzała mu się uważnie.

— Dlaczego o to pytasz?

— Nie pokazał się w pracy. Brenda go nie widziała.

— To rozumiem. — W jej głosie zabrzmiała ostrożność. — Ale dlaczego cię to interesuje?

— Chcę pomóc.

— W czym?

— W odnalezieniu go.

Mabel Edwards odczekała chwilę.

— Nie zrozum mnie źle, Myron, ale jaki masz w tym interes? — spytała.

— Próbuję pomóc Brendzie.

Lekko zesztywniała.

— Brendzie?

— Tak.

— Czy wiesz, że załatwiła sobie sądownie, by się do niej nie zbliżał?

— Tak.

Mabel włożyła na nos półszkła, wzięła robótkę i druty zatańczyły.

— Może nie powinieneś się do tego mieszać.

— A więc pani wie, gdzie jest Horace?

Potrząsnęła głową.

— Tego nie powiedziałam.

— Brendzie grozi niebezpieczeństwo, pani Edwards. Horace może w tym maczać palce.

Druty znieruchomiały.

— Myślisz, że Horace skrzywdziłby własną córkę? — spytała o ton ostrzej.

— Nie, ale jedno może mieć związek z drugim. Ktoś włamał się do jego mieszkania. Pani brat spakował walizkę i wycofał pieniądze z konta. Myślę, że ma kłopoty.

Druty znów poszły w ruch.

— Jeżeli ma kłopoty, to może lepiej, żeby pozostał w ukryciu — odparła.

— Niech pani mi powie, gdzie on jest, pani Edwards. Chciałbym pomóc.

Dłuższy czas milczała. Robiła na drutach, pociągając za przędzę. Myron rozejrzał się po pokoju. Jego wzrok znów spoczął na zdjęciach. Wstał i przyjrzał się im.

— To pani syn? — spytał.

Spojrzała sponad okularów.

— Terence. Za Rolanda wyszłam w wieku siedemnastu lat. Pan Bóg dał nam dziecko rok później. Roland zmarł, kiedy Terence był malutki. Zastrzelono go na ganku naszego domu.

— Przykro mi.

Wzruszyła ramionami i smutno się uśmiechnęła.

— Terence jako pierwszy w naszej rodzinie skończył studia. Ta z prawej to jego żona. I dwaj moi wnukowie.

Myron wziął zdjęcie.

— Piękna rodzina.

— Pracował i jednocześnie studiował na Yale — ciągnęła. — W wieku dwudziestu pięciu lat został radnym miejskim.

„To dlatego wydało mi się, że skądś go znam — pomyślał Myron. — Z lokalnej prasy i telewizji".

— Jeżeli wygra w listopadzie, to przed trzydziestką wejdzie do senatu stanowego.

— Na pewno jest pani z niego dumna.

— Oczywiście.

Myron zwrócił się w jej stronę. Wymienili spojrzenia.

— Minęło tyle czasu, Myron. Horace zawsze ci ufał, ale to co innego. Właściwie cię nie znamy. Ci, którzy go szukają... — Urwała i wskazała na spuchnięte oko. — Widzisz to?

Myron skinął głową.

— W zeszłym tygodniu przyszło do mnie dwóch. Chcieli wiedzieć, gdzie jest Horace. Odparłam, że nie wiem.

— Uderzyli panią? — spytał, czując, że czerwienieje mu twarz.

Skinęła głową, wpatrując się w niego.

— Jak wyglądali?

— Byli biali. Jeden wielki.

— Wysoki?

— Mniej więcej twojego wzrostu.

Myron miał metr dziewięćdziesiąt trzy wzrostu i ważył sto kilo.

— A drugi?

— Chudy. Znacznie starszy. Na ręku miał wytatuowanego węża.

Na swoim potężnym bicepsie pokazała, w którym miejscu.

— Niech pani mi opowie, co się stało.

— Jak już mówiłam, przyszli do mnie do domu i chcieli wiedzieć, gdzie jest Horace. Kiedy odparłam, że nie wiem, ten wielki palnął mnie w oko. Ale ten mały go odciągnął.

— Zawiadomiła pani policję?

— Nie. Nie ze strachu. Nie boję się takich tchórzy. Ale Horace mi zakazał.

— Pani Edwards, gdzie on jest?

— I tak już powiedziałam za dużo, Myron. Chcę, żebyś zrozumiał. To niebezpieczni ludzie. Skąd mogę wiedzieć, że dla nich nie pracujesz? Skąd mogę wiedzieć, że twoja wizyta to nie podstęp, by go znaleźć?

Myron nie bardzo wiedział, co odpowiedzieć. Zapewnieniem, że jest niewinny, nie rozproszyłby jej obaw. Postanowił więc zmienić temat.

— Co mi pani może powiedzieć o matce Brendy? — spytał.

Mabel Edwards zamarła. Upuściła robótkę na kolana, a pół-szkła opadły jej na piersi.

— Co cię naszło, żeby o nią pytać?

— Dopiero co wspomniałem, że ktoś włamał się do mieszkania pani brata.

— Pamiętam.

— Znikły stamtąd listy Brendy od matki. Brenda dostaje telefony z pogróżkami. Zażądano, żeby do niej zadzwoniła.

Twarz Mabel nagle zwiotczała. Oczy się zaszkliły.

— Pamięta pani, kiedy uciekła? — spytał po chwili milczenia.

Jej spojrzenie znów nabrało ostrości.

— Nie zapomina się dnia, w którym umiera brat — odparła ledwo dosłyszalnym szeptem. Potrząsnęła głową. — Ale było, minęło. Anita odeszła dwadzieścia lat temu.

— Proszę mi powiedzieć, co pani pamięta.

— A co tu opowiadać? Zostawiła bratu list i uciekła.

— Pamięta pani, co w nim napisała?

— Że już go nie kocha i chce rozpocząć nowe życie. Coś w tym rodzaju.

66

Mabel Edwards machnęła ręką, jakby robiła sobie miejsce. Z torebki wyjęła chusteczkę i zmięła ją w ciasną kulkę.

— Może pani powiedzieć, jaka była?

— Anita? — Mabel uśmiechnęła się, ale chusteczkę zostawiła w pogotowiu. — To ja ich z sobą poznałam. Ja i Anita pracowałyśmy razem.

— Gdzie?

— W rezydencji Bradfordów. Byłyśmy pokojówkami. Młodziutkimi dwudziestoletnimi dziewczynami. Pracowałam tam zaledwie pół roku. Ale Anita tyrała u nich przez sześć lat.

— Mówiąc o rezydencji Bradfordów...

— Mam na myśli tych Bradfordów! Anita była tam służącą. Usługiwała głównie starszej pani. Ta kobieta ma teraz pewnie z osiemdziesiąt lat. Ale mieszkali tam wszyscy. Dzieci, wnuki, bracia, siostry. Jak w Dallas. To chore, nie sądzisz?

Myron nie odpowiedział.

— W każdym razie kiedy poznałam Anitę, była fajną młodą dziewczyną, tyle że... — Mabel zapatrzyła się w powietrze, jakby szukała właściwych słów, ale widać ich nie znalazła, bo potrząsnęła głową — była za piękna. Nie wiem, jak inaczej to wyrazić. Dla takiej piękności chłopy tracą głowę. Weź Brendę. Jest atrakcyjna. Jak to mówią, egzotyczna. Ale Anita... chwileczkę. Znajdę jej zdjęcie.

Wstała miękkim ruchem i przepłynęła przez pokój, znikając za drzwiami. Mimo tuszy poruszała się z naturalnym wdziękiem urodzonej sportsmenki. Tak samo jak jej brat, Horace, przydający ruchom potężnego ciała harmonii i finezji. Nie było jej blisko minutę. Po powrocie wręczyła mu zdjęcie. Myron spojrzał na nie.

Nokaut! Najprawdziwszy, bezwzględny, powalający i zapierający dech! Myron dobrze wiedział, jaką władzę ma taka kobieta nad mężczyzną. Jessica też była taką pięknością. Oszałamiała i budziła lęk.

Przyjrzał się fotografii. Mała, najwyżej cztero-pięcioletnia Brenda uśmiechała się z niej promiennie, trzymając się ręki matki. Na próżno usiłował wyobrazić sobie, że teraz uśmiecha się tak samo. Między matką i córką istniało podobieństwo, ale Anita — przynajmniej wedle obowiązujących kanonów urody — była bez wątpienia piękniejsza od Brendy, której rysy — w porównaniu z wyrazistymi, regularnymi rysami matki — wydawały się grube i pozbawione proporcji.

— Uciekając, Anita wbiła Horace'owi sztylet w serce — ciągnęła Mabel. — Nigdy nie doszedł do siebie. Brenda również. Gdy porzuciła ją matka, była małą dziewczynką. Przez trzy lata co noc płakała. Horace mówił, że nawet w szkole średniej zdarzało jej się wołać przez sen mamę.

Myron w końcu oderwał wzrok od zdjęcia.

— A jeśli ona nie uciekła?

Mabel zwęziły się oczy.

— Jak to? — spytała.

— Może była niewłaściwie traktowana.

Przez twarz Mabel przemknął smutny uśmiech.

— Rozumiem — powiedziała łagodnie. — Patrzysz na to zdjęcie i nie możesz pogodzić się z tym, co widzisz. Nie możesz uwierzyć, że matka mogłaby porzucić takie słodkie dziecko. Wiem. To trudne. Ale ona to zrobiła.

— A jeśli jej list sfałszowano? — podsunął Myron. — Żeby zmylić Horace'a.

Mabel pokręciła głową.

— Nie.

— Nie może być pani pewna...

— Anita do mnie dzwoni.

Myron zamarł.

— Słucham?

— Nieczęsto. Raz na dwa lata. Pyta o Brendę. Błagałam ją, żeby wróciła. Odłożyła słuchawkę.

— Nie domyśla się pani, skąd dzwoniła?

Zaprzeczyła, kręcąc głową.

— Jeśli chodzi o pierwsze rozmowy, to chyba skądś z daleka. Podejrzewałam, że zza oceanu, bo w słuchawce trzeszczało.

— Kiedy dzwoniła po raz ostatni?

— Trzy lata temu — odparła bez wahania. — Powiedziałam jej, że Brendę przyjęto na medycynę.

— I od tamtego czasu nic?

— Ani słowa.

— Jest pani pewna, że to była ona? — spytał Myron, zdając sobie sprawę, że strzela w ciemno.

— Tak. To była Anita.

— Czy Horace wiedział o jej telefonach?

— Na początku mówiłam mu. Było to jednak jak rozszarpywanie rany, która i tak nie chce się zagoić. Więc przestałam. Ale być może do niego też dzwoniła.

— Skąd ten domysł?

— Kiedyś za dużo wypił i coś mu się wymsknęło. Gdy spytałam go o to później, wyparł się, a ja nie naciskałam. Musisz nas zrozumieć, Myron. Nigdy nie rozmawialiśmy o Anicie. Ale stale nam towarzyszyła. Była z nami w pokoju. Rozumiesz, o czym mówię?

Milczenie nadpłynęło jak chmura. Myron liczył, że się rozproszy, ale wisiało dalej, grube i ciężkie.

— Jestem bardzo zmęczona. Myron. Czy możemy porozmawiać o tym innym razem?

— Oczywiście. — Wstał. — Gdyby pani brat znów zadzwonił...

— Nie zadzwoni. Boi się, że założyli podsłuch w telefonie. Nie odezwał się od blisko tygodnia.

— Czy wie pani, gdzie jest?

— Nie. Powiedział, że tak będzie bezpieczniej.

Myron wyjął wizytówkę, pióro i zapisał numer swojego telefonu komórkowego.

— Pod tym numerem jestem dostępny całą dobę — powiedział.

Skinęła głową. Była tak wyczerpana, że zwykłe sięgnięcie po wizytówkę okazało się nagle trudnym zadaniem.

8

— Wczoraj nie byłem z tobą do końca szczery.

Norm Zuckerman i Myron siedzieli w najwyższym rzędzie trybuny. Na parkiecie w dole trwał sparing dwóch piątek drużyny New York Dolphins. Z ruchów koszykarek biła finezja i siła. Myron był pełen podziwu. Na poły seksista, jak go nazwała Brenda, oczekiwał, że będą się poruszać bardziej niezdarnie, „rzucać jak dziewczyny".

— Powiedzieć ci coś dziwnego? — spytał Norm. — Nienawidzę sportu. Ja, właściciel Zoomu, król odzieży sportowej, nie cierpię wszystkiego, co wiąże się z piłkami, kijami, kółkami i całą resztą. A wiesz dlaczego?

Myron potrząsnął głową.

— Bo byłem nogą w sportach. Kompletnym kaleką, jak mówią dziś dzieciaki. Mój starszy brat, Herschel, to był sportowiec. — Norm odwrócił wzrok. — Kochany Heshy — rzekł po chwili ze ściśniętym gardłem. — Wielki talent. Przypominasz mi go, Myron. To nie są czcze słowa. Nadal mi go brakuje. Zginął w wieku piętnastu lat.

Myron nie musiał pytać o szczegóły. Rodzinę Norma wymordowano w Oświęcimiu. On jeden ocalał. Dziś było ciepło, więc włożył koszulę z krótkimi rękawami. Na widok obozowego numeru na jego ręce Myron zawsze milkł z szacunkiem.

— Ta liga — Norm wskazał boisko — to nic pewnego. Wiedziałem o tym od początku. Właśnie dlatego powiązałem jej reklamę z reklamą odzieży. Jeżeli liga ZKZ nie wypali, to przynajmniej odzież sportowa Zoomu stanie się powszechnie znana. Rozumiesz?

— Tak.

— Poza tym spójrzmy prawdzie w oczy: bez Brendy Slaughter ta inwestycja weźmie w łeb. Liga, wszystkie reklamy, z reklamą odzieży włącznie, padną na pysk. Kaput. Gdyby ktoś chciał zniszczyć całe przedsięwzięcie, wykorzystałby do tego Brendę.

— Myślisz, że ktoś chce to zrobić?

— Żartujesz? Chcą tego wszyscy. Nike, Converse, Reebok, kto żyw. Taka jest natura rzeczy. Na ich miejscu zrobiłbym to samo. Nazywa się to kapitalizm. Na tym polega gospodarka. Ale ta sprawa jest szczególna. Słyszałeś może o ZLKK?

— Nie.

— Bo nie mogłeś. Ten skrót oznacza Zawodową Ligę Koszykówki Kobiet.

Myron wyprostował się na ławce.

— Konkurencyjną ligę koszykówki?

Norm skinął głową.

— Chcą z nią wystartować w przyszłym roku.

Na parkiecie Brenda dostała piłkę i pomknęła do linii końcowej. Kiedy jej przeciwniczka wyskoczyła w górę, żeby ją zablokować, zamarkowała podanie, wślizgnęła się pod kosz i zrobiła wsad. Zaimprowizowany balet.

— Niech zgadnę — powiedział Myron. — Tę drugą ligę chce zorganizować TruPro.

— Skąd wiesz?

Myron wzruszył ramionami. Nareszcie coś się wyjaśniło.

— Kobiecą koszykówkę, jak wspomniałem, trudno sprzedać — ciągnął Norm. — Wymaga mnóstwa zabiegów reklamowych: dotarcia do fanatyków sportu, kobiet w wieku od osiemnastu do trzydziestu pięciu lat, rodzin złaknionych łagodniejszych form rywalizacji, kibiców, którzy pragną bliższego

71

kontaktu z zawodniczkami. Lecz ostatecznie żeńska liga koszykówki i tak natrafia na problem nie do pokonania.

— Jaki?

Norm ponownie wskazał na parkiet.

— Kobiety nie grają tak dobrze jak mężczyźni. Tych słów nie dyktuje mi męski szowinizm. Po prostu mężczyźni grają lepiej. Najlepsza zawodniczka z tej drużyny w żadnym razie nie sprosta najsłabszemu graczowi NBA. A widzowie chodzący na mecze zawodowców chcą oglądać to co najlepsze. Nie twierdzę, że ten problem nas wykańcza. Liczę, że zdobędziemy sporą grupę wiernych kibiców. Ale musimy twardo stąpać po ziemi.

Myron rozmasował twarz. Czuł, że rozboli go głowa. TruPro chciało zorganizować żeńską ligę koszykówki. Miało to ręce i nogi. Agencje sportowe dążyły do zmonopolizowania rynku sportowego. IMG, jedna z największych agencji na świecie, zawiadywała wszystkimi turniejami golfa. Jako wyłączny organizator zawodów albo właściciel ligi, mogłeś na tym zarabiać na tuziny sposobów, nie wspominając już o zdobyciu masy sportowych klientów. Na przykład, jeśli młody golfista pragnął wystartować w dobrze płatnych turniejach IMG, to na swoją agencję wybierał oczywiście IMG.

— Myron?

— Tak, Norm.

— Dobrze znasz TruPro?

— A jakże.

— Dyrektorem tej ligi mianowali szczawika młodszego od moich hemoroidów. Szkoda, żeś go nie widział. Przychodzi do mnie, ściska rękę, uśmiecha się lodowato i prosto z mostu oznajmia, że mnie wykończą. „Dzień dobry, zetrę cię z powierzchni ziemi". — Norm spojrzał na Myrona. — Czy oni mają, no wiesz, powiązania? — spytał i, żeby się upewnić, że Myron go zrozumiał, palcami wskazującymi wygiął nos.

— A jakże — powtórzył Myron. — Jak najbardziej.

— No to pięknie. Wybornie.

— Co chcesz zrobić, Norm?

— Nie wiem. Nie ucieknę i się nie ukryję, dość się w życiu nauciekałem i naukrywałem, ale gdybym miał narazić te dziewczyny na niebezpieczeństwo...

— Zapomnij, że są kobietami.

— Co?

— Potraktuj je jak mężczyzn.

— Myślisz, że chodzi o płeć? Mężczyzn też bym nie naraził, kapewu?

— Kapewu. TruPro powiedziało coś więcej?

— Nie.

— Żadnych pogróżek, nic?

— Tylko od tego szczawika, że mnie wykończą. Nie sądzisz, że groźby wobec Brendy to ich robota?

Był w tym sens. Starzy gangsterzy rzeczywiście przerzucali się na bardziej legalne przedsięwzięcia — przy tylu innych możliwościach zbicia kasy grzechem byłoby ograniczać się do prostytucji, narkotyków i lichwy — ale nawet przy najlepszych chęciach takim jak bracia Ache nic z tego nie wychodziło. Nie było na to rady. Bo choć zaczynali od legalnych interesów, to przy najmniejszych trudnościach — utracie kontraktu czy niedoszłej transakcji — wracali do starych metod. Jak bumerang. Strasznym nałogiem była też korupcja. Dlaczego nie leczono z niej na terapii z udziałem grup wsparcia?

W tym przypadku agencja TruPro szybko zrozumiała, że musi wyrwać Brendę konkurencji. I zaczęła wywierać naciski. Dokręciła śrubę jej menedżerowi — ojcu — po czym zajęła się nią samą. Zastosowali klasyczną metodę zastraszania. W tym scenariuszu były jednak dziury. No, bo jak wyjaśnić telefon z żądaniem, żeby Brenda zadzwoniła do matki?

Trenerka gwizdkiem obwieściła koniec treningu. Zebrała wokół siebie zawodniczki, przypomniała: za dwie godziny mają wrócić na jego drugą część, podziękowała im za wysiłek i klaśnięciem w dłonie dała znak, że mogą się rozejść.

Myron zaczekał, aż Brenda weźmie prysznic i się ubierze. Nie zajęło jej to długo. Nadeszła z mokrymi włosami, w długiej czerwonej koszulce i czarnych dżinsach.

— Czy Mabel coś wie? — spytała.

— Tak.

— Miała wiadomość od taty?

Myron skinął głową.

— Potwierdziła, że uciekł. Szukali go u niej dwaj ludzie. Trochę oberwała.

— Mój Boże, nic jej nie jest?

— Nic.

Pokręciła głową.

— Przed kim ucieka tata?

— Tego Mabel nie wie.

— Co poza tym? — spytała po chwili, patrząc wyczekująco.

Myron odchrząknął.

— Nic, co nie może poczekać.

Odwrócił się od niej i skierował do samochodu. Podążyła za nim.

— Dokąd jedziemy? — spytała.

— Chciałbym wpaść do Świętego Barnaby na rozmowę z szefem twojego ojca.

Dogoniła go.

— Myślisz, że coś wie?

— Bardzo wątpię. Ale na tym polega ta robota. Szperam, gdzie się da, i liczę, że na coś trafię.

Doszli do samochodu. Myron otworzył drzwiczki i wsiedli.

— Powinnam ci płacić — powiedziała.

— Nie jestem prywatnym detektywem. Nie pracuję na godziny.

— Mimo wszystko powinnam ci płacić.

— Robię to, żeby pozyskać klientkę.

— Chcesz mnie reprezentować?

— Tak.

— A gdzie handlowa gadka-szmatka i naciski?

— Gdybym je zastosował, to dopiąłbym swego?

— Nie.

Skinął głową i zapalił silnik.

— No, dobrze — powiedziała. — Mamy kilka minut.

74

Przekonaj mnie, że powinnam wybrać ciebie, a nie którąś z dużych agencji. Ze względu na bezpośredni kontakt?

— Zależy, co rozumiesz przez „bezpośredni kontakt". Czy to, że ktoś będzie za tobą chodził z ustami przyklejonymi do twoich pośladków? Jeśli tak, to duże agencje są lepsze w całowaniu tyłków. Mają od tego personel.

— Co zatem oferuje Myron Bolitar? Oprócz ust także języczek?

Myron uśmiechnął się.

— Pełny pakiet usług zapewniających klientowi maksymalne dochody, bez naruszania zasad uczciwości i wtrącania się w jego życie osobiste.

— Bujda na resorach!

— Ale dobrze brzmi. Prawdę mówiąc, RepSport MB działa trójtorowo. Po pierwsze, zarabia pieniądze. Ja zajmuję się negocjowaniem wszystkich kontraktów. Bez przerwy szukam nowych umów reklamowych i w miarę możliwości walczę, żeby były jak najwyższe. Grając w lidze ZKZ, zarobisz przyzwoicie, ale o wiele więcej z umów reklamowych. Masz po temu mnóstwo walorów.

— Na przykład?

— Trzy pierwsze z brzegu to: jesteś najlepszą koszykarką w kraju; po drugie, studiujesz, żeby być lekarką pediatrą!... możesz więc stanowić wzór do naśladowania; a po trzecie, przyjemnie na ciebie patrzeć.

— Zapomniałeś o czwartym.

— Jakim?

— Ulubionym przez białych. Umiem się wysłowić. Zauważyłeś, że białych sportsmenek nikt nie chwali za swadę?

— Zauważyłem. Dlatego go pominąłem. Niemniej ten walor rzeczywiście pomaga. Nie wciągniesz mnie w dyskusję o języku czarnych, ale jeśli zaliczasz się do osób wygadanych, tym lepiej.

Skinęła głową.

— Kontynuuj.

— W twoim przypadku musimy opracować strategię. Z pewnością bardzo się spodobasz firmom odzieży i obuwia sportowego. Ale producenci żywności też cię pokochają. I sieci restauracyjne.

— Dlaczego? Bo jestem duża?

— Bo nie wyglądasz jak sierota. Jesteś naturalna. Sponsorzy lubią naturalność, zwłaszcza w egzotycznej oprawie. Chcą ludzi atrakcyjnych, a zarazem przystępnych. To sprzeczność, ale pożądana. A ty łączysz w sobie te cechy. Firmy kosmetyczne też się na to załapią. Możemy również zawrzeć wiele umów z reklamodawcami lokalnymi, ale na początek bym odradzał. Należy trzymać się rynku reklam ogólnokrajowych. Nie opłaca się schylać po drobniaki. Ja ci będę przedstawiał propozycje. Ostateczna decyzja będzie należeć do ciebie.

— Dobrze. A jak wygląda drugi tor twojej działalności?

— Dotyczy pieniędzy, które zarobiłaś. Słyszałaś o firmie maklerskiej Lock-Horne?

— Oczywiście.

— Wszystkim moim klientom doradzam zawarcie długoterminowej umowy finansowej z jej dyrektorem, Windsorem Horne'em Lockwoodem Trzecim.

— Ładne nazwisko.

— Zaczekaj, aż go poznasz. Ale rozpytaj się o niego. Win uchodzi za jednego z najlepszych doradców finansowych w kraju. Wymagam, żeby każdy mój klient kontaktował się z nim raz na kwartał, nie za pośrednictwem faksu czy telefonu, lecz osobiście, i sprawdzał stan swoich lokat. Zbyt dużo sportowców wykiwano. U mnie się to nie zdarza, nie dlatego, że ja i Win czuwamy nad ich pieniędzmi, tylko dlatego, że sami nad nimi czuwają.

— Imponujące. A tor trzeci?

— Esperanza Diaz. Jest moją prawą ręką i załatwia całą resztę. Jak wspomniałem, nie nadaję się do całowania tyłków. To prawda. Ale realia tej branży wymagają ode mnie wielu ról, w tym bycia agentem biura podróży, doradcą małżeńskim, kierowcą limuzyny i tak dalej.

— I owa Esperanza we wszystkim tym ci pomaga?

— Jest niezastąpiona.

— Widzę, że się nią wysługujesz.

— Wiedz, że właśnie skończyła prawo — odparł, starając się, żeby nie zabrzmiało to jak obrona, ale Brenda trafiła w sedno. — Z każdym dniem ma coraz więcej odpowiedzialnych zadań.

— Dobrze, jedno pytanie.

— Jakie?

— Czego nie powiedziałeś mi o swojej wizycie u Mabel?

Myron nie odpowiedział.

— Chodzi o moją matkę, tak?

— Niezupełnie. Tylko... Czy na pewno chcesz, żebym ją odszukał? — spytał po chwili.

Skrzyżowała ręce i wolno potrząsnęła głową.

— Dość tego — powiedziała.

— Czego?

— Myślisz, że oszczędzanie mnie jest szlachetne i miłe? Przeciwnie. Drażni mnie i obraża. Więc skończ z tym. Gdyby twoja matka uciekła, kiedy miałeś pięć lat, to nie chciałbyś się dowiedzieć dlaczego?

Myron po chwili zastanowienia skinął głową.

— Zrozumiałem — odparł. — Więcej tego nie zrobię.

— To dobrze. Więc co powiedziała Mabel?

Powtórzył jej rozmowę z ciotką. Słuchała bez słowa. Zareagowała tylko raz, kiedy wspomniał o telefonach jej matki do Mabel i być może do ojca.

— O niczym mi nie mówili — powiedziała. — Wprawdzie domyślałam się tego, ale... — spojrzała na Myrona — widać nie ty jeden uznałeś, że nie zniosę prawdy.

Jechali jakiś czas w milczeniu. Przed skrętem w lewo z Northfield Avenue Myron dostrzegł we wstecznym lusterku szarą hondę accord. Chyba hondę. Dla niego wszystkie samochody wyglądały z grubsza jednakowo, a trudno o skromniejsze auto niż szara honda. Nie miał oczywiście pewności, ale podejrzewał, że ktoś ich śledzi. Zwolnił i zapamiętał numer — 890UB3. Rejestracja New Jersey. Kiedy wjeżdżał na parking szpitala Świętego Barnaby, honda pojechała dalej. O niczym to nie świadczyło. Jeżeli śledzący go był fachowcem, to nie mógł za nim skręcić.

Szpital Świętego Barnaby był większy niż w jego dzieciństwie, ale który szpital nie był? Kilkakrotnie przyjeżdżał tu z ojcem, kiedy zwichnął nogę, gdy musiano mu założyć szwy i na prześwietlenia, a raz, w wieku dwunastu lat, spędził w nim dziesięć dni, lecząc gościec stawowy.

— Pozwól, że pomówię z nim w cztery oczy — powiedział.

— Dlaczego?

— Jesteś córką Horace'a. Twoja obecność mogłaby go krępować.

— Dobrze. I tak muszę zajrzeć do pacjentów na trzecim piętrze. Spotkamy się w holu na dole.

Szefa strażników znalazł Myron w biurze ochrony. Ubrany w mundur siwowłosy, kędzierzawy Calvin Campbell siedział bez czapki za wysokim kontuarem w otoczeniu kilkudziesięciu monitorów. Z przekazywanych przez nie czarno-białych obrazów wynikało, że w szpitalu panuje spokój. Trzymając nogi na blacie, zapychał się sandwiczem nieco dłuższym od kija do bejsbola.

Myron spytał go o Horace'a Slaughtera.

— Nie pokazał się przez trzy dni z rzędu. Nie zadzwonił ani nic. Więc go wylałem — odparł Calvin.

— Jak?

— Co jak?

— Jak pan go wylał? Osobiście? Przez telefon?

— No, próbowałem się do niego dodzwonić. Bezskutecznie. Więc wysłałem list.

— Polecony?

— Tak.

— Podpisał, że go przyjął?

— Jeśli pan pyta o potwierdzenie, to jeszcze nie nadeszło.

— Czy Horace był dobrym pracownikiem?

Oczy Calvina zwęziły się.

— Jest pan prywatnym detektywem? — spytał.

— Kimś w tym rodzaju.

— I pracuje pan dla jego córki?

— Tak.

— Ma iskrę.

— Co?

— Iskrę — powtórzył Calvin. — Właściwie wcale nie chciałem go zatrudnić.

— Czemu pan to zrobił?

Zmarszczył brwi.

— Nie słucha pan? Przecież mówię, jego córka ma iskrę. Trzyma sztamę z tutejszymi szyszkami. Wszyscy ją lubią. Słyszy się różne rzeczy. Plotki, wie pan. Więc pomyślałem, a co tam. Ochroniarz to nie chirurg mózgu. I go przyjąłem.

— Jakie plotki?

— Ej, nie łap mnie pan za słowa. — Campbell wyciągnął przed siebie ręce, jakby odpychał kłopoty. — Mówię tylko, że ludzie gadają. Pracuję tu od osiemnastu lat. Nie jestem czepialski. Ale jeśli ktoś nie zjawia się przez trzy dni w robocie, to nie mogę na to pozwolić.

— Ma pan coś do dodania?

— Nie. Przyszedł tu. Robił, co do niego należy. A kiedy się nie pokazał, to go wywaliłem. I koniec.

Myron skinął głową.

— Dziękuję panu.

— Ej, może pan coś dla mnie zrobić?

— Co?

— Może by córka zabrała z szafki jego graty. Przyjmuję nowego pracownika i szafka by mi się przydała.

Myron wjechał windą na pediatrię. Okrążył stanowisko pielęgniarek i przez dużą szybę dostrzegł Brendę. Siedziała na łóżku dziewczynki, najwyżej siedmioletniej. Zatrzymał się i chwilę ją obserwował. Przebrana w biały fartuch, na szyi miała stetoskop. Dziewczynka coś do niej powiedziała. Brenda uśmiechnęła się i włożyła jej do uszu słuchawki. Roześmiały się. Na skinienie Brendy do łóżka podeszli rodzice dziewczynki.

Mieli wychudzone twarze — zapadłe policzki, a w pustych oczach śmiertelne cierpienie. Brenda coś do nich powiedziała. Znów się roześmiały. Myron patrzył jak urzeczony.

Wreszcie Brenda opuściła pokój i podeszła prosto do niego.

— Długo tu stoisz? — spytała.

— Minutę, dwie — odparł. — Lubisz to.

— To jeszcze lepsze od koszykówki.

Nic dodać.

— I co? — spytała.

— Twój ojciec ma tu szafkę.

Zjechali windą do podziemi. Czekał tam na nich Calvin Campbell.

— Zna pani kombinację? — spytał.

Zaprzeczyła.

— Nie szkodzi.

Campbell uderzył z wprawą ołowianą rurką i zamek szyfrowy pękł jak szkło.

— Może pani zapakować rzeczy do tego pustego kartonu w kącie — powiedział i wolno odszedł.

Brenda spojrzała na Myrona. Skinął głową. Otworzyła szafkę. Z wnętrza buchnął odór brudnych skarpet. Myron skrzywił się, zajrzał do środka i dwoma palcami uniósł koszulę. Wyglądała jak koszula z reklamy „przed upraniem" proszkiem Tide.

— Tata nie za często odwiedzał pralnię — powiedziała Brenda.

Zdaje się, że nie często też wyrzucał śmieci. Szafka wyglądała tak, jakby upchnięto do niej cały akademik. Zawalały ją brudne ubrania, puste puszki po piwie, stare gazety. Trafiło się nawet opakowanie po pizzy. Brenda przyniosła karton i zabrali się do opróżniania śmietnika. Myron zaczął od mundurowych spodni. Po zadaniu sobie pytania, czy są własnością Horace'a, czy szpitala, po chwili zadał sobie drugie, czemu traci czas na takie błahostki. Przeszukał kieszenie spodni i wyjął zmiętą kulkę papieru.

Po rozprostowaniu okazało się, że jest to koperta. Wyjął z niej kartkę i zaczął czytać.

— Co to? — spytała Brenda.

— List od adwokata.

Podał jej kartkę. List brzmiał:

Drogi Panie Slaughter!

Otrzymaliśmy pańskie listy i wiemy o pańskich uporczywych próbach skontaktowania się z naszą kancelarią. Wyjaśniłem panu osobiście, że sprawa, w której pan się do nas zwraca, ma charakter poufny. Dlatego proszę, by zaniechał pan kontaktów z nami. Dalsze próby potraktujemy jako nękanie.

Z poważaniem,

Thomas Kincaid

— Wiesz, o czym mowa? — spytał Myron.

Brenda zawahała się.

— Nie — powiedziała wolno. — Ale to imię i nazwisko, Thomas Kincaid, brzmi znajomo. Nie potrafię go jednak umiejscowić.

— Może już coś załatwiał twojemu tacie.

Potrząsnęła głową.

— Wątpię. Nie przypominam sobie, żeby ojciec korzystał z usług prawnika. A jeśli nawet, to wątpię, czy wybrałby się do Morristown.

Myron zadzwonił z komórki do biura. Wielka Cyndi połączyła go z Esperanzą.

— Co jest? — spytała Esperanza, wcielenie uprzejmości.

— Czy Lisa przefaksowała ci rachunek telefoniczny Horace'a Slaughtera?

— Leży przede mną. Właśnie go sprawdziłam.

Jakkolwiek groźnie to brzmi, zdobycie wykazu czyichś rozmów pozamiejscowych nie nastręcza trudności. Niemal każdy prywatny detektyw dysponuje źródłem informacji w firmach telefonicznych. Potrzeba tylko trochę smaru.

Myron dał znak Brendzie, że chce list z powrotem. Oddała mu go, uklękła i z głębi szafki wydobyła plastikowy worek. Myron sprawdził numer telefonu Kincaida.

— Dzwonił pod pięć-pięć-pięć-jeden-dziewięć-zero-osiem? — spytał Esperanzę.

— Tak. Osiem razy. Żadna z rozmów nie trwała pięciu minut.

— Coś jeszcze?

— Nadal szukam, do kogo telefonował.

— Coś się urodziło?

— Może. Dwa razy dzwonił do sztabu wyborczego Arthura Bradforda.

Myron poczuł znajomy, wcale miły dreszczyk. Znów wyskoczyło to nazwisko. Arthur, jeden z dwu synów marnotrawnych rodu Bradfordów, ubiegał się w listopadowych wyborach o stanowisko gubernatora.

— Dobra. Coś jeszcze?

— Na razie nie. Aha, nie znalazłam nic... dosłownie, *nada*... na temat Anity Slaughter.

To go nie zaskoczyło.

— Dobrze, dzięki.

Rozłączył się.

— I co? — spytała Brenda.

— Twój ojciec wydzwaniał do tego Kincaida. Dzwonił też do sztabu wyborczego Arthura Bradforda.

— O czym to świadczy? — spytała zdezorientowana.

— Nie wiem. Twój tata był zaangażowany politycznie?

— Nie.

— Znał Arthura Bradforda lub kogoś z jego sztabu wyborczego?

— Nic o tym nie wiem. — Brenda otworzyła worek na śmieci, zajrzała do środka i twarz jej się zmieniła. — Chryste!

Myron ukląkł przy niej. Rozchyliła worek, żeby mógł zajrzeć. W środku była koszula sędziowska w biało-czarne pasy, z napisem na prawej kieszeni „Stowarzyszenie Sędziów Koszykówki Stanu New Jersey". Na lewej widniała duża czerwona plama.

Plama krwi.

9

— Powinniśmy zawiadomić policję — rzekł Myron.

— I co im powiemy?

Nie był pewien co. W zakrwawionej koszuli nie było dziury — żadnych widocznych rozcięć ani rozdarć — a plama miała kształt wachlarza. Skąd się wzięła? Dobre pytanie. Myron, nie chcąc zatrzeć ewentualnych śladów, tylko przyjrzał się koszuli. Plama była gruba i chyba lepka, a nawet wilgotna. Trudno powiedzieć, kiedy powstała, bo koszulę schowano do plastikowego worka. Najprawdopodobniej niedawno.

No tak. Co poza tym?

Zastanawiało umiejscowienie plamy. Jeśli Horace miał tę koszulę na sobie, to dlaczego krew znalazła się tylko w tym jednym miejscu? Gdyby rozbito mu nos, plama byłaby szersza. Gdyby do niego strzelono, w koszuli byłaby dziura. A gdyby to on kogoś uderzył, krew by się rozprysła i ochlapała większą część koszuli.

Dlaczego była tylko w jednym miejscu?

Ponownie przyjrzał się koszuli. Było tylko jedno wytłumaczenie — dziwne, ale najbardziej prawdopodobne — w chwili zranienia Horace nie miał jej na sobie. Koszuli użyto do zatamowania krwi jako tamponu. To wyjaśniało umiejscowienie i rozmiary plamy. Jej wachlarzowaty kształt świadczył, że koszulę przytknięto do krwawiącego nosa.

Byczo, para buch, koła w ruch! Wprawdzie niczego to nie wyjaśniało, ale sprawa ruszyła z miejsca. Myron lubił ruch.

— Co powiemy policji? — przerwała mu tok myśli Brenda, ponawiając pytanie.

— Nie wiem.

— Myślisz, że tata uciekł?

— Tak.

— Więc może nie chce, żeby go odnaleźć.

— Prawie na pewno.

— Wiemy, że uciekł z własnej woli. Więc co im powiemy? Że na jego koszuli w szafce znaleźliśmy trochę krwi? Przecież policja to oleje.

— Nawet nie rozepnie rozporka.

Kiedy opróżnili szafkę, Myron odwiózł Brendę na trening. Raz po raz zerkał we wsteczne lusterko, wypatrując szarej hondy accord. Było wiele hond, ale z innymi numerami rejestracyjnymi.

Po wysadzeniu Brendy przed salą pojechał Palisades Avenue do biblioteki w Englewood. Miał kilka wolnych godzin, a chciał zdobyć więcej informacji o rodzinie Bradfordów.

Biblioteka w Englewood przy Grand Avenue, w bok od Palisades Avenue, wyglądała jak niezgrabny statek kosmiczny. W roku 1968, kiedy wzniesiono ten budynek, zapewne chwalono go za futurystyczny wygląd. W tej chwili jednak wyglądał jak dekoracja, z której zrezygnowano podczas kręcenia *Ucieczki Logana*.

Myron szybko znalazł bibliotekarkę, wprost wzorcową, jakby specjalnie wybraną do tej roli — kanciastą, z szarym kokiem, w okularach i z perłami. Nazywała się, jak wynikało z tabliczki, Kay. Podszedł do niej z chłopięcym uśmiechem, na którego widok panie takie jak ona zwykle szczypały go w policzek i częstowały grzanym jabłecznikiem.

— Mam nadzieję, że pani mi pomoże — powiedział.

Pani Kay spojrzała na niego badawczo i ze zmęczeniem, co częste u bibliotekarek i policjantów, którzy wiedzą, że zaraz im skłamiesz, z jaką prędkością jechałeś.

— Chciałem przejrzeć artykuły z „Jersey Ledger" sprzed dwudziestu lat.

— Mikrofilmy. — Głęboko westchnęła, wstała i zaprowadziła go do czytnika. — Ma pan szczęście.

— Dlaczego?

— Właśnie skomputeryzowali indeksy. Przedtem trzeba było szukać samemu.

Pani Kay pokazała mu, jak korzystać z czytnika i indeksu w komputerze. Wyglądał standardowo. Gdy odeszła, Myron wpisał najpierw nazwisko Anity Slaughter. Pudło. Nic dziwnego, ale zawsze warto próbować. Czasem dopisywało ci szczęście. Wystukiwałeś nazwisko, wyskakiwał artykuł i czytałeś: „Zwiałam do Florencji we Włoszech. Znajdziesz mnie w hotelu Plaza Lucchesi nad rzeką Arno, pokój 218". Zdarzało się to nieczęsto. Ale zdarzało.

Wpisanie nazwiska Bradford przyniosło milion trafień. Myron nie bardzo wiedział, czego właściwie szuka. Wiedział natomiast dobrze, kim są Bradfordowie. Należeli do arystokracji New Jersey, stanowiąc miejscowy odpowiednik klanu Kennedych. Bradford senior był gubernatorem stanu pod koniec lat sześćdziesiątych, a jego najstarszy syn, Arthur, ubiegał się właśnie o ten sam urząd. Młodszy z braci, Chance — Myron chętnie zażartowałby z jego imienia, ale gdy nazywasz się Myron, to nie śmiejesz się, dziadku, z cudzego przypadku — prowadził kampanię wyborczą Arthura, odgrywając w niej taką rolę jak — by pozostać przy Kennedych — Robert wobec Johna.

Bradfordowie zaczynali skromnie. Stary Bradford pochodził z rodziny farmerskiej. Jako właściciel połowy miasta Livingston, w latach sześćdziesiątych uważanego za prowincjonalną dziurę, kawałek po kawałku rozprzedał ziemię firmom budującym dwupoziomowce i domy w stylu kolonialnym dla pokolenia powojennego wyżu demograficznego, uciekającego z Newark, Brooklynu i podobnych miejsc. Myron też dorósł w dwupoziomowym domu, wzniesionym na dawnych ziemiach Bradfordów.

Ale stary Bradford był sprytniejszy od wielu. Zainwestował

pieniądze w miejscowe silne przedsiębiorstwa, głównie centra handlowe, a — co ważniejsze — sprzedawał ziemię powoli, zwlekając i nie śpiesząc się ze zgarnięciem gotówki. A ponieważ zaczekał nieco dłużej, nagły skok cen gruntów uczynił z niego prawdziwego barona. Poślubił arystokratkę z Connecticut, w której żyłach płynęła błękitna krew. Przebudowała ona starą farmę, przemieniając ją w zbytkowny monument. Bradfordowie pozostali w Livingston, otaczając ogromną posiadłość ogrodzeniem. Ze swojego zamku na wzgórzu, otoczonego setkami wyciętych jak ze sztancy domów klasy średniej, spoglądali na nie jak panowie feudalni na czworaki chłopów pańszczyźnianych. Nikt w mieście właściwie ich nie znał. Mały Myron i jego koledzy nazywali ich milionerami. Bradfordów otaczała legenda. Podobno, jeśli wspiąłeś się na ogrodzenie ich posiadłości, uzbrojeni strażnicy strzelali do ciebie. Siedmioletniego Myrona ostrzegli przed tym dwaj szóstoklasiści. Wystraszony, uwierzył im bez zastrzeżeń. Bardziej od Bradfordów bano się tylko starej Pani Nietoperz, która mieszkała w budzie obok szkolnego boiska do bejsbolu, porywała i zjadała małych chłopców.

Choć Myron postanowił zawęzić przegląd informacji o Bradfordach do roku 1978, wzmianek o nich i tak było co niemiara. Najwięcej z marca, podczas gdy Anita uciekła w listopadzie. Błąkało mu się po głowie mgliste wspomnienie z czasów, gdy rozpoczynał naukę w gimnazjum, ale nie zdołał go przywołać. O Bradfordach zrobiło się wtedy głośno w związku z jakimś skandalem. Włożył mikrofilm do czytnika. Nie miał uzdolnień technicznych — o co winił przodków — więc zabrało mu to dłużej, niż powinno. Po kilku falstartach w końcu udało mu się przeczytać dwa artykuły. Wkrótce potem natknął się na nekrolog. „Elizabeth Bradford, córka Richarda i Miriam Worthów, żona Arthura Bradforda, matka Stephena Bradforda, odeszła w wieku lat trzydziestu...".

Nie podano przyczyny śmierci, ale Myron przypomniał sobie tę historię. Prawdę mówiąc, to odgrzano ją ostatnio w prasie w związku z wyścigiem do fotela gubernatora. Pięćdziesięcio-

dwuletni wdowiec wciąż, jeśli wierzyć doniesieniom, opła-
kiwał śmierć żony. Spotykał się z kobietami, owszem, ale —
jak wieść gminna niosła — nigdy nie przebolał utraty młodej
małżonki. Stawiało go to w podejrzanie korzystnym świetle
wobec trzykrotnie żonatego rywala, Jima Davisona. Ciekawe,
czy w tej gminnej wieści tkwiło źdźbło prawdy. Arthura
Bradforda uważano za mało sympatycznego, za kogoś pokroju
Boba Dole'a. Może to chore i niesmaczne, ale co mogło
lepiej poprawić taki wizerunek niż wskrzeszenie miłości do
zmarłej żony?

Kto wie, jak się sprawy miały. Politycy i prasa — dwie
hołubione instytucje publiczne — z taką wprawą posługują się
rozwidlonymi językami, że mogłyby im służyć za widelce na
bankietach. To, że Arthur Bradford odmówił wypowiedzi na
temat żony, mogło być wyrazem autentycznego bólu albo
chytrym chwytem na użytek mediów. Cynicznym, ale cóż
poradzić.

Myron powrócił do artykułów sprzed lat. W marcu 1978
roku pisano o Bradfordach trzy dni z rzędu. Będący małżeństwem od sześciu lat, Arthur i Elizabeth Bradfordowie zakochali
się w sobie na studiach. Uchodzili powszechnie za „kochającą
się parę", jak głosił dziennikarski frazes, znaczący z grubsza
tyle, ile nazwanie zmarłego młodzieńca „wybitnie uzdolnionym
studentem". Pani Bradford wypadła z balkonu na drugim piętrze
rezydencji, lądując głową na ceglanym chodniku. Nie podano
za wielu szczegółów. Policyjne śledztwo ustaliło, że śmierć
nastąpiła wskutek tragicznego wypadku. Padało i było ciemno.
Na wyłożonym śliskimi płytkami balkonie właśnie wymieniano
ściankę, która w związku z tym nie była całkiem bezpieczna.

Sprawa czysta, że mucha nie siada.

Prasa obeszła się z Bradfordami bardzo łagodnie. Myron
przypomniał sobie plotki, jakie krążyły w tamtym czasie na
boisku szkolnym. Co ona robiła na balkonie w marcu? Była
pijana? Pewnie tak. No bo jak inaczej spadłaby z balkonu?
Oczywiście część chłopaków spekulowała, że ją zepchnięto.
W szkolnej stołówce pasiono się tą zajmującą strawą co

najmniej dwa dni. Ale jak to w gimnazjum, hormony zatknęły sztandar zwycięstwa i wszyscy wpadli na powrót w popłoch przed płcią przeciwną. O, słodki ptaku młodości!

Myron usiadł wygodniej i wpatrzył się w ekran. Znów zadumał się nad tym, dlaczego Arthur Bradford nie chciał mówić o zmarłej żonie. A jeśli nie miało to nic wspólnego z autentycznym bólem ani z manipulacją mediami? Jeśli odmówił komentarza, bo nie chciał, żeby po dwudziestu latach coś wyszło na jaw?

Hm! Świetnie, Myron, brawo. A może porwał syna Lindbergha. Trzymaj się faktów, skarcił się. Po pierwsze, Elizabeth Bradford nie żyła od dwudziestu lat. Po drugie, nie istniał nawet okruch dowodu na to, że jej śmierć nie była wypadkiem. Po trzecie — i najważniejsze — zdarzyło się to dziewięć miesięcy przed ucieczką Anity Slaughter.

Wniosek: nie było najwątlejszego śladu, który mógłby sugerować, że te dwie sprawy coś łączy.

W każdym razie nie było w tej chwili.

Zaschło mu w gardle. Powrócił do lektury artykułu w „Jersey Ledger" z 18 marca 1978 roku. Artykuł ze strony pierwszej kończył się na stronie ósmej. Myron pokręcił gałką czytnika. Zaskrzypiała w proteście, ale ustąpiła.

Nareszcie! Informację umieszczono w prawym dolnym rogu. Jedno zdanie. To wszystko. Nierzucające się w oczy. „Zwłoki pani Bradford odkryła o godzinie 6.30 rano na ceglanym tylnym ganku rezydencji Bradfordów pokojówka, która przyszła do pracy".

Pokojówka, która przyszła do pracy. Ciekawe, jak się nazywała.

10

Natychmiast zadzwonił do Mabel Edwards.

— Pamięta pani Elizabeth Bradford? — spytał.

— Tak — odparła po krótkiej chwili.

— To Anita znalazła jej zwłoki?

Tym razem wahanie Mabel trwało dłużej.

— Tak.

— Co pani o tym powiedziała?

— Zaraz. Myślałam, że chcesz pomóc Horace'owi.

— Chcę.

— To dlaczego wypytujesz o tę biedaczkę? — spytała nieco urażona. — Zginęła ponad dwadzieścia lat temu.

— To dość skomplikowane.

— Pewnie. — Wzięła głęboki oddech. — Chcę znać prawdę. Szukasz również Anity?

— Tak.

— Dlaczego?

Dobre pytanie. Ale po dotarciu do jego sedna odpowiedź była prosta.

— Na zlecenie Brendy.

— Odszukanie Anity nic jej nie pomoże.

— Niech pani jej to powie.

Mabel zaśmiała się niewesoło.

— Brenda bywa uparta — powiedziała.

— To u was rodzinne.

— Zgadza się.

— Proszę mi powiedzieć, co pani pamięta.

— Niewiele. Anita przyszła do pracy i znalazła tę kobietę. Leżała jak szmaciana lalka. To wszystko.

— Anita do tego nie wracała?

— Nie.

— Była wstrząśnięta?

— Pewnie. Służyła u Elizabeth Bradford prawie sześć lat.

— Pytam, czy wstrząsnęło nią coś poza tym, że znalazła ciało.

— Nie. W każdym razie nic mi nie mówiła. Nawet gdy dzwonili reporterzy, po prostu odkładała słuchawkę.

Myron wchłonął tę informację, przepuścił przez szare komórki i nie znalazł niczego.

— Pani Edwards, czy brat wspomniał kiedyś o prawniku Thomasie Kincaidzie?

— Nie.

Pożegnali się. Tuż po tym, jak Myron skończył rozmowę, telefon zadzwonił.

— Halo?

— Odkryłam coś dziwnego, Myron — odezwała się Lisa z firmy telefonicznej.

— Co?

— Poprosiłeś o podsłuch telefonu Brendy Slaughter.

— Tak.

— Ktoś mnie uprzedził.

Myron o mały włos nie nacisnął na hamulec.

— Co takiego?

— Ktoś założył go wcześniej.

— Kiedy?

— Nie wiem.

— Możesz to sprawdzić? Dowiedzieć się kto?

— Nie. Jej numer zablokowano.

— Co to oznacza?

— Szlaban na wszystkie informacje. Nie mam nawet dostępu przez komputer do jej starych rachunków telefonicznych. Podejrzewam, że stoją za tym jacyś stróże prawa. Mogę poszperać, ale nie ręczę za wyniki.

— Postaraj się, Liso. Dziękuję.

Myron rozłączył się. Zaginiony ojciec, telefony z groźbami, śledzący ich samochód, a do tego podsłuch telefoniczny. Zaczynał się denerwować. Po co ktoś — ktoś, kto miał władzę — podsłuchiwałby rozmowy Brendy? Czy osoba ta należała do grupy, która groziła jej przez telefon? Czy podsłuchiwali ją, chcąc dotrzeć do jej ojca, czy może...

Zaraz!

W trakcie jednej z rozmów polecono Brendzie, żeby zadzwoniła do matki. Dlaczego? Skąd to żądanie? Gdyby je spełniła — gdyby rzeczywiście wiedziała, gdzie się ukrywa matka — to przecież ci od posłuchu też znaleźliby Anitę. Czy o to chodziło?

Ktoś szukał Horace'a czy... Anity?

— Mamy problem — powiedział.

Siedzieli w samochodzie. Brenda obróciła się twarzą ku niemu, czekając na ciąg dalszy.

— Twój telefon jest na podsłuchu.

— Co takiego?

— Ktoś podsłuchuje twoje rozmowy. A poza tym śledzi.

— Ale... — Brenda urwała i wzruszyła ramionami. — Po co? Żeby znaleźć mojego ojca?

— Tak. Najprawdopodobniej. Komuś bardzo zależy na dopadnięciu Horace'a. Zdążyli pobić twoją ciotkę. Ty możesz być następna.

— Myślisz, że coś mi grozi?

— Tak.

Przyjrzała mu się.

— I chcesz mi w związku z tym coś zaproponować?

— Tak.

— Słucham.

— Po pierwsze, chciałbym odszukać w twoim pokoju w akademiku te pluskwy.

— Nie widzę przeszkód.

— Po drugie, musisz się stamtąd wynieść.

— Mogę pomieszkać u znajomej — odparła po chwili. — Cheryl Sutton. To kapitanka naszej drużyny.

Myron pokręcił głową.

— Ci ludzie cię znają. Śledzili cię, podsłuchiwali twoje rozmowy.

— I co z tego?

— To, że prawdopodobnie znają twoich znajomych.

— W tym Cheryl?

— Tak.

— I myślisz, że mnie tam odszukają?

— Niewykluczone.

Brenda pokręciła głową i wpatrzyła się przed siebie.

— Niesamowite.

— To nie wszystko.

Myron opowiedział jej o rodzinie Bradfordów i o znalezieniu przez jej matkę zwłok.

— I co to znaczy? — spytała, kiedy skończył.

— Prawdopodobnie nic. Ale chciałaś, żebym ci mówił o wszystkim.

— Tak. — Usiadła wygodniej i przygryzła wargę. — Gdzie w takim razie, według ciebie, powinnam się zatrzymać? — spytała po dłuższej chwili.

— Wspomniałem ci o moim przyjacielu Winie. Pamiętasz?

— Właścicielu firmy maklerskiej Lock-Horne?

— To własność jego rodziny. Mam dziś wieczorem wpaść do niego w interesach. Powinnaś ze mną pojechać. Możesz zatrzymać się u niego.

— Chcesz, żebym z nim zamieszkała?

— Tylko na tę noc. Win ma mnóstwo bezpiecznych adresów. Znajdziemy ci coś.

Skrzywiła się.

— Wykształcony plutokrata, który korzysta z bezpiecznych kryjówek?

— Nie sądź go po pozorach.

Skrzyżowała ręce pod biustem.

— Nie zachowam się jak kretynka. Nie wygłoszę obłudnej tyrady, że nie pozwolę, żeby ta heca komplikowała mi życie. Pomagasz mi, chcę współdziałać.

— To dobrze.

— Ale ta liga wiele dla mnie znaczy. Tak samo jak moja drużyna. Nie zrezygnuję z nich.

— Rozumiem.

— Cokolwiek więc zrobimy, będę mogła trenować? Będę mogła zagrać w inauguracyjnym meczu w niedzielę?

— Tak.

Skinęła głową.

— W takim razie, zgoda. Dziękuję.

Zajechali pod akademik. Myron zaczekał na dole, aż Brenda się spakuje. Wprawdzie miała oddzielny pokój, ale zostawiła koleżance liścik, że na kilka dni zamieszka u znajomej. Wszystko to zajęło jej niespełna dziesięć minut.

Zeszła na dół z dwiema torbami na ramionach. Myron uwolnił ją od jednej. Kiedy wychodzili z akademika, zobaczył, że przy jego samochodzie stoi FJ.

— Zostań tu — powiedział.

Brenda, nic sobie z tego nie robiąc, dotrzymała mu kroku. Spojrzał w lewo. Stojący tam Bubba i Rocco pomachali mu. Nie zareagował. Miał ich gdzieś.

FJ, zrelaksowany tak, że aż za bardzo, oparł się o jego samochód jak pijak ze starego filmu o latarnię.

— Cześć, Brenda — powiedział.

— Cześć, FJ.

— Cześć, Myron — dodał i skinął głową.

Nie dość, że w jego uśmiechu brakło ciepła, to był to najbardziej mechaniczny uśmiech, jaki Myron widział w życiu. Wyłączny produkt uboczny mózgu, wysyłającego konkretne rozkazy grupie mięśni twarzy. Ograniczony do warg.

Myron okrążył forda, udając, że uważnie go ogląda.

— Nieźle go pan wyczyścił, FJ — pochwalił. — Ale następnym razem radzę bardziej przyłożyć się do dekli. Są brudne.

FJ spojrzał na Brendę.

— I to jest słynny ostry dowcip Bolitara, o którym tyle słyszałem? — spytał.

Wyrozumiale wzruszyła ramionami.

— To wy się znacie? — spytał Myron, wskazując ich rękami.

— Oczywiście — odparł FJ. — Chodziliśmy razem do liceum. W Lawrenceville.

Bubba i Rocco postąpili kilka ciężkich kroków. Wyglądali na młodych aktywistów Związku Drwali.

Myron wsunął się między Brendę a FJaya. Ten manewr w jej obronie pewnie ją wkurzył, ale trudno.

— Czym możemy służyć, FJ? — spytał.

— Chcę się upewnić, czy pani Slaughter honoruje swój kontrakt ze mną.

— Nie podpisałam z tobą żadnego kontraktu — odparła.

— Twoim agentem jest ojciec, niejaki Horace Slaughter, zgadza się?

— Nie. Moim agentem jest Myron.

— Tak?

FJ przesunął wzrok na Myrona. Myron patrzył mu prosto w oczy, ale nadal nie było w nich nic, niczym w oknach opuszczonego budynku.

— A ja słyszałem co innego.

Myron wzruszył ramionami.

— Życie to ciągła zmiana, FJ. Człowiek musi się dostosować.

— Dostosować lub zginąć.

— U-u-u.

FJ mierzył go wzrokiem jeszcze kilka sekund. Jego skóra przypominała mokrą glinę, którą może rozpuścić silna ulewa.

— Przed Myronem twoim agentem był ojciec — zwrócił się do Brendy.

— I co z tego? — wtrącił Myron.

— Podpisał z nami umowę. Zobowiązał się, że Brenda wycofa się z ligi ZKZ i zagra w ZLKK. To wszystko jest czarno na białym w kontrakcie.

Myron spojrzał na Brendę. Potrząsnęła głową.

— Czy na tym kontrakcie jest podpis pani Slaughter? — spytał.

— Jak powiedziałem, jej ojciec podpisał...

— Nie miał prawa. Macie jej podpis czy nie?

FJayowi bardzo nie spodobało się to pytanie. Bubba i Rocco podeszli jeszcze bliżej.

— Nie mamy.

— Więc nie macie nic. — Myron odblokował drzwiczki forda. — Było miło, choć za krótko. Zaopiekuję się moją klientką lepiej od was.

Bubba i Rocco ruszyli ku niemu. Otworzył drzwiczki. Pistolet miał pod fotelem. Rozważał, czy po niego sięgnąć. Ale byłaby to oczywiście głupota. Jedno z nich — on albo ona — pewnie by ucierpiało.

FJ uniósł rękę i dwaj goryle zamarli, jakby opsiukał ich zamrażaczem dla skopanych futbolistów.

— Nie jesteśmy gangsterami — powiedział. — Jesteśmy biznesmenami.

— Oczywiście — zgodził się Myron. — A tamci, Bubba i Rocco, to pańscy dyplomowani księgowi.

Na ustach FJaya pojawił się cienki uśmiech. Gadzi, a więc znacznie cieplejszy od poprzednich.

— Jeżeli jest pan rasowym agentem, to w pańskim interesie jest ze mną porozmawiać.

— Niech pan zadzwoni do mojej agencji, umówi się na spotkanie.

— W takim razie wkrótce porozmawiamy.

— Z chęcią. I niech pan jak najczęściej używa zwrotu „w pańskim interesie". Naprawdę robi wrażenie.

Brenda otworzyła drzwiczki i wsiadła. Myron za nią. FJ podszedł do okna od strony kierowcy i zastukał. Myron opuścił szybę.

— Podpiszesz z nami kontrakt albo nie — powiedział. — To tylko interes. Ale jeżeli cię zabiję, to dla przyjemności.

Myron już chciał strzelić kolejnym żartem, ale coś — może przypływ rozsądku — go powstrzymało. FJ odszedł, a za nim Rocco i Bubba. Patrzył, jak znikają. Serce trzepotało mu w piersi jak kondor w klatce.

11

Zaparkowali na Siedemdziesiątej Pierwszej Ulicy i poszli do Dakoty. Dakota to wciąż jeden z czołowych budynków w mieście, choć swoją sławę zawdzięcza przede wszystkim zabójstwu Johna Lennona. Miejsce, w którym zastrzelono piosenkarza, upamiętniał bukiet świeżych róż. Mijając je, Myron zawsze czuł się trochę nieswojo, tak jakby stąpał po cudzym grobie. Chociaż portier w Dakocie widział go niewątpliwie ze sto razy, zawsze udawał, że go nie zna, i dzwonił do apartamentu Wina.

Tuż po krótkim przedstawieniu mu Brendy Win znalazł dla niej miejsce w gabinecie. Usadowiła się wygodnie, rozkładając przed sobą podręcznik medycyny wielkości kamiennych tablic. Myron i Win powrócili do salonu urządzonego na poły w stylu któregoś z Ludwików nastych. Był tam wielki kominek z żelaznymi pogrzebaczami i popiersiem na gzymsie. Solidne meble, które wyglądały niezmiennie jak świeżo polakierowane, lecz bardzo stare antyki. Ze ścian spoglądali z olejnych portretów surowi, acz zniewieściali mężczyźni. Jednakże — aby nie było wątpliwości, jaka to epoka — centralne miejsce w salonie zajmowały telewizor z wielkim ekranem i magnetowid.

Dwaj przyjaciele usiedli i położyli nogi wyżej.

— I co ty na to? — spytał Myron.

— Na mój gust, za duża — odparł Win. — Ale ma zgrabne nogi.

— Ja mówię o jej ochronie.

— Coś dla niej znajdziemy. — Win splótł dłonie na karku. — Mów.

— Znasz Arthura Bradforda?

— Kandydata na gubernatora?

— Tak.

Win skinął głową.

— Spotkaliśmy się kilka razy. Grałem w Merion w golfa z nim i jego bratem.

— Możesz mnie z nim umówić?

— Żaden problem. Wyprosili od nas znaczne darowizny. — Win skrzyżował kostki nóg. — A co wspólnego z tą sprawą ma Arthur Bradford?

Myron streścił wydarzenia minionego dnia. Powiedział mu o śledzącej ich hondzie accord, o podsłuchu telefonicznym, o zakrwawionej koszuli, telefonach Horace'a Slaughtera do Bradforda, niespodziewanej wizycie FJaya, o śmierci Elizabeth Bradford i roli Anity w znalezieniu zwłok.

Na Winie nie zrobiło to wrażenia.

— Naprawdę widzisz jakiś związek między przeszłością Bradfordów a tym, co teraz spotyka Slaughterów?

— Może.

— W takim razie sprawdźmy, czy dobrze odczytuję twoje rozumowanie. Popraw mnie, jeśli się pomylę.

— Dobra.

Win opuścił nogi na podłogę i złożył dłonie koniuszkami palców, podpierając podbródek.

— Dwadzieścia lat temu Elizabeth Bradford zginęła w niezbyt jasnych okolicznościach. Jej śmierć uznano za wypadek, aczkolwiek dziwny. Ty nie kupujesz tego wyjaśnienia. Bradfordowie są bogaci, co tylko wzmacnia twoje podejrzenia względem oficjalnej wersji...

— Rzecz nie tylko w tym, że są bogaci — przerwał mu Myron. — Wypadnięcie z własnego balkonu? Daj spokój.

— No dobrze, rozumiem. — Win znów złożył dłonie. — Przyjmijmy, że twoja nieufność ma podstawy. Załóżmy, że za upadkiem i śmiercią Elizabeth Bradford rzeczywiście kryje się jakaś niegodziwość. Gotów też jestem przyjąć, za twoim przykładem, że Anita Slaughter, jako pokojówka, służąca i kto tam jeszcze, stała się przypadkowym świadkiem czegoś kompromitującego.

Myron skinął głową.

— Mów dalej — zachęcił.

Win rozłożył ręce.

— I tu, przyjacielu, dochodzimy do ściany. No, bo jeżeli droga pani Slaughter istotnie zobaczyła coś, czego zobaczyć nie powinna, to załatwiono by sprawę od ręki. Znam Bradfordów. Tacy jak oni nie ryzykują. Anita Slaughter zostałaby zabita albo zmuszona do natychmiastowej ucieczki. Zamiast tego, w tym właśnie sęk, odczekała dziewięć miesięcy, nim zniknęła. Stąd wnioskuję, że tych dwóch wydarzeń nic nie łączy.

Zza pleców doszło ich chrząknięcie Brendy. Spojrzeli w stronę drzwi. Nie miała zbyt szczęśliwej miny. Patrzyła na Myrona.

— Myślałam, że rozmawiacie o interesach — powiedziała.

— Rozmawiamy — odparł szybko Myron. — To znaczy... zajmiemy się nimi. Po to tu przyjechałem. Omówić interesy. Ale najpierw zaczęliśmy rozmawiać o tym, a, jak wiesz, jedna rzecz prowadzi do drugiej. W każdym razie nie było to zamierzone. Przyjechałem tu omówić pewien problem, prawda, Win?

Win pochylił się do przodu i klepnął go w kolano.

— Zręcznie — pochwalił.

Brenda skrzyżowała ręce. Oczy miała jak dwa wiertła piątki, zakończone siódemkami.

— Długo tu stoisz? — spytał Myron.

— Od chwili — wskazała na Wina — gdy powiedział, że mam zgrabne nogi. Spóźniłam się na zdanie, że na jego gust jestem za duża.

Win uśmiechnął się. Wciąż patrząc na niego, bez zaproszenia przeszła przez salon i usiadła na krześle.

— Wyjaśnijmy sobie od razu: ja również nie kupuję domysłów Myrona — powiedziała. — Trudno mu uwierzyć, że matka mogła zostawić małą córeczkę. Jego zdaniem, ojciec mógłby to zrobić, matka nie. Wyjaśniłam mu, że tak myślą seksiści.

— Zasapane świnie — wtrącił Win.

— Ale jeśli zamierzacie siedzieć tu i zabawiać się w Holmesa i Watsona, to podpowiem, jak ominąć waszą — palcami nakreśliła w powietrzu cudzysłów — „ścianę".

— Jak? — spytał Win.

— Być może, po tragicznej śmierci Elizabeth Bradford matka zobaczyła coś, co z początku wydawało się błahe. Nie budziło podejrzeń. Pracowała więc dalej u tych ludzi, szorując podłogi i toalety. Aż któregoś dnia zajrzała do jakiejś szuflady czy szafy i znalazła coś, co doprowadziło ją do wniosku, że śmierć żony Bradforda nie była przypadkowa.

Win spojrzał na Myrona. Myron uniósł brwi.

Brenda westchnęła.

— Zanim powrócicie do pobłażliwych spojrzeń, które mówią: „Kurczę, ta kobieta myśli", dodam, że tylko podsuwam wam sposób na obejście ściany. Ale ani przez chwilę nie wierzę w hipotezę, którą przedstawiłam. Nie wyjaśnia ona wielu rzeczy.

— Na przykład? — spytał Myron.

— Na przykład, dlaczego moja matka tak nagle uciekła. Dlaczego zostawiła ojcu okrutny list, że porzuca go dla innego. Dlaczego zostawiła nas bez grosza. Dlaczego porzuciła córkę, którą niby kochała.

Głos jej nie drżał. Przeciwnie. Był o wiele za spokojny, jakby usilnie się starała, żeby brzmiał normalnie.

— Może nie chciała dopuścić, żeby córce stała się krzywda — rzekł Myron. — Może chciała zniechęcić męża do szukania.

Brenda zmarszczyła brwi.

— I dlatego ogołociła go z pieniędzy i skłamała, że ucieka z innym? — Spojrzała na Wina. — On naprawdę wierzy w takie bzdury?

Win uniósł ręce w przepraszającym geście i skinął głową.

— Doceniam twoje starania, ale nie widzę w tym sensu —

powiedziała Brenda do Myrona. — Moja matka uciekła dwadzieścia lat temu. Dwadzieścia lat! Czy przez ten czas nie stać jej było na nic więcej niż kilka listów do mnie i telefonów do ciotki? Nie znalazła sposobu, żeby zobaczyć się z córką? Umówić się na spotkanie? Choć raz w ciągu dwudziestu lat? Nie starczyło jej czasu, żeby ułożyć sobie życie i wrócić po mnie?

Urwała, jakby zabrakło jej tchu. Przyciągnęła kolana do piersi i odwróciła głowę. Myron spojrzał na Wina. Do okien i drzwi przywarła cisza.

Pierwszy odezwał się Win.

— Dość spekulacji — powiedział. — Zadzwonię do Arthura Bradforda. Przyjmie nas jutro.

Wyszedł z salonu. W przypadku niektórych ludzi można się zastanawiać, skąd są tacy pewni, że kandydat na gubernatora przyjmie ich z dnia na dzień. W przypadku Wina takich wątpliwości nie było.

Myron spojrzał na Brendę. Nie odwzajemniła spojrzenia. Kilka minut potem wrócił Win.

— Jutro rano. O dziesiątej — oznajmił.

— Gdzie?

— W rezydencji Bradfordów. W Livingston.

Brenda wstała.

— Jeżeli zakończyliśmy temat, to was opuszczę. — Spojrzała na Myrona. — Żebyście mogli omówić „pewien problem".

— Jeszcze jedno — powiedział Win.

— Co takiego?

— Sprawa bezpiecznego lokum.

Zatrzymała się, czekając. Win usiadł wygodnie.

— Jeżeli wam odpowiada, to zapraszam ciebie i Myrona do siebie — powiedział. — Jest tu dużo miejsca. Możesz skorzystać z sypialni na końcu korytarza. Z osobną łazienką. Myron zanocuje w pokoju po drugiej stronie. W Dakocie jesteś bezpieczna, a my dwaj będziemy w zasięgu ręki.

Zerknął na Myrona, który próbował ukryć zaskoczenie. Wprawdzie często tu nocował — miał nawet trochę ubrań i przyborów toaletowych — ale Win coś takiego proponował pierwszy raz. Zazwyczaj pilnie strzegł swojej prywatności.

— Dziękuję — powiedziała Brenda.

— Jedyny problem to moje życie prywatne.

Masz ci los!

— Zdarza mi się zapraszać tu z różnych okazji rozmaite panie. Nie zawsze w pojedynkę. Czasem je filmuję. Czy to ci przeszkadza?

— Nie. O ile tylko będę mogła robić to samo z mężczyznami.

Myron zakaszlał.

— Ależ proszę — odparł ze spokojem Win. — Kamera wideo jest w tej szafce.

Spojrzała na szafkę i skinęła głową.

— Masz trójnóg?

Win otworzył usta, zamknął je i pokręcił głową.

— Nie idę na łatwiznę — odparł.

— Młody, zdolny, ambitny. — Uśmiechnęła się. — Dobranoc, chłopcy.

Kiedy wyszła, Win spojrzał na Myrona.

— Możesz już zamknąć usta — powiedział.

— Jaki to problem chcesz ze mną omówić? — spytał, nalewając sobie koniaku.

— Chodzi o Esperanzę. Chce zostać moją wspólniczką.

— Wiem.

— Powiedziała ci?

Win wprawił trunek w ruch wirowy.

— Radziła się mnie, jak to zrobić. Jak załatwić to od strony prawnej.

— I nic mi nie powiedziałeś?

Odpowiedź była prosta.

— Napijesz się yoo-hoo? — spytał Win, który nie cierpiał udzielać oczywistych odpowiedzi.

Myron odmówił, kręcąc głową.

— Sęk w tym, że nie wiem, co zrobić z tym fantem.

— Wiem. Grałeś na zwłokę.

— Powiedziała ci to?

— Przecież ją znasz.

Myron skinął głową. Znał ją bardzo dobrze.

— Esperanza jest moją przyjaciółką...

— Poprawka — przerwał mu Win. — Twoją najlepszą przyjaciółką. Co więcej, może lepszą niż ja. Ale teraz zapomnij o tym. Jest twoją pracownicą, zapewne doskonałą, lecz w podjęciu decyzji przyjaźń należy odłożyć na bok. Dla waszego wspólnego dobra.

Myron skinął głową.

— Słusznie, zapomnij, co powiedziałem. Dobrze wiem, skąd pochodzi. Była ze mną od samego początku. Ciężko pracowała. Skończyła prawo.

— Ale?

— Ale wspólnictwo? Z wielką chęcią ją awansuję, dam osobny pokój, zwiększę zakres samodzielności w podejmowaniu decyzji, a nawet opracuję program podziału zysków. Ale ona się na to nie zgodzi. Chce zostać moją wspólniczką.

— Powiedziała ci dlaczego?

— Tak.

— I?

— To proste jak drut. Nie chce być niczyją podwładną. Nawet moją. Jej ojciec całe życie harował na różnych skurwieli. Jej matka sprzątała cudze domy. Dlatego poprzysięgła sobie, że kiedyś zacznie pracować na własny rachunek.

— Rozumiem.

— Jestem za tym. Ktokolwiek by to był? Ale jej rodzice pracowali pewnie u bezdusznych drani. Nieważne, że się przyjaźnimy. Nieważne, że kocham ją jak siostrę. Ważne, że jestem dobrym szefem. Uczciwym. Nawet ona to przyzna.

Win pociągnął duży łyk koniaku.

— Ale jej to najwyraźniej nie wystarcza.

— Więc co mam zrobić? Ustąpić? Partnerstwo w interesach między przyjaciółmi i członkami rodziny zawsze bierze w łeb. Zawsze. Pieniądze psują każdy związek. Ty i ja dbamy o to, żeby nasze firmy były ze sobą powiązane, ale prowadzimy je oddzielnie. Dlatego nam to wychodzi. Mamy podobne cele. Nie łączą nas pieniądze. Znam wiele zażyłych przyjaźni i dobrych firm zniszczonych przez takie układy. Mój ojciec nadal nie rozmawia z bratem z powodu wspólnictwa w interesach. Nie chcę, żeby spotkało to mnie i Esperanzę.

— Powiedziałeś to jej?

Myron potrząsnął głową.

— Nie, ale dała mi tydzień na podjęcie decyzji. Potem odejdzie.

— Ciężka sprawa.

— Masz jakieś propozycje?

— Żadnych.

Win przechylił głowę i uśmiechnął się.

— O co chodzi? — spytał Myron.

— O twoje argumenty. Dostrzegłem w nich ironię.

— Jak to?

— Wierzysz w małżeństwo, rodzinę, monogamię i tym podobne bzdury, tak?

— I co z tego?

— Wierzysz w spłodzenie i wychowanie dzieci, w przydomowe płotki, w słup z tablicą do kosza na podjeździe, w futbol od małego, w lekcje tańca, w cały ten podmiejski sztafaż.

— Powtórzę: i co z tego?

Win rozłożył ręce.

— To, że małżeństwa i tym podobne związki zawsze biorą w łeb. Nieuchronnie prowadzą do rozwodów, utraty złudzeń, śmierci marzeń, a w najlepszym razie do rozgoryczenia i wzajemnych pretensji. Jako przykład mógłbym, podobnie jak ty, wskazać własną rodzinę.

— To nie to samo, Win.

— Och, wiem. Rzecz jednak w tym, że wszyscy przepuszczamy fakty przez własne doświadczenia. Miałeś cudowne życie rodzinne, dlatego w nie wierzysz. Ja przeciwnie. Tylko ślepa wiara może zmienić nasze poglądy.

Myron skrzywił się.

— I to ma mi pomóc?

— Skądże. Ale ja uwielbiam filozofować.

Win włączył pilotem telewizor. Na wieczornym kanale Nick at Nite leciał show Mary Tyler Moore. Dolali sobie do kieliszków i rozsiedli się wygodnie.

Po kolejnym łyku koniaku Winowi pokraśniały policzki.

— Zaczekajmy na Lou Granta, może on nam podsunie odpowiedź — rzekł, patrząc w telewizor.

Nie podsunął. Myron wyobraził sobie reakcję Esperanzy, gdyby potraktował ją tak jak Lou Grant Mary. Gdyby trafił na jej dobry nastrój, zaczęłaby mu zapewne wyrywać pióra z głowy, aż zmieniłby się w Yula Brynnera.

Pora spać. W drodze do swojego pokoju zajrzał do Brendy. Siedziała w pozycji lotosu na antycznym łożu królowej takiej czy siakiej. Przed nią leżał otwarty duży podręcznik. Była maksymalnie skupiona. Przez chwilę tylko na nią patrzył. Z jej twarzy biła błogość, jaką widział u niej na boisku koszykówki. Ubrana we flanelową piżamę, skórę miała wciąż wilgotną po prysznicu, a na głowie ręcznik.

Wyczuła jego obecność i otworzyła oczy. Uśmiechnęła się do niego.

— Potrzebujesz czegoś? — spytał ze ściśniętym żołądkiem.

— Nic mi nie potrzeba. Rozwiązałeś swój problem?

— Nie.

— Podsłuchałam was przypadkiem.

— Nie szkodzi.

— Podtrzymuję, co powiedziałam. Chcę, żebyś był moim agentem.

— Cieszę się.

— Przygotujesz dokumenty?

Skinął głową.

— Dobranoc, Myron.

— Dobranoc, Brenda.

Opuściła wzrok i przewróciła kartkę. Patrzył na nią jeszcze przez chwilę, a potem poszedł spać.

12

Do posiadłości Bradfordów pojechali jaguarem, bo „Bradfordowie nie uznają taurusów", wyjaśnił Win. Sam też ich nie uznawał.

Wysadzili Brendę przed salą treningową, drogą 80 pojechali do ukończonej wreszcie Passaic Avenue, którą zaczęto poszerzać, kiedy Myron chodził do szkoły średniej, i dotarli do Eisenhower Parkway, pięknej, czteropasmowej autostrady, ciągnącej się z pięć mil. Ach, New Jersey.

W bramie Farmy Bradfordów, jak głosił napis, powitał ich strażnik z ogromnymi uszami. Większość farm słynie z ogrodzeń pod prądem i strażników. Żeby nikt nie rozszabrował łanów kukurydzy i marchwi. Win wychylił się z okna, posłał uszatemu wyniosły uśmiech i natychmiast został przepuszczony. Kiedy przejeżdżali przez bramę, Myrona dziwnie zakłuło w sercu. Ileż razy jako dzieciak, mijając ją, próbował przebić wzrokiem gęste krzaki, aby ujrzeć przysłowiową „zieleńszą trawę" bogaczy, i marzył o bujnym, pełnym przygód życiu na tych wypielęgnowanych włościach!

Oczywiście od tamtej pory to i owo widział. W porównaniu z rodzinną posiadłością Wina, dworem Lockwoodów, rezydencja Bradfordów wyglądała jak szopa na kolei. Obejrzał sobie z bliska, jak żyją superbogaci. A żyli przyjemnie, co nie znaczy szczęśliwie. Jejku! To ci głęboka refleksja! Następnym razem — zostańcie z nami, mili państwo — mógł mu się nasunąć wniosek, że pieniądze nie dają szczęścia.

Iluzję sielskości podtrzymywały krowy i owce, pasące się tam — Myron miał pewne podejrzenia, ale nie potrafił rozstrzygnąć — z powodów nostalgicznych lub ulg podatkowych. Podjechali pod biały dom, który przeszedł więcej renowacji niż starzejąca się gwiazda filmowa.

Drzwi otworzył im wiekowy czarny kamerdyner we fraku. Lekko się im ukłonił i poprosił, by poszli za nim. W korytarzu stało dwóch zbirów ubranych jak tajniacy. Myron zerknął na Wina. Win skinął głową. To nie tajniacy, tylko zbiry. Większy z nich uśmiechnął się do nich jak na widok dwóch frankfurterów wracających z przyjęcia do kuchni. Jeden duży. Drugi chudy. Myronowi od razu przyszli na myśl napastnicy, których opisała Mabel Edwards. Niewiele to dawało — nie mógł sprawdzić, czy niższy ma tatuaż — niemniej warto było ich zapamiętać.

Kamerdyner, lokaj, a może służący wprowadził ich do okrągłej biblioteki. Wspinające się dwa piętra w górę ściany książek wieńczyła szklana kopuła, przez którą wpadało dość dziennego światła. Pomieszczenie mogło być przerobionym silosem albo tylko go przypominało. Trudno orzec. Stojące seriami, oprawne w skórę tomy wyglądały dziewiczo. W wystroju dominował wiśniowy mahoń. Nad oprawionymi w ramy obrazami starych żaglowców wisiały specjalne lampy. Pośrodku biblioteki stał wielki globus, bardzo podobny do tego z gabinetu Wina. Myron skonstatował, że bogacze lubią globusy. Może miało to jakiś związek z tym, że były zarówno drogie, jak do niczego nieprzydatne.

Skórzane fotele i kanapy zdobiły złote guzy. Lampy były od Tiffany'ego. Na stoliku, przy biuście Szekspira, dyżurowała otwarta książka. Ale w fotelu nie siedział Rex Harrison w tużurku, a powinien.

W tym momencie, jak na znak reżysera, otworzyły się drzwi w przeciwległej ścianie, a konkretniej — w półce. Myron na wpół spodziewał się, że do biblioteki zaraz wpadną Bruce Wayne z Dickiem Graysonem, wołając Alfreda, może odchylą głowę Szekspira i przekręcą ukrytą gałkę. Zamiast nich weszli Arthur Bradford z bratem Chance'em. Bardzo chudy, blisko dwumetrowy Arthur garbił się lekko jak wysocy mężczyźni po pięćdziesiątce, miał łysinę i krótko przystrzyżone włosy. Mierzący niespełna metr osiemdziesiąt Chance był szatynem z falującymi włosami i chłopięcą urodą, która nie pozwala określić jego wieku, ale Myron wiedział z prasy, że ma czterdzieści dziewięć lat, trzy mniej od starszego brata.

Grając rolę idealnego polityka, Arthur ruszył do nich jak po sznurku, z fałszywym uśmiechem w pogotowiu i z ręką wyciągniętą albo do uścisku, albo do posmarowania.

— Windsor! — zawołał, chwytając dłoń Wina z takim zapałem, jakby jej szukał całe życie. — Cudownie, że cię widzę.

Chance podszedł do Myrona z miną kochasia, któremu na podwójnej randce w ciemno trafiła się, jak zwykle, brzydula.

Win błysnął wymijającym uśmiechem.

— Znacie Myrona Bolitara? — spytał.

Bracia z wyćwiczoną wprawą wytrawnych tancerzy kadryla wymienili partnerów do uścisków dłoni. Ściskając dłoń Arthura, Myron miał wrażenie, że ściska starą skrzypiącą rękawicę do bejsbolu. Z bliska przekonał się, że Bradford jest z grubsza ciosany — ma grube kości, toporne rysy i czerwoną twarz. Pod garniturem i manikiurem wciąż krył się wiejski parobek.

— Nie znamy się — rzekł Arthur z szerokim uśmiechem — ale każdy w Livingston, co ja mówię, w New Jersey, zna Myrona Bolitara.

Myron zrobił skromną minę, ale nie zatrzepotał rzęsami.

— Oglądałem pana grę, począwszy od szkoły średniej — ciągnął Arthur z wielką powagą. — Jestem zagorzałym kibicem.

Myron skinął głową, dobrze wiedząc, że nikt z Bradfordów nie postawił nogi w sali gimnazjum w Livingston. Polityk naciągający fakty? Niesłychane!

. — Siadajcie, panowie.

Klapnęli na gładką skórę, Arthur Bradford zaproponował kawę. Poprosili wszyscy. W drzwiach stanęła Latynoska.

— *Café, por favor* — polecił Arthur Bradford.

Jeszcze jeden poliglota.

Win i Myron siedzieli na kanapie. Bracia naprzeciwko nich w dwóch głębokich fotelach. Kawę dowieziono wehikułem, który mógłby posłużyć za karocę do jazdy na bal w pałacu. Po nalaniu doprawiono ją mlekiem i posłodzono, a Arthur Bradford — kandydat na gubernatora! — własnoręcznie podał gościom filiżanki. Równy gość. Demokrata.

Zagłębili się w kanapach i fotelach. Służąca znikła. Myron podniósł filiżankę do ust. Najgorsze w jego nowym nawyku picia kawy było, że pił tylko „smakoszowską" kawę z barów, tak mocną, że przeżarłaby żelbeton. Do tego stopnia wyrobił sobie podniebienie — podniebienie należące do konesera, który nie odróżnia zacnego merlota z doskonałego rocznika od manischewitza z najświeższego tłoczenia — że ta parzona w domu smakowała mu jak lura przefiltrowana przez kratkę ścieku w gorące popołudnie. Ale kiedy pociągnął łyk z pięknej wedgwoodowskiej fajansowej filiżanki Bradfordów — cóż, bogacze sobie dogadzają — odkrył, że ich kawa smakuje jak ambrozja.

Arthur Bradford odstawił filiżankę, pochylił się, oparł przedramiona na kolanach i złożył dłonie.

— Ogromnie się cieszę, że mogę was gościć. Wielce sobie cenię twoje poparcie — zwrócił się do siedzącego z cierpliwą, beznamiętną miną Wina. — O ile wiem, firma Lock-Horne pragnie powiększyć biuro we Florham Park i otworzyć nowe w powiecie Bergen — ciągnął. — Gdybym mógł wam w czymś pomóc, Winston, to daj znać.

Win niezobowiązująco skinął głową.

— Jeśli twoją firmę zainteresowałaby subskrypcja jakichś obligacji stanowych, jestem do waszej dyspozycji.

Arthur Bradford przysiadł na zadnich łapach, jakby czekał na podrapanie za uszami. Win nagrodził go kolejnym niezobowiązującym skinieniem. Dobry piesek. Niedługo czekał z ofertą łapówki. Bradford odchrząknął.

— Podobno jest pan właścicielem agencji sportowej — powiedział do Myrona.

Myron spróbował skinąć głową tak jak Win, ale przedobrzył. Zabrakło mu subtelności. Pewnie zawiniły geny.

— Jeżeli mógłbym coś dla pana zrobić, to proszę się nie krępować.

— Czy mogę przespać się w Sypialni Lincolna? * — spytał Myron.

Bracia na chwilę zamarli, wymienili spojrzenia i gruchnęli śmiechem. Równie prawdziwym jak czupryna telewizyjnego kaznodziei. Win spojrzał na Myrona wzrokiem, który mówił: „Teraz".

— Właściwie to, panie Bradford...

— Mów mi Arthur — rzekł Arthur Bradford, wciąż się śmiejąc, i wyciągnął do niego dłoń wielką jak jasiek.

— Dobrze, Arthur. Istotnie, możesz dla nas zrobić.

Śmiech Arthura i Chance'a przeszedł gładko w chichot i ścichł wolno jak piosenka w radiu. Twarze braci spoważniały. Czas na grę. Pochylili się jak pałkarz szykujący się do odbicia piłki, wszem wobec dając znak, że gotowi są wysłuchać prośby Myrona czworgiem najżyczliwszych uszu na świecie.

— Pamiętacie Anitę Slaughter? — spytał.

Choć byli dobrymi rasowymi politykami, podskoczyli, jakby strzelił do nich z pistoletu do ogłuszania. Szybko jednak doszli do siebie, udając, że na gwałt przeszukują pamięć, ale nie było żadnej wątpliwości, że oberwali mocno w sam nerw.

— Nie za bardzo kojarzę — rzekł Arthur z twarzą tak wykrzywioną, jakby czynność ta kosztowała go tyle wysiłku, ile poród. — A ty, Chance?

— Nazwisko jest mi nieobce, ale...

Chance pokręcił głową.

Nieobce? Nie ma jak żargon polityków.

— Anita Slaughter pracowała tutaj — powiedział Myron. — Dwadzieścia lat temu. Była pokojówką lub służącą.

---

* Podczas kampanii prezydenckiej AD 1996 wpłacający pokaźne darowizny na rzecz partii Clintona mogli przespać się w Sypialni Lincolna w Białym Domu.

Bracia znów głęboko się zamyślili. Gdyby był tutaj Rodin, w te pędy uwieczniłby ich w brązie. Chance zapatrzył się w brata, czekając na podsuflowanie kwestii. Arthur Bradford zachował pozę kilka sekund dłużej, a potem nagle strzelił palcami.

— Oczywiście — powiedział. — Anita. Na pewno ją pamiętasz, Chance.

— Tak, oczywiście — zawtórował mu brat. — Tylko nie znałem jej nazwiska.

Bracia Bradford wyszczerzyli się w uśmiechach jak telewizyjni poranni prezenterzy w tygodniu pomiarów oglądalności.

— Długo u was pracowała? — spytał Myron.

— Och, nie wiem. Rok, dwa — odparł Arthur. — Naprawdę nie pamiętam. Ja i brat nie zajmowaliśmy się służbą. Należało to do naszej mamy.

„Wiarygodne wyparcie się"? Tak szybko? Ciekawe.

— Czy pamiętacie, dlaczego odeszła ze służby?

Arthur Bradford zachował przyklejony uśmiech, ale coś działo się z jego oczami. Źrenice mu się rozszerzyły i przez chwilę zdawało się, że ma trudności ze skupieniem wzroku. Obrócił się do brata. Sprawiali wrażenie wytrąconych z równowagi, jakby nie byli pewni, w jaki sposób potraktować ten frontalny atak. Z jednej strony nie chcieli odpowiadać na pytania, z drugiej utracić niebagatelnego wsparcia finansowego ze strony firmy maklerskiej Lock-Horne.

— Nie, nie pamiętam — przejął inicjatywę Arthur. Masz wątpliwości, rób uniki. — A ty, Chance?

Chance rozłożył ręce i posłał im chłopięcy uśmiech.

— Tylu ludzi przychodzi i odchodzi.

Spojrzał na Wina, jakby chciał powiedzieć: „Wiesz, jak jest". Ale w jego oczach nie znalazł otuchy.

— Zrezygnowała ze służby czy ją wyrzucono?

— Och, wątpię, czy wyrzucono — odparł szybko Arthur. — Mama bardzo dobrze traktowała służbę. Rzadko kogoś wyrzucała, a może wcale. To sprzeczne z jej naturą.

Polityk najczystszej wody. Jego odpowiedź mogła być

prawdziwa lub nie — Arthur Bradford miał to za nic — ale informacja w prasie, że bogata rodzina wyrzuciła z pracy biedną czarną służącą, byłaby ze wszech miar niepożądana. Polityk dostrzega takie rzeczy instynktownie i obmyśla odpowiedź w ciągu sekund. Rzeczywistość i prawda zawsze muszą ustąpić przed bożkami publicznego wizerunku i dobrze brzmiących wypowiedzi.

— Jej rodzina twierdzi, że Anita Slaughter pracowała tu do dnia, w którym zniknęła — nie dał za wygraną Myron.

Bracia byli za cwani, żeby połknąć przynętę i spytać: „Zniknęła?", ale postanowił ich przeczekać. Ludzie nie znoszą milczenia, dlatego często je przerywają. To stara policyjna sztuczka: nie mów nic, pozwól, żeby swoimi wyjaśnieniami sami wykopali sobie grób. W przypadku polityków wyniki zawsze były interesujące: chociaż dobrze wiedzieli, że powinni trzymać gęby na kłódkę, to dziedzicznie nie byli do tego zdolni.

— Przykro mi — rzekł wreszcie Arthur Bradford. — Jak już wyjaśniłem, tymi sprawami zajmowała się mama.

— To może powinienem porozmawiać z nią.

— Niestety, nie za dobrze się czuje. Biedactwo, ma ponad osiemdziesiąt lat.

— Mimo to chętnie bym się z nią spotkał.

— Obawiam się, że to niemożliwe.

W głosie Arthura zadźwięczała stal.

— Rozumiem. A czy wiecie, kim jest Horace Slaughter?

— Nie — odparł Arthur. — Czyżby był krewnym Anity?

— To jej mąż. — Myron spojrzał na Chance'a. — Zna go pan?

— Nie przypominam sobie.

„Nie przypominam sobie". Chance odpowiedział jak świadek na procesie, który chce zostawić otwartą furtkę.

— Z wyciągu jego rozmów telefonicznych wynika, że ostatnio dużo dzwonił do waszego sztabu wyborczego.

— Do naszego sztabu dzwoni wiele osób — odparł Arthur i dodał z chichotem: — A przynajmniej mam taką nadzieję.

Chance też zachichotał. Jajarze z tych Bradfordów, ho, ho!

— Tak, pewnie.

Myron spojrzał na Wina. Win skinął głową. Wstali.

— Dziękuję za przyjęcie — powiedział Win. — Sami trafimy do wyjścia.

Bradfordowie próbowali ukryć osłupienie.

— O co chodzi, do licha?! — nie wytrzymał Chance.

Arthur uciszył go spojrzeniem i wstał, żeby uścisnąć gościom ręce, ale Myron i Win byli już przy drzwiach.

Myron odwrócił się.

— Dziwne — powiedział, naśladując najlepiej jak umiał porucznika Colombo.

— Co? — spytał Arthur Bradford.

— Że nie pamiętacie lepiej Anity Slaughter.

Arthur uniósł dłonie.

— W ciągu lat pracowało tu mnóstwo osób.

— To prawda. — Myron przestąpił próg. — Ale ile z nich znalazło zwłoki twojej żony?

Bracia skamienieli, zamienili się w dwa nieruchome, gładkie zimne głazy. Myron nie czekał na dalszy ciąg. Puścił drzwi i podążył za Winem.

13

— Co właściwie osiągnęliśmy? — spytał Win, kiedy przejechali przez bramę.

— Dwie rzeczy. Po pierwsze, chciałem się przekonać, czy mają coś do ukrycia. I już wiem, że mają.

— Wiesz to na podstawie...

— Ich bezczelnych kłamstw i wykrętów.

— To politycy. Gdybyś spytał ich, co jedli na śniadanie, też kręciliby i kłamali.

— Uważasz, że nic się za tym nie kryje?

— Kryje się. A ta druga rzecz?

— Chciałem ich sprowokować.

Win uśmiechnął się, gdyż spodobał mu się ten pomysł.

— I co dalej, Wszechwiedzący?

— Musimy zbadać przedwczesną śmierć Elizabeth Bradford.

— Jak?

— Wskocz na South Livingston Avenue. Powiem ci, gdzie skręcić.

Komenda policji w Livingston mieściła się obok ratusza, naprzeciwko biblioteki publicznej i gimnazjum. Prawdziwe centrum miasta. Myron wszedł do środka i spytał o policjantkę Francine Neagly. Francine skończyła gimnazjum po drugiej stronie ulicy w tym samym roku co on. Miał nadzieję, że dopisze mu szczęście i ją zastanie.

Surowy sierżant dyżurny poinformował go, że funkcjonariuszka Neagly jest „aktualnie nieobecna" — tak mówią policjanci — ale zgłosiła przez radio, że idzie na lunch i że będzie w Garkuchni Ritza.

Garkuchnia Ritza wyglądała naprawdę szpetnie. Dawny porządny budynek z cegły pomalowano sprayem barwy morskich wodorostów, a drzwi — łososiowym różem, tworząc kompozycję kolorystyczną za krzykliwą nawet dla statków linii Carnival Cruise. Myrona odrzucała. Za jego szkolnych lat Garkuchnia była zwykłą, skromną jadłodajnią i nazywała się Dziedzictwo. Otwarta całą dobę, należąca oczywiście — na mocy prawa stanowego? — do Greków, przyciągała uczniów gimnazjum, którzy po piątkowo-sobotnim zbijaniu bąków wpadali tam na hamburgery i frytki. Myron z kolegami wkładali bluzy szkolnej drużyny, biegli na prywatki i kończyli tutaj. Próbował sobie przypomnieć, co na nich robił, ale nie pamiętał nic szczególnego. W szkole średniej nie pił — po alkoholu miał mdłości — a jeśli chodzi o dragi, to pruderią dorównywał w tych sprawach Pollyannie. Cóż więc robił na tych imprezach? Pamiętał oczywiście głośną muzykę Doobie Brothers, Steely Dana, Supertrampa, czerpał głęboką wiedzę z tekstów piosenek Blue Oyster Cult (Jo, gościu, co naprawdę chodzi po łbie Ericowi, kiedy śpiewa: „Chcę to zrobić twojej córce na polnej drodze"?). Pamiętał też sporadyczne, zwykle jednorazowe randki z dziewczynami, po których on i one unikali się jak ognia aż do matury. Nie pamiętał jednak nic poza tym. Człowiek chodził na prywatki z obawy, że coś go ominie. Ale nic się tam nie działo. We wspomnieniach pozostał po nich tylko mglisty ślad.

Za to dobrze pamiętał — i sądził, że zachowa w żywej pamięci do końca życia — swoje późne powroty do domu, gdy zastawał ojca (udającego, że śpi) w rozkładanym fotelu wypoczynkowym. Tak było zawsze, bez względu na to, czy wracał o drugiej, czy trzeciej rano. Nie miał w domu godziny policyjnej. Rodzice mu ufali. Ale ojciec nie spał w piątki i soboty, czekając na niego w fotelu i martwiąc się, a „zapadał" w sen w momencie, kiedy Myron wkładał klucz do zamka. Myron wiedział, że stary udaje. A jego stary wiedział, że syn o tym wie. Ale i tak zawsze odgrywał swoje.

Sójka w bok przywróciła go do rzeczywistości.

— Wejdziesz do środka czy będziemy podziwiać ten pomnik złego *nouveau* smaku? — spytał Win.

— Kiedy chodziłem do gimnazjum, przesiadywałem tu z kumplami — odparł Myron.

Win spojrzał na bar, a potem na niego.

— Zuchy! — powiedział.

Zaczekał w samochodzie. Myron znalazł Francine przy kontuarze. Usiadł na sąsiednim stołku, walcząc z pokusą, żeby się na nim zakręcić.

— Policyjny mundurek — rzekł i cicho gwizdnął. — Bardzo sexy.

Francine Neagly ledwo raczyła spojrzeć na niego znad hamburgera.

— A najlepsze, że mogę się z niego rozbierać na wieczorach kawalerskich.

— Dorabiasz na czynsz, prąd i gaz.

— A jak. — Francine ugryzła hamburger, tak niedopieczony, że jego drugi koniec krzyknął „Au!". — Nie spodziewałam się dożyć tego, że ujrzę cię w naturze.

— Tylko się nie podniecaj.

— Dobrze, że jestem tutaj. Bo gdyby baby na twój widok wyszły z siebie, tobym je zastrzeliła. — Wytarła mocno zatłuszczone dłonie. — Podobno wyprowadziłeś się z miasta.

— Tak.

— A tutaj dzieje się odwrotnie. — Wzięła jeszcze jedną serwetkę. — Wciąż się słyszy, że zaraz po dorośnięciu wszyscy chcą uciec z miasteczek. Natomiast do Livingston wszyscy wracają i zakładają rodziny. Pamiętasz Santolę? Wrócił. Ma trójkę dzieci. A Friedy'ego? Mieszka w starym domu Weinbergów. Ma dwoje. Jordan mieszka przy Saint Phil. Wyremontował jakąś ruderę. Damski krawiec. Trzy dziewczynki. Słowo daję, pół naszej klasy się chajtnęło i wróciło do miasta.

— A co z tobą i Gene'em Duluką? — spytał z uśmieszkiem Myron.

Francine zaśmiała się.

— Rzuciłam go na pierwszym roku studiów. Kurczę, ale byliśmy koszmarni!

Gene i Francine byli klasową parą. W stołówce siedzieli przy jednym stoliku i, oboje w drucianych aparatach korekcyjnych na zębach, jedli lunche, całując się z języczkiem.

— Potworni — przyznał Myron.

Znów ugryzła kęs.

— Nie zamówisz nic całuśnego? Nie sprawdzisz, jak smakuje?

— Gdybym tylko miał więcej czasu.

— Wszyscy tak mówią. No dobra, z czym do mnie przychodzisz?

— Pamiętasz ten śmiertelny wypadek u Bradfordów, kiedy byliśmy w gimnazjum?

Francine zawiesiła zęby nad hamburgerem.

— Trochę.

— Kto prowadził tę sprawę?

Przełknęła.

— Detektyw Wickner — odparła.

Myron pamiętał go. Zawsze w przeciwsłonecznych lustrzankach. Bardzo udzielał się w lidze bejsbolowej podstawówek. Baaardzo zależało mu na zwycięstwach. Nienawidził dzieciaków, które po odejściu do szkół średnich przestawały go czcić. Kochał wlepiać młodym kierowcom mandaty za przekroczenie szybkości. Mimo to Myron go lubił. Był wzorowym Amerykaninem. Spolegliwym jak dobry komplet narzędzi.

— Nadal pracuje w policji?

Francine potrząsnęła głową.

— Przeszedł na emeryturę. Przeniósł się na północ stanu, do domku nad jeziorem. Ale często wpada do miasta. Kręci się po boiskach i ściska ręce. Jedno nawet nazwali jego imieniem. Z wielką pompą i honorami.

— Szkoda, że tego nie widziałem. Czy w komendzie zachowały się akta tej sprawy?

— A kiedy to się zdarzyło?

— Dwadzieścia lat temu.

Francine spojrzała na niego. Włosy miała krótsze niż w szkole średniej, po aparacie na zębach nie zostało śladu, lecz poza tym nic się nie zmieniła.

— Może są w podziemiu — odparła. — A dlaczego pytasz?

— Są mi potrzebne.

— Tak po prostu?

Skinął głową.

— Poważnie?

— Tak.

— I chcesz, żebym ci je wyciągnęła.

— Tak.

Wytarła dłonie w serwetkę.

— Bradfordowie wiele mogą.

— Jakbym o tym nie wiedział.

— Chcesz nabruździć Arthurowi? Kandyduje na gubernatora.

— Nie.

— Ale masz dobry powód, żeby zajrzeć do tych akt?

— Tak.

— Powiesz mi, o co chodzi, Myron?

— Tylko jeśli będę musiał.

— Nie dasz choćby malutkiego cynku?

— Chcę sprawdzić, czy to był wypadek.

Spojrzała na niego uważnie.

— Masz coś, co na to wskazuje? — spytała.

Potrząsnął głową.

— Mgliste podejrzenie.

Francine Neagly wzięła frytkę i przyjrzała się jej.

— Jeżeli coś znajdziesz, przyjdziesz z tym do mnie, zgoda? Nie do prasy. Nie do federalnych. Do mnie.

— Zgoda.

Wzruszyła ramionami.

— Dobra. Poszukam tych akt.

Myron wręczył jej wizytówkę.

— Miło było znów cię zobaczyć, Francine — powiedział.

— Nawzajem. — Przełknęła następny kęs. — Hej, jesteś z kimś? — spytała.

— Tak. A ty?

— Nie. Ale skoro już o tym wspomniałeś, tęsknię trochę za Gene'em.

14

Myron wskoczył do jaguara. Win zapalił silnik i ruszył.

— Twój plan w sprawie Bradforda zakładał sprowokowanie go do działania, czy tak? — spytał.

— Tak.

— No, to moje gratulacje. Kiedy byłeś w środku, minęli mnie dwaj dżentelmeni z jego foyer.

— Wiesz, gdzie są?

Win potrząsnął głową.

— Pewnie pilnują wylotów ulicy. Ktoś nas przejmie. Jak chcesz to rozegrać?

— Na razie nie chciałbym ich odstraszyć — odparł Myron po chwili. — Niech jadą za nami.

— Dokąd, o najmędrszy z najmędrszych?

Myron spojrzał na zegarek.

— Jakie masz na dzisiaj plany?

— O drugiej muszę być w biurze.

— Możesz mnie wysadzić pod salą treningową? Jakoś wrócę.

Win skinął głową.

— Szoferowanie to moje życie.

Drogą 280 pojechali do autostrady New Jersey Turnpike. Win włączył radio. Surowy głos ostrzegał słuchaczy, żeby nie kupowali materacy przez telefon, a zamiast tego pojechali do sklepu Sleepy'ego i „skonsultowali zakup materaca z ekspertem". Z ekspertem od materacy? Po podyplomowych studiach magisterskich?

— Masz broń? — spytał Win.

— Zostawiłem w fordzie.

— Otwórz schowek.

W schowku były trzy pistolety i kilka pudełek z amunicją. Myron zmarszczył brwi.

— Spodziewasz się zbrojnej inwazji? — spytał.

— Brawo, co za dowcip! — Win wskazał broń. — Weź trzydziestkęósemkę. Jest naładowana. Szelki i kabura są pod siedzeniem.

Myron udał, że się ociąga, wiedział jednak, że broń mu się przyda.

— Zdajesz sobie sprawę, że młody FJ nie da za wygraną — rzekł Win.

— Wiem.

— Musimy go zabić. Nie ma wyboru.

— Zabić syna Franka Ache'a? Nawet ty byś tego nie przeżył.

— Założysz się?

Win prawie się uśmiechnął.

— Nie — odparł szybko Myron. — Tylko proszę, nic na razie nie rób. Coś wymyślę.

Win wzruszył ramionami. Zapłacili za przejazd i minęli wielki parking Vince'a Lombardiego. W oddali, nad mokradłami East Rutheford w New Jersey, unosił się kompleks sportowy Meadowlands, ze stadionem Gigantów i Continental Arena. Myron przez chwilę patrzył w milczeniu na Arenę, wspominając niedawną próbę powrotu do zawodowej koszykówki. Nie udało się, ale już to przebolał. Odebrano mu możliwość uprawiania ukochanego sportu, lecz pogodził się z rzeczywistością. Zostawił to za sobą, odsuwając gniew, i ruszył dalej.

I co z tego, że myślał o tym codziennie?

— Pogrzebałem trochę i odkryłem, że kiedy młody FJ studiował w Princeton, pewien profesor geologii oskarżył go o oszustwo na egzaminie — powiedział Win.

— I co?

— Na, na, na. Na, na, na. Hej, hej, hej. Good-bye.

— Żartujesz.

— Nigdy nie znaleziono ciała. Język, owszem. Przesłano go drugiemu profesorowi, który rozważał, czy nie poprzeć oskarżenia.

Myrona ścisnęło w gardle.

— Może to robota Franka, a nie FJaya.

Win potrząsnął głową.

— Frank to psychol, ale nie wali z miejsca z grubej rury. Gdyby to on załatwiał sprawę, zastosowałby kilka malowniczych gróźb, być może popartych kilkoma dobrze wymierzonymi ciosami. Ale takie przegięcie? To nie w jego stylu.

— Może pogadalibyśmy z Hermanem lub Frankiem, żeby FJ dał nam spokój — zaproponował po namyśle Myron.

Win wzruszył ramionami.

— Łatwiej go zabić — odparł.

— Nie rób tego.

Win jeszcze raz wzruszył ramionami. Jakiś czas potem zjechał z autostrady na Grand Avenue. Na prawo ciągnął się wielki kompleks domów mieszkalnych. W połowie lat osiemdziesiątych w New Jersey wyrosło jak grzyby po deszczu ze dwa tryliony podobnych molochów. Ten wyglądał jak stateczny park rozrywki lub jak osiedle domów z filmu *Duch*.

— Niech to nie zabrzmi ckliwie — odezwał się Myron — ale gdyby FJ mnie zabił...

— To spędziłbym kilka przyjemnych miesięcy na rozrzucaniu kawałeczków jego genitaliów po Nowej Anglii — odparł Win. — A potem pewnie bym go zabił.

Myron uśmiechnął się.

— Dlaczego po Nowej Anglii? — spytał.

— Bo ją lubię. A w Nowym Jorku czułbym się bez ciebie samotny.

Win nacisnął guzik i z odtwarzacza kompaktów popłynęła muzyka z musicalu *Czynsz*, według *Cyganerii*. Piękna Mimi prosiła Rogera, żeby zapalił świecę. Cudny kawałek. Myron spojrzał na przyjaciela. Win milczał. W opinii większości ludzi był równie uczuciowy jak zamrażarka. Jednakże prawda wyglądała tak, że zależało mu na niewielu osobach. Wobec garstki wybrańców był zaskakująco otwarty. Tak jak jego śmiertelnie niebezpieczne dłonie, którymi uderzał mocno i dotkliwie.

— Horace Slaughter miał tylko dwie karty kredytowe. Mógłbyś je sprawdzić? — spytał Myron.

— ATM?

— Tylko Visa.

Win skinął głową i zapisał numery kart. Wysadził Myrona pod gimnazjum w Englewood. Dolphins ćwiczyły obronę jeden na jeden. Zawodniczka przemierzała boisko zygzakiem, kozłując piłkę, a nisko pochylona obrończyni próbowała jej przeszkodzić. Dobre ćwiczenie. Piekielnie męczące, ale dzięki niemu świetnie czujesz boisko.

Na trybunach siedziało z pół tuzina ludzi. Myron usiadł w pierwszym rzędzie. Po kilku sekundach ruszyła ku niemu prosto jak strzelił trenerka. Mocno zbudowana, z krótko ostrzyżonymi czarnymi włosami, miała gwizdek, koszulę z godłem New York Dolphins na piersi, szare spodnie od dresu i sportowe buty z cholewką.

— Bolitar? — spytała obcesowo.

Kręgosłup miała z tytanu, a minę nieustępliwą jak strażniczka miejska przy parkomacie.

— Tak.

— Podich. Jean Podich — wyrzuciła z siebie jak sierżant od musztry. Splotła dłonie na plecach i lekko zahuśtała się na piętach. — Widziałam pana w akcji, Bolitar. Kapitalna gra.

— Dziękuję — odparł, o mały włos nie dodając „panie sierżancie".

— Gra pan jeszcze?

— Od przypadku do przypadku.

— To dobrze. Odpadła mi zawodniczka ze skręconą kostką. Potrzebuję uzupełnić piątkę do sparingu.

— Słucham?

Trenerka Podich niechętnie używała zaimków.

— Mam dziewięć koszykarek, Bolitar. Dziewięć. Potrzebuję dziesięciu. W magazynku jest dużo kostiumów. I butów. Pan się przebierze.

Nie była to prośba.

— Potrzebuję ochraniacza na kolano.

— Znajdzie się. Mamy wszystko. Druga trenerka owinie je jak ta lala. Tylko piorunem, Bolitar.

Klasnęła na niego w dłonie, odwróciła się i odeszła. Myron stał chwilę osłupiały. No pięknie. Tylko tego mu brakowało.

Podich z taką mocą zadęła w gwizdek, aż dziw, że ze środka nie wyskoczył jej żaden organ. Zawodniczki zamarły.

— Rzuty osobiste, po dziesięć — poleciła. — A potem sparing.

Koszykarki rozproszyły się. Brenda podbiegła do Myrona.

— Dokąd idziesz? — spytała.

— Muszę się przebrać.

Stłumiła uśmiech.

— O co chodzi? — spytał.

— W magazynie są tylko żółte spodenki z lycry.

Myron pokręcił głową.

— W takim razie ktoś powinien ją ostrzec.

— Kogo?

— Waszą trenerkę. Jeżeli włożę żółte obcisłe gatki, to za nic nie skupicie się na grze.

Brenda zaśmiała się.

— Postaram się zachować jak profesjonalistka. Ale jeżeli będziesz mnie za nisko kryl, to cię uszczypnę w tyłek.

— Nie jestem twoją zabawką.

— Szkoda. — Ruszyła za nim do magazynka. — Aha, ten prawnik, który napisał do mojego taty, Thomas Kincaid...

— Tak?

— Przypomniałam sobie, gdzie słyszałam to nazwisko. Przy okazji przyznania pierwszego stypendium. Miałam wtedy dwanaście lat. To on się tym zajmował.

— Jak to, „zajmował się"?

— Podpisywał moje czeki.

Myron przystanął.

— Dostawałaś czeki od fundatora?

— Tak. Fundator płacił za wszystko. Za szkołę, moje utrzymanie, podręczniki. Zapisywałam wydatki, a Kincaid podpisywał czeki.

— Kto ufundował to stypendium?

— Och, nie pamiętam. Edukacja Powszechna, coś w tym stylu.

— Jak długo Kincaid zarządzał tym stypendium?

— Przez całą szkołę średnią. Potem dostałam stypendium sportowe, więc studia opłaciła mi gra w koszykówkę.

— A co ze studiami medycznymi?

— Dostałam kolejne stypendium.

— Na tych samych warunkach?

— To inne stypendium, jeśli o to pytasz.

— Z podobnym przeznaczeniem? Na naukę, twoje utrzymanie i tak dalej?

— Tak.

— Też zajmuje się tym jakiś prawnik?

Brenda skinęła głową.

— Pamiętasz jego nazwisko?

— Tak. Rick Paterson. Ma kancelarię w Roseland.

Myron chwilę się zastanawiał. Coś sobie skojarzył.

— O co chodzi? — spytała.

— Zrób coś dla mnie. Muszę zadzwonić w parę miejsc. Ochroń mnie przez chwilę przed Frau Treser.

— Spróbuję.

Brenda wzruszyła ramionami i odeszła. Magazyn był olbrzymi. Osiemdziesięciolatek siedzący przy biurku spytał Myrona o wymiary i dwie minuty później wręczył mu strój. Fioletową koszulkę, czarne skarpety w granatowe paski, biały ochraniacz na genitalia, zielone buty i oczywiście żółte spodenki z lycry.

Myron zmarszczył brwi.

— Nie zapomniał pan o jakimś kolorze? — spytał.

Staruszek puścił do niego oko.

— Mam jeszcze czerwone sportowe staniki — odparł.

Myron rozważał chwilę propozycję, lecz w końcu się nie skusił.

Włożył koszulkę i ochraniacz. Przy wciąganiu spodenek miał wrażenie, że wbija się w strój nurka. Obciskały go, co zresztą nie było nieprzyjemne. Z wyjętym telefonem komórkowym pośpieszył do pokoju trenerskiego. Po drodze minął lustro. Wyglądał jak pudełko kredek świecowych, które za długo leżało na wystawie. Położył się na ławie i zadzwonił do agencji.

— RepSport MB — odezwała się Esperanza.

— Gdzie Cyndi? — spytał.

— Na lunchu.

W oczach stanął mu obraz Godzilli pałaszującej na drugie śniadanie tokijczyków.

— Poza tym nie lubi, żeby nazywać ją Cyndi — dodała Esperanza. — Jest Wielką Cyndi.

— Wybacz mi nadmiar politycznej poprawności. Masz ten wykaz rozmów telefonicznych Horace'a Slaughtera?

— Tak.

— Dzwonił do Ricka Patersona?

— Prawdziwy Kojak z ciebie — odparła po krótkiej przerwie. — Dzwonił pięć razy.

Szare komórki natychmiast poszły w ruch. Nie wróżyło to nic dobrego.

— Były jakieś telefony?

— Dwa, od tej, co w klawiaturę stuka.

— Proszę, nie nazywaj jej tak.

Był to postęp w porównaniu z tym, jak Esperanza zwykle nazywała Jessicę (wskazówka: był to rym do słowa „stuka" bez „t"). Jeszcze do niedawna Myron żywił nadzieję na odwilż w ich wzajemnych stosunkach — Jessica zaprosiła Esperanzę na lunch — ale przekonał się, że lody między nimi mogłaby roztopić jedynie reakcja termojądrowa. Niektórzy niesłusznie brali to za zazdrość. Mylili się. Przed pięciu laty Jessica zraniła

126

Myrona. Esperanza była tego świadkiem. Z bliska widziała, jak go to zdruzgotało.

Niektórzy długo chowają urazy. Esperanza złapała je, obwiązała się nimi w pasie, a potem umocniła cementem i superklejem Krazy.

— Po co ona właściwie tu dzwoni? — warknęła. — Nie zna numeru twojej komórki?

— Dzwoni na nią tylko w nagłych wypadkach.

Esperanza wydała z siebie odgłos, jakby dławiła się warząchwią.

— Wasz związek jest taki dojrzały — powiedziała.

— Możesz mi z łaski swojej powtórzyć, co powiedziała?

— Kazała ci zadzwonić. Do Beverly Wilshire. Apartament sześćset osiem. Na pewno bardzo „wysukany".

No i po postępie. Esperanza odczytała numer telefonu. Myron go zapisał.

— Coś jeszcze? — spytał.

— Dzwoniła twoja mama. Pamiętaj o dzisiejszej kolacji. Tata urządza barbecue. Dla silnej grupy cioć i wujów.

— Dzięki. Zobaczymy się po południu.

— Nie mogę się doczekać.

Odwiesiła słuchawkę.

Myron usiadł na ławie. Jessica dzwoniła dwa razy. Hm!

Druga trenerka rzuciła mu nakolannik. Kiedy go zapiął na rzepy, przystąpiła do owijania kolana bandażem elastycznym. Zastanawiał się krótką chwilę, czy od razu zadzwonić do Jessiki, i uznał, że zdąży. Leżąc na ławie z poduszką z gąbki pod głową, wystukał numer hotelu Wiltshire w Beverly Hills i poprosił o połączenie z jej pokojem. Podniosła słuchawkę tak szybko, jakby trzymała na niej rękę.

— Halo!

— Witaj, ślicznotko — powiedział z właściwym sobie wdziękiem. — Co robisz?

— Rozłożyłam twoje fotki na podłodze. Właśnie miałam się w nich wytarzać, naga i naoliwiona.

Myron spojrzał na trenerkę.

— Mogę prosić o worek z lodem? — spytał.

Trenerka spojrzała na niego pytająco. Jessica się zaśmiała.

— Wytarzać? To dobre słowo — powiedział.

— Jestem pisarką.

— Jak się ma lewe wybrzeże? — spytał.

Lewe wybrzeże. Czadowa mowa.

— Słonecznie. Za dużo tego przeklętego słońca.

— To wróć.

Chwilę milczała.

— Mam kilka dobrych wiadomości — oznajmiła.

— Tak?

— Pamiętasz firmę producencką, która zaklepała sobie mój *Pokój kontrolny*?

— Jasne.

— Chcą, żebym wyprodukowała film według tej książki i do spółki napisała scenariusz. Super, co?

Myron nie odpowiedział. Klatkę piersiową ścisnęła mu stalowa taśma.

— Będzie świetnie — ciągnęła ostrożnie, siląc się na pseudowesoły ton. — Będę przylatywać na weekendy. A ty też możesz czasem przylecieć tutaj. Zarzucić sieci na Zachodnim Wybrzeżu, złapać nowych klientów. Będzie świetnie.

Milczał. Trenerka skończyła bandażować kolano i wyszła. Myron bał się odezwać. Minęły sekundy.

— Nie bądź taki. Wiem, że cię to nie cieszy. Ale uda się. Obłędnie za tobą tęsknię, przecież wiesz, ale w Hollywood zawsze knocą moją prozę. To dla mnie wielka szansa.

Myron otworzył usta, zamknął i powiedział:

— Proszę, wróć.

— Myron...

Zamknął oczy.

— Nie rób tego.

— Nic nie robię.

— Uciekasz ode mnie, Jess. To ci wychodzi najlepiej.

— Jesteś niesprawiedliwy — odparła po chwili.

— Mam gdzieś sprawiedliwość. Kocham cię.

— A ja ciebie.

— No to wróć.

Mocno ściskał telefon. Mięśnie miał napięte. Z daleka doszedł go świst piekielnego gwizdka trenerki Podich.

— Nadal mi nie ufasz — powiedziała cicho Jessica. — Wciąż się boisz.

— A ty zrobiłaś wszystko, żeby rozproszyć moje obawy, co? — spytał, zdziwiony ostrością swojego tonu.

Znów odżył w nim przykry obraz sprzed pięciu lat. Doug. Na imię miał Doug. A może Dougie? Tak, na pewno. Znajomi nazywali go Dougie. Sie masz, Dougie, zabalujemy? Pewnie nazywał ją Jessie. Dougie i Jessie. Pięć lat temu. Kiedy ich przyłapał, jego serce rozsypało się w proch.

— Nie zmienię tego, co się stało — odparła.

— Wiem.

— Więc czego ode mnie chcesz?

— Chcę, żebyś wróciła do domu. Chcę z tobą być.

W słuchawce rozległy się trzaski. Trenerka Podich zawołała go po nazwisku. Poczuł, jakby w piersi zawibrował mu kamerton.

— Robisz błąd — powiedziała Jessica. — Wiem, że miałam pewne kłopoty z zaangażowaniem się...

— Pewne?!

— ...ale mylisz się. Ja nie uciekam. Stwarzasz sztuczny problem.

— Być może. — Zamknął oczy. Z trudem oddychał. Powinien zakończyć rozmowę. Powinien być twardszy, unieść się dumą, przestać wreszcie nosić serce na dłoni, przerwać połączenie. — Wróć do domu. Proszę.

Czuł dzielącą ich odległość — cały kontynent — ich głosy mijały miliony ludzi.

— Oboje weźmy głęboki oddech — powiedziała. — Może to nie jest rozmowa na telefon.

Znów nie odpowiedział.

— Posłuchaj, mam spotkanie — dodała. — Porozmawiamy później, dobrze?

Zakończyła rozmowę, a on został z głuchą słuchawką w ręce. Sam. Wstał. Trzęsły mu się nogi.

W drzwiach powitała go Brenda. Na szyi miała ręcznik. Jej twarz lśniła od potu. Wystarczyło jej jedno spojrzenie.

— Co się stało? — spytała.

— Nic.

Nie uwierzyła mu, ale nie chciała naciskać.

— Ładny kostium — powiedziała.

Myron przyjrzał się swojemu strojowi.

— Przymierzałem się też do czerwonego stanika — odparł. — Dopiero zadałbym szyku!

— Palce lizać.

— Chodźmy — rzekł, zdobywając się na uśmiech.

Ruszyli korytarzem.

— Myron?

— Tak?

— Dużo mówiliśmy o mnie. — Brenda nie patrzyła na niego. — Nie zaszkodziłoby czasem zamienić się rolami. To mogłoby być miłe.

Skinął głową, ale nie odpowiedział. Wprawdzie chciałby bardziej przypominać Johna Wayne'a i Clinta Eastwooda, lecz nie należał do milczków, supermęskich twardzieli, duszących w sobie problemy. Stale zwierzał się Esperanzie i Winowi. Żadne z nich nie mogło mu jednak dopomóc w kwestii Jessiki. Esperanza tak jej nie znosiła, iż trudno było wymagać od niej racjonalnych rad. Win zaś nie nadawał się do rozmów o sprawach sercowych. Jego poglądy w tej mierze były, delikatnie mówiąc, „horrendalne".

Kiedy doszli do boiska, Myron podciągnął spodenki. Brenda spojrzała na niego pytająco. Przy linii bocznej stali dwaj mężczyźni. W wymiętych brązowych garniturach, całkowicie niemodnych i bezstylowych. Mieli zmęczone twarze, krótkie włosy, duże brzuchy. Myron nie miał najmniejszej wątpliwości, kim są.

Byli policjantami.

Ktoś wskazał im jego i ją. Westchnęli i ruszyli ku nim

wolnym krokiem. Myron przysunął się do Brendy. Miała zdezorientowaną minę. Mężczyźni zatrzymali się przed nimi.

— Brenda Slaughter? — spytał jeden z nich.

— Tak.

— Jestem detektyw David Pepe z policji w Mahwah. A to detektyw Mike Rinsky. Pani pozwoli z nami.

15

— O co chodzi? — spytał Myron, robiąc krok do przodu. Policjanci zmierzyli go beznamiętnym wzrokiem.

— A pan kto?

— Myron Bolitar.

Zamrugali oczami.

— A Myron Bolitar to kto?

— Adwokat panny Slaughter.

— To się uwinęła — powiedział pierwszy, patrząc na drugiego.

— Ciekawe, po co z mety wezwała adwokata — dorzucił drugi.

— No, no, no. — Policjant zmierzył papuzio kolorowego Myrona od stóp do głów i uśmiechnął się drwiąco. — Nie ubiera się pan jak adwokat, panie Bolitar.

— Szary trzyczęściowy garnitur zostawiłem w domu. O co chodzi, panowie? — spytał Myron.

— Chcemy zabrać pannę Slaughter na posterunek — odparł pierwszy policjant.

— Jest aresztowana?

Glina Pierwszy spojrzał na Glinę Drugiego.

— To prawnicy nie wiedzą, że gdy kogoś aresztujemy, informujemy go o przysługujących mu prawach?

— Pewnie studiował zaocznie. Może w uniwersytecie telewizyjnym Sally Struthers.

— I za jednym zamachem zdobył dyplom z prawa i papiery na naprawę sprzętu TV.

— Tak jest. Coś w tym guście.

— A może zapisał się na kursy w Instytucie Amerykańskich Barmanów. Mają tam podobno bardzo ambitny program.

Myron skrzyżował ręce.

— Czekam, aż skończycie — powiedział. — Ale nie krępujcie się, żartujcie dalej. Jesteście strasznie zabawni.

Glina Pierwszy westchnął.

— Chcemy zabrać pannę Slaughter na posterunek — powtórzył.

— Po co?

— Żeby porozmawiać.

Uch, szło jak po grudzie.

— Dlaczego chcecie z nią porozmawiać?

— Nie my — odparł Glina Drugi.

— Nie my, fakt.

— Mieliśmy ją tylko dowieźć.

— Jako eskorta.

Myron już chciał im wyłuszczyć, co myśli o takiej eskorcie jak oni, ale Brenda położyła mu dłoń na ramieniu.

— Jedźmy — powiedziała.

— Mądra kobieta — rzekł Glina Pierwszy.

— Przydałby się jej nowy prawnik — dorzucił Glina Drugi.

Myron i Brenda usiedli na tylnym siedzeniu nieoznakowanego wozu policyjnego, który nawet ślepiec rozpoznałby jako nieoznakowany wóz policyjny. Był to najeżony antenami czterodrzwiowy brązowy chevrolet caprice, w kolorze takim samym jak garnitury policjantów.

Przez pierwsze dziesięć minut wszyscy milczeli. Twarz Brendy była nieruchoma. Ręką zaczęła sunąć po siedzeniu, w końcu dotknęła dłoni Myrona i już jej nie cofnęła. Spojrzała na niego. Jej dotyk był ciepły i miły. Nadrabiał miną, ale duszę miał na ramieniu.

Drogą 4. dojechali do drogi 17. Mahwah. Miła miejscowość na obrzeżu Nowego Jorku. Zaparkowali za magistratem. Wejście na posterunek było na tyłach budynku. Policjanci zaprowadzili ich do pokoju przesłuchań. Przy metalowym stole przyśrubowanym do podłogi stały cztery krzesła. Nie było lampy do świecenia w oczy, za to lustro zajmujące pół ściany. Tylko matoł nieoglądający TV nie poznałby, że jest weneckie. Myron często się zastanawiał, czy ktokolwiek jeszcze się na to nabiera. No bo nawet programowy abstynent telewizyjny zadałby sobie pytanie, po cholerę glinom takie wielkie lustro w pokoju przesłuchań? Żeby się w nim podziwiać?

Zostali we dwójkę.

— Domyślasz się, o co chodzi? — spytała Brenda.

Myron wzruszył ramionami. Domyślał się. Ale na tym etapie nie warto było spekulować. Wkrótce mieli się dowiedzieć. Minęło dziesięć minut. Niedobry znak. Jeszcze pięć. Myron uznał, że wystarczy tej zabawy.

— Idziemy — powiedział.

— Co?

— Nie musimy tu czekać. Chodźmy.

Jak na czyjeś skinienie, otwarły się drzwi i do pokoju weszli mężczyzna i kobieta. On — wielka baryła bujnie porośnięta włosem, z wąsami tak gęstymi, że wąsy Teddy'ego Roosevelta wydawały się przy nich rzadkie jak rzęsy, i z czołem tak niskim, że linia włosów niemal stykała się z brwiami jak krzaki — przywodził na myśl członka Politbiura. Naciągnięte z przodu spodnie nieprzyzwoicie się marszczyły, z tyłu zaś, z braku wypukłości, zwisały. Koszulę też miał za ciasną. Kołnierzyk go dusił. Podwinięte rękawy wpijały mu się w przedramiona jak opaski uciskowe. Twarz miał czerwoną i złą.

Gdyby ktoś szukał modelowego Złego Gliny, to ten pasował do wzorca jak ulał.

Towarzysząca mu trzydziestokilkuletnia piegowata blondynka, o różowych policzkach, w białej bluzce z wysokim kołnierzykiem i szarej spódnicy z odznaką detektywa, wyglądała zdrowo. „Mlekiem karmiona" napisano by w karcie dań, gdyby była kotletem cielęcym.

Uśmiechnęła się do nich ciepło. Zęby też miała ładne.

— Przepraszam, że kazałam państwu czekać. Jestem detektyw Maureen McLaughlin. Pracuję w prokuratorze powiatowej Bergen. Przedstawiam wam detektywa Dana Glazura. Z policji w Mahwah.

Glazur milczał, ze splecionymi rękami łypiąc na Myrona groźnie jak na bezdomnego włóczęgę obsikującego mu ogród.

Myron zmierzył go wzrokiem.

— Glazura? — powtórzył. — Jak te płytki, które mam w łazience?

Maureen McLaughlin nie przestała się uśmiechać.

— Pani Slaughter... czy możemy mówić sobie po imieniu? — spytała, szybko przechodząc na przyjacielską stopę.

— Tak, Maureen.

— Chciałabym ci zadać kilka pytań, Brendo.

— O co właściwie chodzi? — wtrącił Myron.

Maureen McLaughlin posłała mu uśmiech, który w oprawie z piegów wypadł filuternie.

— Czy coś państwu przynieść? — spytała. — Może kawy? Jakiś chłodny napój?

— Wychodzimy, Brendo.

Myron wstał.

— Chwileczkę. Niechże pan usiądzie. Co pana ugryzło?

— Nie możemy się od was dowiedzieć, po co nas ściągnięto. A poza tym, od kiedy to na posterunkach serwuje się „chłodne napoje"?

— Powiedz im — odezwał się po raz pierwszy Glazur.

Nie poruszał ustami. Ale zarośla pod jego nosem podskakiwały i opadały jak rude wąsiska kreskówkowego bandyty Yosemite Sama.

McLaughlin nagle się stropiła.

— Nie mogę tak prosto z mostu, Dan. To nie byłoby...

— Powiedz im — powtórzył Glazur.

— Przećwiczyliście tę scenę? — spytał Myron, wskazując ich rękoma.

Właściwie to tylko bił pianę, bo wiedział, co nadchodzi. I nie chciał tego usłyszeć.

— Usiądźcie, proszę.

Powoli opadli na krzesła. Myron splótł dłonie i położył je na stole.

Z twarzy McLaughlin zniknął uśmiech. Najwyraźniej dobierając słowa, spytała:

— Czy masz chłopaka, Brendo?

— Zajmujecie się kojarzeniem par? — wtrącił Myron.

Glazur oderwał się od ściany, podniósł jego prawą rękę, wypuścił ją, podniósł lewą, przyjrzał się jej, zirytowany, i odłożył.

— Palmolive. Skóra jak jedwab — rzekł Myron, próbując ukryć zmieszanie.

Glazur odsunął się i skrzyżował ręce.

— Powiedz im — powtórzył jeszcze raz.

McLaughlin wpatrzyła się w Brendę, pochyliła się nieznacznie i zniżyła głos.

— Twój ojciec nie żyje — powiedziała. — Trzy godziny temu znaleźliśmy jego ciało. Przykro mi.

Mimo że Myron się na to przygotował, jej słowa ugodziły go jak spadający meteoryt. Zakręciło mu się w głowie i chwycił się stołu. Brenda milczała. Jej twarz się nie zmieniła, ale zaczęła szybko łykać powietrze.

— Zdaję sobie sprawę — ciągnęła McLaughlin, nie tracąc czasu na kondolencje — że jest to dla ciebie bardzo trudny moment, ale naprawdę musimy zadać kilka pytań.

— Wyjdźcie — powiedział Myron.

— Słucham?

— Koniec rozmowy! Pani i ten Stalin macie w tej chwili stąd wyjść!

— Masz coś do ukrycia, Bolitar? — spytał Glazur.

— Właśnie, wilkołaku. Dlatego stąd wyjdź.

Siedząca bez ruchu Brenda spojrzała na McLaughlin i wydusiła z siebie tylko jedno słowo:

— Jak?

— Co jak?

Przełknęła ślinę.

— Jak go zamordowano?

Glazur dopadł ją jednym skokiem.

— A skąd wiesz, że go zamordowano?! — spytał.

— Słucham?

— Nic nie mówiliśmy o morderstwie — dodał, bardzo z siebie zadowolony. — Tylko że twój ojciec nie żyje.

Myron przewrócił oczami.

— Przyłapałeś nas, Glazur. Dwóch łapsów, strugających Sipowicza i Simone'a, przywozi nas tu ciupasem, a my skądś wiemy, że jej ojciec nie zmarł śmiercią naturalną. A zatem albo jesteśmy jasnowidzami, albo go zabiliśmy.

— Zamknij dziób, bucu!

Myron zerwał się z krzesła, przewracając je, i stanął oko w oko z Glazurem.

— Wyjdź stąd!

— Bo co?

— Chcesz mnie załatwić, Glazur?

— Z rozkoszą, ważniaku.

— Coś za bardzo tryskacie dziś testosteronem, chłopcy. Cofnąć się, obaj! — Maureen McLaughlin wkroczyła między nich.

Myron nie zdjął oczu z Glazura. Wziął kilka głębokich oddechów. Zachowywał się bez sensu. Głupio tracić opanowanie. Musiał się wziąć w garść. Horace nie żył. Brenda miała kłopoty. Musiał zachować spokój.

Podniósł krzesło z podłogi i usiadł.

— Moja klientka nie będzie z wami rozmawiać, dopóki się nie naradzimy.

— Dlaczego? — spytała Brenda. — O co właściwie ta heca?

— Oni myślą, że ty to zrobiłaś — odparł.

— Jestem podejrzana? — spytała zaskoczona, zwracając się do Maureen McLaughlin.

McLaughlin przyjacielsko wzruszyła ramionami, jakby chciała powiedzieć „jestem po twojej stronie".

— Za wcześnie, żeby kogoś podejrzewać lub wykluczyć z grona podejrzanych — odparła.

— W języku policjantów oznacza to „tak" — rzekł Myron.

— Zamknij dziób, bucu! — powtórzył Glazur.

Myron puścił to mimo uszu.

— Proszę odpowiedzieć pani Slaughter na pytanie — zwrócił się do McLaughlin. — Jak zginął jej ojciec?

Maureen McLaughlin odchyliła się na krześle, rozważając odpowiedź.

— Horace Slaughter zginął od strzału w głowę.

Brenda zamknęła oczy.

— Z bliska — dodał Dan Glazur, znów do niej doskakując.

— Tak, z bliska. W tył głowy.

— Z bliska — powtórzył Glazur i pochylił się, kładąc pięści na stole. — Wygląda, że znał mordercę. Wygląda, że był to ktoś, komu ufał.

— Masz jedzenie na wąsach. — Myron wskazał palcem. — To chyba jajecznica.

Glazur pochylił się tak mocno, że ich nosy prawie się zetknęły. Miał duże pory. Naprawdę wielkie. Myron bał się, że w któryś z nich wpadnie.

— Nie podoba mi się twoje zachowanie, dupku! — warknął Glazur.

Myron też się odrobinę pochylił. A potem pokręcił głową, dotykając nosem jego nosa.

— Gdybyśmy byli Eskimosami, już byśmy się zaręczyli — powiedział.

Glazur cofnął się.

— Twoje pajacowanie nie zmieni faktów — odparł, gdy doszedł do siebie. — Horace Slaughter zginął od strzału z bliska.

— To nic nie znaczy. Gdybyś był prawdziwym policjantem, to wiedziałbyś, że płatni zabójcy przeważnie zabijają z bliska. A bliscy krewni odwrotnie.

Myron nie miał pojęcia, czy to prawda, ale brzmiało dobrze.

Brenda odchrząknęła.

— Gdzie go postrzelono? — spytała.

— Słucham? — nie zrozumiała McLaughlin.

138

— Gdzie go postrzelono?

— Już mówiłam. W głowę.

— Nie, nie. Pytam, gdzie. W jakim mieście?

Doskonale wiedzieli, o co pyta. Ale nie chcieli powiedzieć, licząc, że popełni błąd. Sam więc odpowiedział na pytanie.

— Znaleziono go tu, w Mahwah. — Spojrzał na Glazura. — Świadczy o tym to, uprzedzam kolejny strzał z grubej rury, że przywieziono nas na ten posterunek. Jesteśmy tu wyłącznie dlatego, bo zwłoki znaleziono w Mahwah.

McLaughlin nie odpowiedziała. Splotła przed sobą dłonie.

— Kiedy po raz ostatni widziałaś ojca, Brendo? — spytała.

— Nie odpowiadaj — ostrzegł Myron.

— Brendo.

Brenda spojrzała na Myrona. Oczy miała szeroko rozwarte, wzrok rozkojarzony. Próbowała nad sobą zapanować, lecz już widać było po niej stres.

— Załatwmy to, dobrze? — powiedziała niemal błagalnym tonem.

— Odradzam.

— Dobra rada — pochwalił Glazur. — Jeśli ma się coś do ukrycia.

Myron spojrzał na niego.

— Mam pytanie. To, co masz na górnej wardze, to wąsy czy włosy z nosa?

McLaughlin — najlepsza kumpelka zbrodniarek — zachowała śmiertelną powagę.

— Sprawa ma się tak — zaczęła. — Jeżeli odpowiesz na pytania, to na tym zakończymy. Ale jeśli odmówisz odpowiedzi, da nam to do myślenia. Sprawi złe wrażenie. Będzie wyglądać, jakbyś chciała coś przed nami ukryć, Brendo. Do tego dojdą media.

— Co takiego?!

Myron wyciągnął w proteście rękę.

— To proste, bucu — odparł Glazur. — Namówisz ją do milczenia, to powiemy mediom, że jest podejrzana i nie chce współpracować z policją. — Uśmiechnął się. — A wtedy pani Slaughter będzie mogła w najlepszym razie reklamować kondomy.

Na chwilę zapadła cisza. Uderz agenta w najczulszy punkt.

— Kiedy po raz ostatni widziałaś ojca, Brendo?

Myron już chciał się wtrącić, ale Brenda zamknęła mu usta, kładąc dłoń na jego przedramieniu.

— Dziewięć dni temu — odparła.

— W jakich okolicznościach?

— W jego mieszkaniu.

— Kontynuuj.

— Co ma kontynuować?! — wtrącił Myron. Dwudziesta szósta zasada adwokata: nie pozwól przesłuchującemu policjantowi lub prokuratorowi rozkręcić się. — Padło pytanie, kiedy ostatni raz widziała ojca. I odpowiedziała.

— Spytałam o okoliczności — powiedziała McLaughlin. — Co zaszło podczas tej wizyty, Brendo?

— Wiesz, co zaszło — odparła Brenda, uprzedzając protest Myrona.

Maureen McLaughlin skinęła głową.

— Mam twoją skargę złożoną pod przysięgą. — Przesunęła po metalowym blacie kartkę. — To twój podpis, Brendo?

— Tak.

Myron wziął dokument i przebiegł go wzrokiem.

— Czy zawiera dokładny opis twojego ostatniego spotkania z ojcem?

Oczy Brendy zhardziały.

— Tak.

— Podczas spotkania w jego mieszkaniu, kiedy widziałaś go po raz ostatni, ojciec zaatakował cię słownie i fizycznie. Tak?

Myron milczał.

— Odepchnął mnie — odparła Brenda.

— Na tyle mocno, że zażądałaś, by wydano mu zakaz zbliżania się do ciebie?

Myron, który starał się dotrzymać tempa pytaniom, poczuł się jak boja na wzburzonej fali. Horace Slaughter zaatakował własną córkę i stracił życie. Należało powstrzymać przesłuchanie, przejąć inicjatywę.

— Dość tego nękania — powiedział cicho i z wysiłkiem. — Macie dokumenty, więc się ich trzymajcie.

— Opowiedz mi, Brendo, co zrobił twój ojciec.

— Popchnął mnie.

— Możesz powiedzieć dlaczego?

— Nie.

— Nie chcesz mi powiedzieć? Czy może nie wiesz dlaczego?

— Nie wiem?

— Po prostu cię odepchnął?

— Tak.

— Weszłaś do jego mieszkania. Powiedziałaś: „Cześć, tato". A on obrzucił cię wyzwiskami i zaatakował. Czy to chcesz nam powiedzieć?

Choć Brenda niczego po sobie nie okazywała, była tak roztrzęsiona, że fasada jej spokoju mogła w każdej chwili pęknąć.

— Wystarczy — powiedział Myron.

— Czy właśnie to chcesz nam powiedzieć? — powtórzyła niezwłocznie McLaughlin. — Że ojciec zaatakował cię bez powodu?

— Brenda nie powie wam niczego. Dość tego naciskania.

— Brendo...

— Wychodzimy.

Myron chwycił Brendę za rękę i poderwał ją z krzesła. Glazur ruszył do drzwi, chcąc je zablokować.

— Pomożemy ci — zapewniła McLaughlin. — Ale to twoja ostatnia szansa. Jeżeli stąd wyjdziesz, narazisz się na oskarżenie o morderstwo.

— Na co?! — spytała Brenda, jakby raptem wyrwano ją z transu.

— Straszą cię — wyjaśnił Myron.

— Przecież wiesz, jak to wygląda — ciągnęła McLaughlin. — Twój ojciec niedawno zginął. Jeszcze nie zrobiliśmy autopsji, lecz z pewnością nie żyje od blisko tygodnia. Jesteś mądrą dziewczyną, więc kojarzysz fakty. Ty i on mieliście ze sobą problemy. Dysponujemy twoją listą poważnych zarzutów i skarg. Dziewięć dni temu zaatakował cię. Dlatego załatwiłaś sobie w sądzie, żeby się do ciebie nie zbliżał. Zakładamy, że ojciec nie zastosował się do zakazu. Miał gwałtowny charakter, nie potrafił zapanować nad gniewem, uważając, że nie jesteś wobec niego lojalna. Tak było?

— Nie odpowiadaj — uprzedził Myron.

— Pozwól sobie pomóc, Brendo. Twój ojciec złamał nakaz sądowy, czy tak? Zaatakował cię.

Brenda nie odpowiedziała.

— Byłaś jego córką. Sprzeciwiłaś mu się. Tak mocno upokorzyłaś go publicznie, że postanowił dać ci nauczkę. Gdy więc ten wielki, groźny mężczyzna dopadł cię ponownie i chciał zaatakować, nie miałaś wyboru. Zastrzeliłaś go. W samoobronie. Rozumiem to. Zrobiłabym to samo. Ale jeżeli stąd wyjdziesz, nie będę mogła ci pomóc. Zmieni się klasyfikacja: czyn poniekąd usprawiedliwiony stanie się morderstwem z zimną krwią. To proste.

Maureen McLaughlin ujęła rękę Brendy.

— Pozwól sobie pomóc — powtórzyła.

W pokoju zapadło milczenie. Piegowata, poważna twarz policjantki zastygła w wyrazie troski, zaufania i szczerości. Myron zerknął na Glazura, ale ten szybko odwrócił wzrok.

Nie wróżyło to nic dobrego.

McLaughlin przedstawiła zgrabną teoryjkę. Sensowną. Nic dziwnego, że detektywi w nią uwierzyli. Między ojcem i córką istotnie była zła krew. Dobrze udokumentowana historia nadużycia siły. Nakaz sądowy...

Wolnego!

Myron spojrzał na Glazura. Wciąż patrzył w inną stronę.

Przypomniał sobie zakrwawioną koszulę w szafce. Policja o niej nie wiedziała, nie mogła wiedzieć...

— Moja klientka chce zobaczyć ojca — rzekł znienacka.

Wszyscy na niego spojrzeli.

— Słucham?

— Jego zwłoki. Chcemy zobaczyć zwłoki Horace'a Slaughtera.

— To nie będzie konieczne — odparła McLaughlin. — Zidentyfikowaliśmy ciało na podstawie odcisków palców. Nie ma powodu, żeby...

— Odmawia pani mojej klientce możliwości zobaczenia zwłok ojca?

— Ależ nie. — McLaughlin nieco się speszyła. — Jeśli tego chcesz, Brendo...

— Jestem jej adwokatem, pani detektyw. Proszę mówić ze mną.

McLaughlin zamilkła, potrząsnęła głową i spojrzała na Glazura. Wzruszył ramionami.

— Dobrze — powiedziała. — Zawieziemy was.

16

Siedziba naczelnego lekarza sądowego powiatu Bergen wyglądała jak mała podstawówka. Trudno wyobrazić sobie skromniejszą konstrukcję niż ten parterowy, kanciasty budynek z czerwonej cegły, czego jednak wymagać od kostnicy? Plastikowe krzesła w poczekalni były tak wygodne jak czyrak na siedzeniu. Myron już tu kiedyś był, krótko po zabójstwie ojca Jessiki. Nie było to miłe wspomnienie.

— Możemy wejść — powiedziała McLaughlin.

Kiedy szli krótkim korytarzem, Brenda trzymała się blisko Myrona. Objął ją w talii. Zareagowała na jego dotknięcie. Gestem tym chciał jej dodać otuchy. Zdziwił się, że sprawił mu aż taką przyjemność.

Weszli do pomieszczenia pełnego kafelków i lśniącej stali. Nie było tu wielkich metalowych szuflad ani nic takiego. W plastikowym worku w kącie leżało ubranie — mundur ochroniarza. W drugim kącie, pod płachtą, narzędzia, utensylia i tym podobne. Środek zajmował stół. Myron od razu spostrzegł, że pod prześcieradłem leży ciało dużego mężczyzny.

Na moment przystanęli w drzwiach. Kiedy otoczyli stół, pracownik kostnicy, zapewne lekarz sądowy, bezceremonialnie odsunął prześcieradło. Przez ułamek sekundy Myron łudził się, że mylnie zidentyfikowano zwłoki. Była to jednak płonna, bezpodstawna nadzieja. Podobnie myślał bez wątpienia każdy

144

przychodzący tu na identyfikację. I choć znał prawdę, do ostatniej chwili wierzył, że być może popełniono niebywały błąd o cudownych skutkach. Była to naturalna reakcja.

Ale w tym przypadku nie popełniono błędu.

Brendzie zaszkliły się oczy. Przechyliła głowę, wykrzywiła usta i pogładziła dłonią policzek martwego ojca.

— Wystarczy! — powiedziała McLaughlin.

Lekarz już miał naciągnąć prześcieradło, ale Myron go powstrzymał. Przyjrzał się ciału dawnego przyjaciela, powściągając łzy, od których zapiekły go oczy. Nie było czasu się rozczulać. Przyszedł tu w określonym celu.

— Rana od kuli jest z tyłu głowy? — upewnił się ze ściśniętym gardłem.

Lekarz spojrzał na Maureen McLaughlin. Skinęła głową.

— Tak — odparł. — Dowiedziałem się, że macie przyjść, więc go umyłem.

— A to co?

Myron wskazał prawy policzek Horace'a.

— Nie zdążyłem dokładnie zbadać zwłok — odparł nerwowo patolog.

— Ja nie pytam o badanie. Pytam o to.

— Rozumiem. Ale przed przeprowadzeniem pełnej autopsji nie chcę stawiać żadnych hipotez.

— To przecież siniak, doktorze. Jak widać po zabarwieniu, powstał przed śmiercią. — Myron nie miał pojęcia, czy to prawda, ale szedł za ciosem. — Nos też wygląda na złamany, prawda?

— Niech pan nie odpowiada — ostrzegła McLaughlin.

— Nie musi. — Myron odciągnął Brendę od zwłok ojca. — Co za refleks, McLaughlin. Proszę wezwać taksówkę. Nie powiemy pani więcej ani słowa.

— Wyjaśnisz mi, o co w tym wszystkim chodzi? — spytała Brenda, kiedy wyszli z kostnicy.

— Próbowali cię wrobić.

— Jak?

— Przypuśćmy, że zamordowałaś ojca. Policja cię przesłuchuje. Jesteś zdenerwowana. Aż tu raptem proponują ci idealne rozwiązanie.

— To z działaniem w obronie własnej.

— Właśnie. Zabójstwo usprawiedliwione. Udają, że są po twojej stronie, że wszystko rozumieją. Jako morderczyni, z miejsca skorzystałabyś z okazji, prawda?

— Gdybym zabiła ojca, pewnie tak.

— Rzecz w tym, że McLaughlin i Glazur wiedzieli o siniakach.

— No i?

— Skoro zastrzeliłaś ojca w obronie własnej, to kto go przedtem pobił?

— Nie rozumiem.

— Mechanizm jest taki. Skłaniają cię do zwierzeń. Chwytasz przynętę, opowiadasz, jak ojciec cię zaatakował i musiałaś do niego strzelić. Sęk w tym, że jeżeli to prawda, to skąd siniaki na jego twarzy? I tu McLaughlin i Glazur wyciągają znienacka nowe dowody, sprzeczne z twoją wersją wypadków. Z czym zostajesz? Z zeznaniem, którego nie możesz cofnąć. Oni zaś wykorzystają te sińce, by wykazać, że nie było to zabójstwo w samoobronie. Wkopałaś się sama.

— A więc wiedzą, że ktoś pobił go przed śmiercią? — spytała, przetrawiwszy to w myślach.

— Tak.

Zmarszczyła brwi.

— Naprawdę sądzą, że dałabym radę go pobić?

— Wątpię.

— To co kombinują?

— Że być może zaatakowałaś ojca znienacka pałką do bejsbolu lub czymś takim. Prędzej jednak podejrzewają, i w tym cały problem, że miałaś wspólnika. Pamiętasz, jak Glazur oglądał moje ręce?

Skinęła głową.

— Sprawdzał, czy nie mam stłuczonych stawów albo innych

146

wymownych urazów. Kiedy kogoś uderzysz, widać to na twojej dłoni.

— I dlatego też McLaughlin spytała mnie o chłopaka?

— Właśnie.

Słońce nieco przybladło. Śmigały samochody. Po drugiej stronie ulicy był parking. Rozproszone grupki bladolicych, mrużących oczy urzędniczek i urzędników ciągnęły do swoich aut po dniu spędzonym w sztucznym świetle biur.

— A więc myślą, że tatę tuż przed zastrzeleniem pobito.

— Tak.

— Ale my wiemy, że to nieprawda.

Myron skinął głową.

— Krew w jego szafce. Domyślam się, że pobito go dzień lub dwa wcześniej. Albo więc wyrwał się napastnikom, albo pobili go, żeby zastraszyć. Do szafki u Świętego Barnaby przyszedł, żeby wytrzeć się z krwi. Krwotok z nosa zatamował koszulą. A potem uciekł.

— Po czym ktoś go odnalazł i zastrzelił.

— Tak.

— Nie powiemy o tej zakrwawionej koszuli policji?

— Czy ja wiem. Pomyśl chwilę. Są przekonani, że to ty zabiłaś. Jeżeli zaniesiesz im koszulę z krwią ojca, to pomoże nam czy zaszkodzi?

Skinęła głową i nagle ją odwróciła. Znów zaczęła dziwnie oddychać. O wiele za szybko. Nie chciał jej się narzucać. Serce mu wezbrało. Straciła matkę i ojca, nie miała sióstr ani braci. Co czuła?

Kilka minut później podjechała taksówka. Brenda spojrzała na Myrona.

— Gdzie cię wysadzić? — spytał. — Przed domem koleżanki? Twojej ciotki?

Po chwili namysłu pokręciła głową i ich oczy się spotkały.

— Chciałabym zostać z tobą — odparła.

17

Taksówka zajechała pod dom Bolitarów w Livingston.

— Możemy pojechać gdzie indziej — zaproponował ponownie.

Potrząsnęła głową.

— Zrób coś dla mnie — poprosiła.

— Co?

— Nie mów rodzicom o moim ojcu. Nie dziś.

— Dobrze — rzekł z westchnieniem.

W domu zastali wujka Sidneya, ciocię Selmę, a także wujka Berniego z ciocią Sophie i synkami. Kiedy Myron płacił za kurs, nadjechały kolejne samochody. Jego mama wybiegła z domu i uścisnęła go tak mocno, jakby uwolnili go terroryści z Hamasu. Uścisnęła też Brendę. Uścisnęli ją również pozostali. Tata za domem przyrządzał barbecue. Na szczęście na gazowym grillu, dzięki czemu nie musiał już zużywać do smażenia galonów paliwa do zapalniczek. Paradował w czapce kucharskiej, wysokiej jak wieża kontrolna lotniska, i fartuchu z napisem NAWRÓCONY WEGETARIANIN. Myron przedstawił Brendę jako swoją klientkę. Zaraz potem jego mama wyrwała mu ją, wzięła pod rękę i oprowadziła po domu. Przybyło więcej gości. Sąsiadów — z sałatkami makaronowymi, owocowymi i innymi potrawami. Dempseyowie, Cohenowie, Daleyowie i Weinsteinowie. Braunów w końcu skusiła ciepła Floryda, a w ich domu zamieszkała młodsza od Myrona para z dwójką dzieci. Też przyszli na barbecue.

Zaczęły się zabawy. Wydobyto piłkę i pałkę do gry w wiffle'a. Wybrano drużyny. Kiedy Myron zamachnął się i chybił, wszyscy upadli, jakby przewrócił ich wicher. Ale ubaw. Wszyscy rozmawiali z Brendą. Interesowała ich nowa kobieca liga koszykówki, lecz o wiele większe wrażenie wywarło na nich to, że Brenda będzie lekarką. Tata Myrona dopuścił ją nawet na krótko do grilla, co było z jego strony poświęceniem równym oddaniu nerki. W powietrzu unosił się lekki swąd spalenizny: pieczonego mięsa, kurczaków, hamburgerów, hot dogów z delikatesów Dona (mama Myrona kupowała hot dogi tylko tam), szaszłyków, a nawet steków z łososia — dla dbających o zdrowie.

Myron wciąż napotykał spojrzenie Brendy. Brenda wciąż się uśmiechała.

Dzieciaki, wszystkie w obowiązkowych kaskach, zaparkowały rowery na końcu podjazdu. Syn Cohenów nosił kolczyk. Wszyscy z tego kpili. Chłopak opuścił głowę i uśmiechnął się. Vic Ruskin doradził Myronowi, jakie kupić akcje. Myron skinął głową i szybko o tym zapomniał. Fred Dempsey wydobył z garażu piłkę do koszykówki. Córka Daleyów wybrała drużyny. Myron musiał grać. Brenda również. Wszyscy się śmiali. Po zdobyciu kolejnych koszy Myron zjadł cheeseburgera. Pysznego. Timmy Ruskin upadł i rozciął sobie kolano. Rozpłakał się. Brenda pochyliła się nad chłopcem, obejrzała rozcięcie, zakleiła je plastrem i uśmiechnęła się. Timmy się rozpromienił.

Minęło kilka godzin. Na niebo z wolna, jak zwykle na przedmieściach, wpełzł zmierzch. Goście zaczęli się rozjeżdżać. Samochody i rowery powoli znikały. Ojcowie otaczali ramionami synów. Dziewczynki wracały do domów w objęciach matek. Każdy całował na pożegnanie państwa Bolitarów. Myron przyjrzał się mamie i tacie. Pozostali jedyną prawdziwą rodziną w sąsiedztwie, zastępując wszystkim w okolicy dziadków. Nagle wydali mu się bardzo starzy. Przeląkł się.

— To cudowne — dobiegł go zza pleców głos Brendy.

I było. Win mógł się z tego wyśmiewać. A Jessica — której rodzina stworzyła iście sielankową fasadę, kryjącą zgniliznę — nie dbała o takie sceny i czym prędzej wracała do wielkiego miasta, jakby tam czekało na nią zbawienie. Często odwoził ją z takich imprez w zupełnym milczeniu. Jeszcze raz to sobie przemyślał. I słowa Wina o ślepej wierze.

— Brakuje mi twojego ojca — powiedział. — Nie rozmawiałem z nim od dziesięciu lat. A i tak mi go brakuje.

Brenda skinęła głową.

— Wiem.

Pomogli posprzątać. Nie było tego wiele. Używano papierowych talerzy, kubków i plastikowych sztućców. Brenda i mama Myrona śmiały się jak najęte. Mama rzucała mu ukradkowe spojrzenia. Odrobinę za domyślne.

— Zawsze chciałam, żeby Myron był lekarzem — powiedziała. — To szok, prawda?! Żydowska matka pragnie, żeby jej syn został doktorem.

Zaśmiały się.

— Niestety, Myron nie znosi widoku krwi. Jak ją widzi, mdleje. Dopiero na studiach zaczął chodzić na filmy dozwolone od lat siedemnastu. Spał przy zapalonym świetle aż do...

— Mamo!

— Oho, zawstydzam go. Jestem twoją matką, Myron. Kto ma cię zawstydzać, jak nie ja? Prawda, Brendo?

— Jak najbardziej, pani Bolitar.

— Dziesiąty raz ci powtarzam, że na imię mam Ellen. A ojciec Myrona Al. Wszyscy nazywają nas El Al. Łapiesz? Jak izraelskie linie lotnicze.

— Mamo!

— Cicho bądź, już sobie idę. Zanocujesz, Brendo? Pokój gościnny jest gotowy.

— Dziękuję, Ellen. Z przyjemnością.

— Zostawiam was same, dzieci — powiedziała mama Myrona z przesadnie zadowolonym uśmiechem.

Na oświetlonym księżycem w pełni podwórzu za domem zaległa cisza. Grały świerszcze. Zaszczekał pies. Ruszyli.

Rozmawiali o Horasie. Nie o morderstwie, nie o tym, dlaczego zniknął, nie o Anicie, nie o FJayu, lidze, Bradfordach i reszcie. Wyłącznie o nim.

Dotarli do Burnet Hill, szkoły podstawowej, do której chodził Myron. Przed kilku laty miasto zamknęło pół budynku ze względu na bliskość trakcji energetycznej. Myron spędził pod drutami wysokiego napięcia całe trzy lata. To mogło pewne rzeczy tłumaczyć.

Brenda usiadła na huśtawce. Jej skóra lśniła w blasku księżyca. Zaczęła się huśtać, wyrzucając nogi wysoko w górę. Usiadł na sąsiedniej huśtawce i też się rozhuśtał. Choć metalowa konstrukcja była mocna, zaczęła się lekko chwiać pod ich ciężarem.

Zwolnili.

— Nie spytałeś o jego atak na mnie — powiedziała.

— Mamy czas.

— To bardzo prosta historia.

Myron nie odezwał się. Czekał.

— Przyjechałam do mieszkania taty. Był pijany. Nie pił dużo. Ale kiedy już wypił, alkohol uderzał mu do głowy. Gdy otworzyłam drzwi, ledwo kojarzył. Obrzucił mnie wyzwiskami. Nazwał małą dziwką. A potem pchnął.

Myron potrząsnął głową, nie wiedząc, co powiedzieć.

Brenda przestała się huśtać.

— Poza tym nazwał mnie Anitą.

Myronowi zaschło w gardle.

— Wziął cię za matkę?

Skinęła głową.

— W oczach miał tyle nienawiści. Takiego widziałam go pierwszy raz.

Myron nie zareagował. W głowie powoli zaczęła mu się kluć pewna teoria. Krew w szafce w szpitalu Świętego Barnaby. Telefony do prawników i Bradfordów. Ucieczka Horace'a. Jego zabójstwo. Wszystko zaczęło się zazębiać. Ale na razie była to teoria oparta na czystych domysłach. Wiedział, że zanim ją sformułuje, musi się ona jakiś czas odleżeć, dojrzeć i skruszeć w lodówce jego mózgu.

— Jak daleko jest stąd posiadłość Bradfordów? — spytała Brenda.

— Z pół mili.

Odwróciła wzrok.

— Nadal sądzisz, że moja mama uciekła z powodu czegoś, co wydarzyło się w ich domu?

— Tak.

Wstała.

— Pójdźmy tam.

— Tam nie ma czego oglądać. Jest tylko wielka brama i krzaki.

— Moja matka przechodziła przez tę bramę przez sześć lat. To mi wystarczy. Na razie.

Poszli skrótem między Ridge Drive a Coddington Terrace — Myron nie mógł uwierzyć, że po tylu latach to przejście wciąż istnieje — i skręcili w prawo. Na wzgórzu paliły się światła. Było widać tylko je. Brenda podeszła do bramy. Zatrzymała się przed żelaznymi prętami i przez kilka sekund patrzyła. Strażnik zerknął na nią.

— W czymś pani pomóc? — spytał, wychylając się w jej stronę.

Pokręciła głową i odeszła.

Do domu wrócili późno. Tata Myrona leżał na fotelu wypoczynkowym i udawał, że śpi. Niektóre nawyki trudno wykorzenić. Myron „obudził" go. Ojciec wzdrygnął się przy ocknięciu. Pacino nigdy tak się nie zgrywał. Myron pocałował ojca w policzek. Był szorstki i pachniał lekko old spice'em. Jak powinien.

Łóżko dla Brendy pościelono w pokoju na dole. Tego dnia dom rodziców na pewno odwiedziła służąca, bo Ellen Bolitar unikała prac domowych jak odpadów radioaktywnych. Była pracującą matką, przed epoką Glorii Steinem jedną z najgroźniejszych adwokatek w stanie.

Myron wręczył Brendzie torebkę z kosmetykami, jedną z tych, które rodzice zachowali z lotów pierwszą klasą. Znalazł jej też koszulkę z rękawkami i dół od piżamy.

Mocno pocałowała go w usta. Wszystko w nim zawirowało. Podniecił go ten pierwszy pocałunek, jego świeżość, cudowny smak i jej zapach. Przywarła do niego młodym, twardym, jędrnym ciałem. Jeszcze nigdy nie czuł się taki zagubiony, oszołomiony, nieważki. Gdy zetknęły się ich języki, podskoczył i mimowolnie jęknął.

Odsunął się od niej.

— Nie powinniśmy. Dopiero co zginął twój ojciec. Ty...

Zamknęła mu usta kolejnym pocałunkiem. Myron przytrzymał dłonią jej głowę. Do oczu napłynęły mu łzy.

Po pocałunku przywarli do siebie zdyszani.

— Nie robię tego ze słabości, wiesz o tym — powiedziała.

Przełknął ślinę.

— Jessica i ja przechodzimy właśnie trudne chwile — odparł.

— Tym się nie kieruję.

Skinął głową. O tym też wiedział. A po dziesięciu latach kochania tej samej kobiety być może właśnie tego obawiał się najbardziej. Wycofał się.

— Dobranoc.

Zbiegł szybko po schodach do swojego starego pokoju w suterenie, wsunął się pod pościel, naciągnął ją pod samą szyję i wpatrzył się w oprawione plakaty z Johnem Havlickiem i Larrym Birdem. Havlicka, dawnego asa Boston Celtics, powiesił u siebie na ścianie, kiedy skończył sześć lat. Bird dołączył do Havlicka w roku 1979. W otoczeniu znajomych obrazów szukał pocieszenia, a może i ucieczki.

Ale ich nie znalazł.

18

W sen wdarły się dzwonek telefonu i zduszone głosy. Gdy otworzył oczy, pamiętał z niego niewiele. We śnie był młodszy i, przepełniony głębokim smutkiem, dryfował w stronę świadomości. Ponownie zamknął oczy, chcąc usilnie powrócić do ciepłego królestwa nocy, ale drugi dzwonek zdmuchnął zanikające obrazy senne niczym tuman kurzu.

Myron sięgnął do swojej komórki. Mrugający zegar przy łóżku wskazywał, niezmiennie od trzech lat, dwunastą w południe. Myron sprawdził godzinę na ręcznym zegarku. Dochodziła siódma.

— Halo?

— Gdzie jesteś?

Dopiero po chwili zorientował się, kto dzwoni. Głos należał do Francine Neagly, policjantki, koleżanki ze szkoły średniej.

— W domu — wychrypiał.

— Pamiętasz halloweenowe strachy?

— Tak.

— Spotkajmy się tam za pół godziny.

— Masz te akta?

W słuchawce trzasnęło.

Myron rozłączył się. Wziął kilka głębokich oddechów. Pięknie. I co dalej?

Przez kanały wentylacyjne dochodziły stłumione głosy.

154

Z kuchni. Po latach zamieszkiwania w suterenie bezbłędnie — niczym indiański wojownik ze starego westernu, który przykładając ucho do ziemi ocenia, z jakiej odległości dociera zbliżający się tętent końskich kopyt — rozpoznawał po echu, z którego pomieszczenia w domu dobiega jakiś dźwięk.

Spuścił nogi z łóżka, rozmasował twarz dłońmi, narzucił welurowy szlafrok liczący sobie ze dwadzieścia lat, szybko umył zęby, poprawił włosy i skierował się do kuchni.

Brenda i mama piły kawę przy kuchennym stole. Wiedział, że rozpuszczalną. Muy wodnistą. Mama nie znała się na dobrych kawach. Za to cudowny zapach świeżych bajgli pobudził mu żołądek. Blat ozdabiał cały ich talerz, rozmaite pasty, dodatki oraz kilka gazet. Typowy niedzielny ranek w domostwie Bolitarów.

— Dzień dobry — powitała go mama.

— Dzień dobry.

— Napijesz się kawy?

— Nie, dziękuję.

W Livingston otwarto nową kawiarnię Starbucks. Postanowił wpaść tam po drodze na spotkanie z Francine.

Zerknął na Brendę. Spojrzała mu prosto w oczy. Bez żadnego skrępowania. Ucieszył się.

— Dzień dobry — pozdrowił ją.

Poranne błyskotliwe riposty po szampańskiej zabawie były jego mocną stroną. W odpowiedzi skinęła mu głową.

— Są bajgle — przypomniała mu mama, na wypadek gdyby nagle zawiodły go wzrok i węch. — Ojciec kupił je dziś rano. W Livingstońskich Bajglach. Pamiętasz tę piekarnię, Myron? Na Northfield Avenue? Przy pizzerii Dwaj Gondolierzy?

Skinął głową. Chociaż ojciec kupował tam bajgle od trzydziestu lat, mimo to wciąż odczuwała potrzebę kuszenia syna tym smakołykiem. Kiedy usiadł przy stole, splotła dłonie przed sobą.

— Brenda zapoznała mnie z sytuacją — oznajmiła zmienionym, bardziej adwokackim niż maminym głosem i popchnęła w jego stronę gazetę.

Na pierwszej stronie, w lewej szpalcie, miejscu zarezerwowanym zwykle dla nastolatek wyrzucających rankiem razem ze śmieciami noworodki, zamieszczono artykuł o zabójstwie Horace'a Slaughtera.

— Gdybym została jej adwokatką, to przy twoim zaangażowaniu w sprawę wyglądałoby to na sprzeczność interesów. Pomyślałam więc o ciotce Clarze.

Clara nie była jego prawdziwą ciotką, tylko starą przyjaciółką rodziny i podobnie jak mama świetną adwokatką.

— Dobry pomysł — powiedział.

Wziął gazetę i przeleciał wzrokiem artykuł. Nic go w nim nie zaskoczyło. Wspomniano, że Horace'owi wydano niedawno zakaz zbliżania się do córki, że oskarżyła go ona o napaść i że policja pragnie ponownie ją przesłuchać, ale nie może jej znaleźć. Detektyw Maureen McLaughlin wygłosiła standardową formułkę, iż jest „za wcześnie, by kogokolwiek wykluczyć" z grona podejrzanych. Kontrolowane przez nią doniesienie ujawniało jedynie tyle, by obciążyć i wywrzeć presję na jedną osobę: Brendę Slaughter.

Na zdjęciu do artykułu stała z ojcem. Horace obejmował ramieniem córkę, ubraną w kostium uniwersyteckiej drużyny koszykówki. Oboje się uśmiechali, lecz nie były to prawdziwe radosne uśmiechy, tylko te z repertuaru „powiedz: cheese". Podpis głosił, iż przedstawia ich ono w „szczęśliwszych czasach". Gazetowy melodramat.

Myron zajrzał na stronę dziewiątą. Oprócz mniejszego zdjęcia Brendy znalazł tam, co ciekawsze, zdjęcie siostrzeńca Horace'a Slaughtera, Terence'a Edwardsa, kandydata do stanowego senatu. Zaopatrzone w podpis, że zrobiono je „w przerwie obecnej kampanii". Hm! Terence wyglądał dokładnie tak jak na zdjęciach w domu matki. Z jedną istotną różnicą — na tym w gazecie stał obok Arthura Bradforda.

Oho!

Myron pokazał zdjęcie Brendzie. Przyjrzała mu się krótko.

— Wciąż trafiamy na Arthura Bradforda — powiedziała.

— Owszem.

— Ale co wspólnego ma z tym Terence? Kiedy uciekła moja matka, był dzieckiem.

Myron wzruszył ramionami. Spojrzał na kuchenny zegar. Czas na spotkanie z Francine.

— Muszę coś szybko załatwić — rzekł wymijająco. — Nie zajmie mi to długo.

— Załatwić? — Ellen Bolitar zmarszczyła brwi. — Co załatwić?

— Wkrótce wrócę.

Zmarszczyła się jeszcze bardziej, wprawiając w ruch brwi.

— Przecież ty już tu nie mieszkasz, Myron — powiedziała. — A jest dopiero siódma rano.

Rano! Na wypadek, gdyby ranek pomylił mu się z wieczorem!

— O siódmej rano wszystko jest nieczynne.

Matka Bolitar, z wydziału śledczego Mossadu.

W czasie jej przesłuchania stał. Matka i Brenda zmierzyły go wzrokiem. Wzruszył ramionami.

— Wyjaśnię ci po powrocie — odparł, wypadł z kuchni, wziął prysznic, rekordowo szybko się ubrał i wskoczył do samochodu.

Francine Neagly wspomniała o „halloweenowych strachach". Domyślił się, że to szyfr. W szkole średniej wraz z setką koleżanek i kolegów poszedł do kina na *Halloween*. Film, który właśnie wszedł na ekrany, przeraził wszystkich. Następnego dnia Myron i jego przyjaciel Eric przebrali się za morderczego Michaela Myersa — na czarno, w maski bramkarzy hokejowych — i podczas lekcji wf dla dziewcząt ukryli się w krzakach, co jakiś czas pokazując się z daleka ćwiczącym. Kilka uczennic spanikowało i podniosło krzyk.

Ech, szkoła średnia. Beztroski czas.

Myron zaparkował taurusa w pobliżu boiska piłki nożnej. Przed blisko dziesięcioma laty murawę zastąpiono sztuczną trawą. Sztuczna trawa w gimnazjum? Po kiego grzyba? Przedarł się przez krzaki. Były oroszone. Zmoczył pantofle. Szybko odnalazł starą ścieżkę. Niedaleko stąd kochał się — w języku swoich rodziców, pieścił — z Nancy Pettino. W drugiej klasie. Prawdę mówiąc, to nie bardzo się lubili, lecz ponieważ spółkowali ze sobą wszyscy ich znajomi, to w przypływie nudy powiedzieli sobie: co nam szkodzi.

Ach, szczenięca miłość.

Francine siedziała w policyjnym mundurze na tym samym wielkim kamieniu, na którym blisko dwadzieścia lat temu stali dwaj fałszywi Michaelowie Myersowie. Siedziała plecami do niego. Nie raczyła się obrócić. Zatrzymał się dwa kroki od niej.

— Francine?

Głęboko odetchnęła.

— Co tu jest grane, Myron? — spytała.

W szkole średniej była chłopczycą, nieustępliwą, odważną rywalką, której siłą rzeczy się zazdrości. Rozpierała ją energia i zapał, głos miała pewny i srogi. W tej chwili zaś siedziała skulona na kamieniu i huśtała się, przyciskając kolana do piersi.

— Może ty mi to powiesz — odparł.

— Nie pogrywaj ze mną.

— Wcale z tobą nie pogrywam.

— Dlaczego chciałeś zobaczyć te akta?

— Już mówiłem. Nie jestem pewien, czy to był wypadek.

— Skąd te wątpliwości?

— Niepoparte żadnym konkretem. Czemu pytasz? Co się stało?

Potrząsnęła głową.

— Chcę wiedzieć, co się dzieje. Od początku do końca.

— Nie mam nic do powiedzenia.

— Jasne. Wczoraj obudziłeś się i powiedziałeś sobie: „Ej, daję głowę, że ta przypadkowa śmierć sprzed dwudziestu lat wcale nie była przypadkowa. Poproszę moją starą kumpelę Francine, żeby wydobyła mi akta". Tak było, Myron?

— Nie.

— No, to gadaj jak.

Myron zawahał się chwilę.

— Powiedzmy, że mam rację: śmierć Elizabeth Bradford

158

nie była przypadkowa i w tych aktach jest coś, co to potwierdza. Wynikałoby z tego, że policja zatuszowała sprawę.

Francine wzruszyła ramionami.

— Może.

— I w dalszym ciągu nie chcą, żeby to wyszło na jaw.

— Może.

— A jeśli zechcą sprawdzić, co wiem na ten temat? I przyślą do mnie starą znajomą, żeby pociągnęła mnie za język?

Francine obróciła głowę tak nagle, jakby ktoś pociągnął za sznurek.

— Oskarżasz mnie o coś, Myron? — spytała.

— Nie. Ale jeżeli ktoś zataja prawdę, to skąd mam wiedzieć, czy mogę ci ufać?

Puściła kolana.

— Nikt jej nie zataja — odparła. — Widziałam te akta. Trochę cienkie, ale nie ma w nich nic podejrzanego. Elizabeth Bradford wypadła. Nie było śladów walki.

— Zrobiono sekcję zwłok?

— Jasne. Spadła na głowę. Strzaskała sobie czaszkę.

— Badanie toksykologiczne?

— Nie przeprowadzono.

— Dlaczego?

— Zmarła wskutek upadku, a nie przedawkowania.

— Ale badanie toksykologiczne wykazałoby, czy była odurzona.

— I co z tego?

— Dobrze, nie było śladów walki, ale przecież ktoś mógł ją czymś odurzyć i zepchnąć.

Francine zrobiła minę.

— Może małe zielone ludziki — podsunęła.

— Gdyby to była para biedaków i żona nieszczęśliwie spadła ze schodów przeciwpożarowych...

— Ale to nie była para biedaków, Myron. To byli Bradfordowie. Potraktowano ich w sposób szczególny? Pewnie tak. Ale nawet jeśli Elizabeth Bradford była odurzona, wcale nie oznacza to morderstwa. Wprost przeciwnie.

— Dlaczego?

Teraz jemu przyszło zrobić zdezorientowaną minę.

— Spadła z drugiego piętra. Z dwóch niskich pięter.

— I co z tego?

— Morderca nie miałby gwarancji, że upadek z takiej wysokości na pewno ją uśmierci. Pewnie skończyłoby się na złamaniu nogi lub czegoś innego.

Zamilkł. Nie przyszło mu to do głowy. Ale miało sens. Spychanie kogoś z balkonu na drugim piętrze w nadziei, że wyląduje na głowie i się zabije, było ryzykowne. Arthur Bradford nie wyglądał na ryzykanta.

Co to wszystko znaczyło?

— Może w głowę uderzono ją przed zrzuceniem — podsunął.

Francine pokręciła głową.

— Sekcja zwłok nie wykazała nic takiego. Przeszukano dom. Nigdzie nie było krwi. Mogli ją oczywiście usunąć, ale tego już się nie dowiemy.

— A więc w tym protokole nie ma nic podejrzanego?

— Nic.

Myron podniósł ręce.

— No, to co my tu robimy? Próbujemy odzyskać utraconą młodość?

Francine spojrzała mu w oczy.

— Ktoś się do mnie włamał — powiedziała.

— Co?!

— Po tym, jak przeczytałam te akta. Miało to wyglądać na włamanie, ale przeszukali mi dom. Dokładnie. Wywrócili do góry nogami. A tuż potem wezwał mnie Roy Pomeranz. Pamiętasz go?

— Nie.

— Był partnerem Wickera.

— A, tak, wczesny model mięśniaka?

— To on. Jest teraz szefem detektywów. Wczoraj wezwał mnie do siebie, czego nigdy wcześniej nie robił, i spytał, dlaczego zaglądałam do starych akt Bradfordów.

160

— I co mu powiedziałaś?

— Wymyśliłam bajeczkę, że badam dawne techniki policyjne.

Myron zrobił minę.

— I kupił to?

— Nie kupił — odparła z irytacją. — Chciał wmontować mnie w ścianę i wydusić prawdę. Ale bał się. Udawał, że to nic takiego, że zadaje rutynowe pytania, ale żebyś widział jego minę. Był o pół kanapki z jajkiem od zawału. Powiedział, że to rok wyborów i obawia się następstw mojego szperania. Dużo kiwałam głową i przepraszałam. Uwierzyłam w jego historyjkę tak mocno, jak on w moją. W drodze do domu spostrzegłam, że mam ogon. Dziś rano go zgubiłam, no i jestem.

— Przetrząsnęli ci mieszkanie?

— Tak. Robota zawodowców. — Francine, która zdążyła wstać, podeszła do Myrona. — Wlazłam dla ciebie w gniazdo węży. Powiesz mi, za co mnie gryzą?

Rozważył możliwości i uznał, że nie ma wyjścia. Wpakował ją w kabałę. Miała prawo wiedzieć.

— Czytałaś dzisiejszą gazetę? — spytał.

— Tak.

— A artykuł o zabójstwie Horace'a Slaughtera?

— Tak. — Wyciągnęła rękę, jakby chciała go uciszyć. — W tych aktach było nazwisko Slaughter. Ale nosiła je kobieta. Pokojówka czy ktoś taki. Znalazła zwłoki Bradfordowej.

— Anita Slaughter. Jego żona.

Francine lekko pobladła.

— Kurczę, nie podoba mi się to. Mów dalej.

Opowiedział jej całą historię. Kiedy skończył, spojrzała na boisko, na którym swego czasu grała w hokeja na trawie jako kapitanka drużyny. Przygryzła dolną wargę.

— Jeszcze jedno — powiedziała. — Nie wiem, czy to ważne. Ale przed śmiercią Elizabeth Bradford Anitę napadnięto.

Myron cofnął się o krok.

— Jak to, napadnięto?

— Jest o tym w protokole. Wickner napisał, że u świadka Anity Slaughter wciąż widać zadrapania po napaści.

— Jakiej napaści? Kiedy?

— Nie wiem. W protokole jest tylko to.

— Jak możemy dowiedzieć się więcej?

— W archiwum być może zachował się jakiś meldunek. Ale...

— No tak, nie możesz ryzykować.

Francine sprawdziła godzinę. Przysunęła się do Myrona.

— Przed służbą muszę załatwić kilka spraw — powiedziała.

— Bądź ostrożna. Przyjmij, że w domu i telefonie założyli ci podsłuch. I że cały czas będą cię śledzić. Jeśli zauważysz ogon, zadzwoń do mnie na komórkę.

Skinęła głową i znów spojrzała na boisko.

— Szkoła średnia. Tęsknisz za nią? — spytała cicho.

Myron przyjrzał się jej.

— Ja również nie — przyznała z uśmiechem.

19

Kiedy wracał do domu, zadzwoniła komórka.

— Mam informację o karcie kredytowej Slaughtera — oznajmił Win, jeszcze jeden miłośnik wymiany uprzejmości.

Dochodziła ósma.

— Nie śpisz? — spytał Myron.

— Wielki Boże. — Win odczekał chwilę. — Kto mnie wydał?

— Przypominam, że zazwyczaj śpisz do późna.

— Jeszcze nie położyłem się spać.

— Aha.

Myron o mały włos go nie spytał, co robił, ale w porę się zreflektował. Najlepiej było nie wiedzieć, co Win wyrabia w nocy.

— W ubiegłych dwóch tygodniach płacił nią tylko raz. W zeszły czwartek użył karty Discover w Holiday Inn w Livingston.

Myron pokręcił głową. Znowu Livingston. Dzień później Horace zniknął.

— Ile zapłacił?

— Równo dwadzieścia sześć dolarów.

Dziwna suma.

— Dzięki.

Win rozłączył się.

Livingston. Horace Slaughter odwiedził Livingston. Myron odtworzył teorię, która chodziła mu po głowie od wczoraj. Wyglądała coraz prawdopodobniej.

Kiedy dotarł do domu, Brenda zdążyła wziąć prysznic i ubrać się. Uczesane w „kolbę kukurydzy" włosy opadały jej cudowną ciemną kaskadą na ramiona. Skóra barwy *café con leche* jaśniała. Jej uśmiech wkręcił mu się w serce jak korkociąg.

Miał wielką ochotę ją przytulić.

— Zadzwoniłam do ciotki Mabel — powiedziała. — Zbierają się u niej znajomi.

— Podwiozę cię.

Pożegnali się z mamą Myrona. Przestrzegła ich z całą powagą, żeby nie rozmawiali z policją bez adwokata. I żeby zapięli pasy.

— Masz wspaniałych rodziców — powiedziała Brenda w samochodzie.

— Owszem.

— Szczęściarz.

Skinął głową. Zamilkli.

— Czekam, aż jedno z nas powie: „Co do wczorajszego wieczoru" — odezwała się.

— Ja też — odparł z uśmiechem.

— Nie zapomnę go.

Myron przełknął ślinę.

— Ja też.

— Co zrobimy?

— Nie wiem.

— Zdecydowanie. Oto co lubię w mężczyźnie.

Uśmiechnął się i skręcił w Hobart Gap Road.

— West Orange jest w przeciwną stronę — powiedziała.

— Po drodze chcę na chwilę gdzieś wpaść, dobrze?

— Gdzie?

— Do Holiday Inn. Z karty płatniczej twojego ojca wynika, że był tam w zeszły czwartek. Użył jej wtedy po raz ostatni. Myślę, że spotkał się z kimś w restauracji.

— Skąd wiesz, że nie zanocował?

— Zapłacił równo dwadzieścia sześć dolarów. To za mało jak na wynajęcie pokoju, a za dużo jak na posiłek dla jednej osoby. Poza tym to gołe dwadzieścia sześć dolarów. Bez centów. Zaokrąglasz rachunek, gdy dajesz napiwek. Najprawdopodobniej więc zjadł z kimś lunch.

— Co chcesz zrobić?

Myron leciutko wzruszył ramionami.

— Pokażę im zdjęcie Horace'a z gazety. Zobaczymy, co z tego wyniknie.

Zjechał z drogi 10. w lewo i zatrzymał się na parkingu przed Holiday Inn, typowym piętrowym przydrożnym motelem, niespełna dwie mile od domu rodziców. Poprzednim razem był tu cztery lata temu. Na wieczorze kawalerskim kumpla ze szkoły średniej. Wynajęta przez kogoś czarna prostytutka o imieniu Niebezpieczna, które pasowało do niej jak ulał, dała im „sex-show" nie tyle erotyczny, ile zakręcony jak ruska ruletka. Rozdała też wizytówki z zachętą: SZUKASZ DOBREJ ZABAWY, DZWOŃ DO NIEBEZPIECZNEJ. Jakie oryginalne. Chyba jednak nie było to jej prawdziwe imię.

— Zaczekasz w samochodzie? — spytał Brendę.

— Przejdę się.

W holu wisiały reprodukcje kwiatów. Dywan był jasno-zielony. Recepcja po prawej. Po lewej przeraźliwie szpetna rzeźba z plastiku, która wyglądała jak dwa złączone rybie ogony.

Trwało śniadanie. W stylu samoobsługowym. Przy szwedzkim stole kręcił się zręcznie niczym w tańcu tłum ludzi — krok w przód, jedzenie na talerz, krok w tył, krok w prawo i znowu w przód. Nikt na nikogo nie wpadał w tym kłębowisku ruchliwych ust i rąk. Scena ta przywodziła na myśl mrowisko z filmu przyrodniczego na kanale Discovery.

— Na ile osób? — spytała energiczna hostessa.

Myron przybrał policyjną minę, zaprawiając ją szczyptą profesjonalnego, a zarazem przystępnego uśmiechu w stylu prezentera ABC, Petera Jenningsa. Odchrząknął i prosto z mostu, bez wstępów, spytał:

— Widziała pani tego człowieka?

Pokazał zdjęcie z gazety. Energiczna hostessa przyjrzała się fotografii. Nie spytała go, kim jest. Tak jak liczył, z jego zachowania wywnioskowała, że jest osobą urzędową.

— Źle pan trafił — odparła. — Niech pan spyta Caroline.

— Caroline? — powtórzył Myron Bolitar, detektyw papuga.

— Caroline Gundeck. To ona jadła z nim lunch. Raz na jakiś czas dopisuje człowiekowi szczęście.

— W czwartek tydzień temu?

— Chyba tak — odparła po krótkim zastanowieniu.

— Gdzie znajdę panią Gundeck?

— W jej biurze na poziomie B. W końcu korytarza.

— Pracuje tutaj?

Na wieść, że Caroline Gundeck ma biuro na poziomie B, w mig wydedukował, że również tu pracuje. Sherlock jeden!

— Caroline pracuje tu od zawsze — odparła hostessa, przyjaźnie wywracając oczami.

— Na jakim stanowisku?

— Intendentki.

Hm! Jej zawód niczego nie wyjaśniał — chyba że Horace planował przed śmiercią wydać przyjęcie. Mocno wątpliwe. Niemniej był to konkretny trop. Myron zszedł do sutereny i szybko odnalazł biuro. Na tym jednak jego szczęście się skończyło. Pani Gundeck nie ma dzisiaj w pracy, poinformowała go sekretarka. Nie umiała powiedzieć, czy się dzisiaj zjawi. Na prośbę o numer domowego telefonu szefowej zmarszczyła brwi. Myron nie naciskał. Caroline Gundeck mieszkała w okolicy. Z uzyskaniem numeru jej telefonu i adresu nie powinno być żadnych trudności.

Z korytarza zadzwonił do informacji. Spytał o panią Gundeck z Livingston. Pudło. Spytał więc o panią Gundeck z East Hanover lub okolic. Bingo! Caroline Gundeck mieszkała w Whippany. Zadzwonił. Po czterech sygnałach włączyła się sekretarka. Nagrał się.

W holu zastał Brendę. Stała w kącie, z pobladłą twarzą i oczami tak rozszerzonymi, jakby przed chwilą uderzono ją w splot słoneczny. Nie zareagowała, nie spojrzała na niego, kiedy podszedł.

— Co się stało? — spytał.

Zaczerpnęła łyk powietrza.

— Już tu byłam — powiedziała.

— Kiedy?

— Dawno temu. Nie pamiętam. Mam wrażenie... a może tylko mi się tak wydaje, że byłam tu jako mała dziewczynka. Z matką.

Zamilkli.

— Czy pamiętasz...

— Nic nie pamiętam — przerwała mu. — Nie jestem nawet pewna, czy to było tutaj. Może w innym motelu. Ten niczym się nie wyróżnia. Ale chyba w tym. Ta dziwna rzeźba wygląda znajomo.

— W co byłaś ubrana? — zagadnął.

Potrząsnęła głową.

— Nie wiem.

— A w co była ubrana twoja matka?

— Jesteś doradcą w sprawach mody?

— Próbuję pobudzić twoją pamięć.

— Nic nie pamiętam. Kiedy zniknęła, miałam pięć lat. Ile można zapamiętać z wczesnego dzieciństwa?

Trudno.

— Przejdźmy się — zaproponował. — Może coś sobie przypomnisz.

Nic jednak nie wypłynęło na powierzchnię, a może nie miało co wypłynąć. Zresztą nie liczył na to. Stłumiona pamięć i podobne rzeczy nie były jego specjalnością. W każdym razie dziwny epizod z rzeźbą odpowiadał scenariuszowi. Wracając do samochodu, postanowił, że przedstawi Brendzie swoją hipotezę.

— Chyba wiem, co robił twój ojciec — powiedział.

Przystanęła i spojrzała na niego. Nie zatrzymał się. Wsiadł do auta. Brenda za nim. Zatrzasnęli drzwiczki.

— Myślę, że Horace szukał twojej matki.

Dotarło to do niej po chwili. Opadła na oparcie.

— Dlaczego? — spytała.

Zapalił silnik.

— Pamiętaj, że powiedziałem „myślę". Myślę, że to właśnie robił. Ale nie mam konkretnego dowodu.

— Mów.

Wziął głęboki oddech.

— Zacznijmy od wyciągu jego rozmów telefonicznych. Po pierwsze, kilka razy dzwonił do biura wyborczego Arthura Bradforda. Dlaczego? Wiemy, że z Bradfordami łączyło go tylko jedno.

— To, że moja matka u nich pracowała.

— Tak. Dwadzieścia lat temu. Ale należy uwzględnić jeszcze coś. Kiedy zacząłem jej szukać i natrafiłem na Bradfordów, przyszło mi na myśl, że mogą mieć coś wspólnego z jej zniknięciem. Być może twój ojciec też doszedł do tego wniosku.

Na Brendzie nie zrobiło to wrażenia.

— Co poza tym? — spytała.

— Po drugie, Horace wydzwaniał do dwóch adwokatów, którzy zajmowali się twoimi stypendiami.

— I co?

— Dlaczego do nich dzwonił?

— Nie wiem.

— Te stypendia są dziwne, Brendo. Zwłaszcza pierwsze. Stypendium do drogiej prywatnej szkoły wraz z pełnym utrzymaniem? Mimo że nie byłaś jeszcze koszykarką? Coś tu się nie zgadza. Zasady przyznawania stypendiów są inne. Byłaś jedyną stypendystką Edukacji Powszechnej. Sprawdziłem to. Owo stypendium przyznano tylko raz.

— Do czego zmierzasz?

— Ktoś ufundował je z jednego jedynego powodu: żeby przekazać ci pieniądze. — Przy odzieżowym sklepie dyskontowym Daffy Dan Myron zawrócił i drogą 10. skierował się w stronę ronda. — Innymi słowy, ktoś ci pomógł. Dużo wskazuje, że twój ojciec próbował się dowiedzieć kto.

Zerknął na Brendę. Nie patrzyła na niego.

— Myślisz, że moja matka? — spytała wreszcie chrapliwym głosem.

— Nie wiem — odparł ostrożnie. — Po co jednak Horace dzwoniłby tyle razy do Thomasa Kincaida, który przestał zajmować się twoimi stypendiami, gdy skończyłaś szkołę średnią? Dlaczego mu się naprzykrzał i nękał telefonami? Na myśl przychodzi mi tylko jedno: Kincaid miał informacje, które chciał zdobyć twój ojciec.

— Skąd pochodziły pieniądze na moje stypendium?

— Właśnie. Gdybyśmy to wyśledzili — ciągnął wciąż ostrożnie — odkrylibyśmy coś bardzo interesującego.

— A jesteśmy w stanie?

— Trudno powiedzieć. Adwokaci z pewnością powołają się na tajemnicę. Ale zlecę to zadanie Winowi. Gdy w grę wchodzą pieniądze, ma odpowiednie koneksje, żeby wyśledzić ich źródło.

Brenda zagłębiła się w fotelu, trawiąc to, co powiedział.

— Myślisz, że ojcu się to udało?

— Wątpię. W każdym razie narobił hałasu. Dobrał się do prawników, co więcej, posunął się do wypytywania Arthura Bradforda. Prawdopodobnie przesadził. Nawet jeśli nie zrobił nic złego, Bradfordowi nie mogło się spodobać, zwłaszcza w roku wyborów, że ktoś grzebie w jego przeszłości, wskrzesza stare zmory.

— I zabił go?

Myron nie bardzo wiedział, jak jej odpowiedzieć.

— Za wcześnie, by mieć pewność. Ale przyjmijmy na chwilę, że twój ojciec grzebał odrobinę za mocno. I że wystraszył się po pobiciu zleconym przez Bradfordów.

Brenda skinęła głową.

— Krew w szafce — powiedziała.

— Tak. Rozważałem, dlaczego znaleźliśmy ją właśnie tam, dlaczego Horace nie wrócił do domu, żeby się przebrać i ogarnąć. Domyślam się, że pobito go blisko szpitala. A przynajmniej w Livingston.

— Gdzie mieszkają Bradfordowie.

Potwierdził skinieniem głowy.

— Jeśli Horace uciekł prześladowcom lub po prostu się bał, że znów go dopadną, to nie mógł wrócić do domu. W szpitalu najprawdopodobniej zmienił ubranie i uciekł. W kostnicy leżał w kącie mundur ochroniarza. To pewnie w niego się przebrał, gdy dotarł do szafki. A potem dał dyla i...

Urwał.

— Co? — spytała.

— Cholera!

— Co?

— Jaki jest numer telefonu Mabel?

Brenda podała mu go.

— O co chodzi? — spytała.

Myron włączył komórkę, zadzwonił do Lisy z centrali telefonów Bell Atlantic i poprosił ją, żeby sprawdziła podany numer. Zajęło jej to około dwóch minut.

— Oficjalnie nic nie ma — oznajmiła. — Ale sprawdziłam linię. Trzeszczy.

— To znaczy?

— Ktoś chyba założył podsłuch. W telefonie. Żeby się o tym upewnić, musiałbyś tam kogoś posłać.

Myron podziękował i rozłączył się.

— Mabel też założyli podsłuch w telefonie — powiedział. — Pewnie stąd dowiedzieli się o twoim ojcu. Zadzwonił do siostry i go namierzyli.

— Kto za tym stoi?

— Nie wiem.

Zamilkli. Minęli pizzerię Star-Bright. Gdy był chłopcem, krążyła plotka, że na jej zapleczu działa burdel. Był tam kilka razy z rodzicami. Kiedyś poszedł za tatą do toalety. I nic.

— W tej sprawie nie zgadza się jeszcze coś — powiedziała Brenda.

— Co?

— Jeżeli nie mylisz się co do tych stypendiów, to skąd moja matka wzięła tyle pieniędzy?

Dobre pytanie.

— Ile zabrała twojemu ojcu?

— Czternaście tysięcy.

— Jeżeli dobrze je zainwestowała, mogły wystarczyć. Od

jej zniknięcia do twojego pierwszego stypendium minęło siedem lat, więc...

Myron szybko obliczył w myślach. Na początek czternaście tysięcy. Hm! Anita Slaughter musiałaby natrafić na złotą żyłę, żeby pieniędzy starczyło na tak długo. Było to oczywiście możliwe, ale nawet w epoce Reagana mało prawdopodobne.

Wolnego.

— Może znalazła inny sposób na zdobycie pieniędzy — dodał.

— Jaki?

Na chwilę zamilkł. Myślał intensywnie. Zerknął we wsteczne lusterko. Nie zauważył, żeby ktoś ich śledził, to jednak o niczym nie świadczyło. Sporadycznie zerkając w lusterko, trudno wykryć ogon. Musisz obserwować samochody, zapamiętywać je, analizować ich ruchy. Ale nie mógł się na tym skupić. Nie w tej chwili.

— Myron?

— Myślę.

Miała minę, jakby chciała coś powiedzieć, ale się rozmyśliła.

— Przypuśćmy — ciągnął — że twoja matka dowiedziała się czegoś o śmierci Elizabeth Bradford.

— Już o tym mówiliśmy.

— Posłuchaj mnie przez chwilę. Dopuściliśmy dwie możliwości. Jedną, że wystraszyła się i uciekła. Drugą, że uciekła, bo chciano jej zrobić krzywdę.

— Wymyśliłeś trzecią?

— Powiedzmy. — Minął nową kawiarnię Starbucks na rogu Mount Pleasant Avenue. Choć miał ochotę stanąć — pociąg do kofeiny działał z magnetyczną siłą — pojechał dalej. — Przypuśćmy, że twoja matka rzeczywiście uciekła. I że gdy poczuła się bezpieczna, zażądała pieniędzy za milczenie.

— Myślisz, że szantażowała Bradfordów?

— Potraktowała to jako rekompensatę — ciągnął, na poczekaniu formułując domysły, co zawsze jest niebezpieczne. — Zobaczyła coś i uświadomiła sobie, że tylko ucieczka i ukrycie się zapewni bezpieczeństwo jej samej i rodzinie. I że jeśli

Bradfordowie ją znajdą, to najzwyczajniej w świecie zabiją. Wiedziała, że w razie jakiegoś wybiegu, na przykład, gdyby ukryła obciążający ich dowód w skrytce bankowej, będą ją torturować dopóty, dopóki nie wyjawi im, gdzie on jest. Twoja matka nie miała wyboru. Musiała uciec. Ale chciała też zająć się córką. Zadbała więc, żeby Brenda dostała w życiu to wszystko, czego jej samej zabrakło. Dobre wykształcenie. Możliwość mieszkania w czystym kampusie, a nie w getcie w Newark. I tak dalej.

Znów zamilkli.

Myron czekał. Za szybko formułował teorie, nie dając mózgowi szansy na przetrawienie czy choćby ocenę słów, które wypowiadał. Urwał, żeby ochłonąć.

— Te twoje scenariusze! — powiedziała Brenda. — Wciąż przedstawiasz moją matkę w jak najlepszym świetle. I to światło cię oślepia.

— Jak to?

— Spytam cię jeszcze raz: jeżeli to wszystko jest prawdą, to dlaczego mnie z sobą nie zabrała?

— Uciekała przed mordercami. Jaka matka naraziłaby dziecko na takie niebezpieczeństwo?

— I tak obłąkańczo się wystraszyła, że nie zdobyła się choćby na jeden telefon? Na zobaczenie się ze mną?

— Obłąkańczo? — powtórzył. — Ci ludzie założyli ci podsłuch. Kazali cię śledzić. Twój ojciec nie żyje.

— Nie rozumiesz.

Brenda pokręciła głową.

— Czego?

Oczy jej zwilgotniały, ale głos brzmiał nieco za spokojnie.

— Możesz ją usprawiedliwiać do woli, ale nie zmienisz faktu, że porzuciła własną córkę. Nawet gdyby miała dobry powód po temu, nawet gdyby była cudowną matką, gotową na największe poświęcenia, i zrobiła to wszystko, żeby mnie ochronić, to jak mogła dopuścić, by jej dziecko rosło w przekonaniu, że je zostawiła? Nie zdawała sobie sprawy, jak zdruzgocze to pięcioletnią dziewczynkę? Przez tyle lat nie znalazła sposobu, żeby wyznać jej prawdę?

Własną córkę. Jej dziecko. Wyznać jej prawdę. Nigdy mnie, jej. Ciekawe. Ale Myron nie znał rozwiązania. Milczał.

Minęli Instytut Kesslera i trafili na światła.

— Tak czy owak chcę pojechać na popołudniowy trening — odezwała się jakiś czas potem Brenda.

Skinął głową. Dobrze ją rozumiał. Boisko było pocieszeniem.

— I zagrać w meczu inauguracyjnym.

Ponownie skinął głową. Horace też pewnie by tego chciał.

Skręcili w pobliżu Mountain High School i podjechali pod dom Mabel Edwards. Na ulicy parkowało co najmniej z tuzin samochodów, głównie amerykańskich, starych i zdezelowanych. Przy drzwiach stała murzyńska para w odświętnych strojach. Mężczyzna nacisnął dzwonek. Kobieta trzymała półmisek z jedzeniem. Spojrzeli groźnie na Brendę i odwrócili się plecami.

— Widzę, że czytali gazety — powiedziała.

— Nikt nie myśli, że ty to zrobiłaś.

Z jej miny wyczytał, że nie życzy sobie pocieszania.

Doszli do drzwi i stanęli za murzyńską parą. Para fuknęła i odwróciła wzrok. Mężczyzna zastukał butem. Kobieta demonstracyjnie westchnęła. Myron otworzył usta, ale Brenda zamknęła mu je zdecydowanym ruchem głowy. Już czytała w jego myślach.

Otworzono drzwi. W środku było pełno ludzi. Wszyscy ładnie ubrani. Sami czarni. Dziwne, że to zauważał. Czarną parę. Czarnych ludzi w środku. Poprzedniego wieczoru nie dostrzegł nic nadzwyczajnego w tym, że wszyscy oprócz Brendy są biali. Prawdę mówiąc, nie pamiętał wypadku, by w jakimkolwiek barbecue w sąsiedztwie uczestniczył jakiś Murzyn. Więc dlaczego go zaskoczyło, że jest tu jedynym białym? I dlaczego czuł się z tego powodu dziwnie?

Murzyńska para zniknęła w środku, jakby wessał ją wir. Brenda się zawahała. Gdy wreszcie przekroczyli próg, przypominało to scenę w salonie z filmu z Johnem Wayne'em. Szmer głosów urwał się tak nagle, jakby ktoś zgasił radio. Wszyscy się odwrócili i wpatrzyli we wchodzących. Przez pół sekundy Myron myślał, że chodzi o kolor skóry — był tu jedynym białym — lecz zaraz się zorientował, że swą niechęć skupiają na córce w żałobie.

Brenda miała rację. Myśleli, że to zrobiła.

W pokoju było tłoczno, gorąco i duszno. Wentylatory wirowały bezsilnie. Mężczyźni rozchylali kołnierzyki, łapiąc powietrze. Twarze spływały potem. Myron spojrzał na Brendę. Wydała mu się mała, samotna i wystraszona, ale nie odwróciła wzroku. Poczuł, że bierze go za rękę. Oddał jej uścisk. Stała prosto jak trzcina, z wysoko uniesioną głową.

Tłum trochę się rozstąpił i wyłoniła się Mabel Edwards. Oczy miała czerwone i zapuchnięte. W ręku ściskała zwiniętą chuste-czkę. Zebrani zwrócili na nią spojrzenia, czekając, co zrobi. Na widok siostrzenicy rozpostarła ramiona i przyzwała ją gestem do siebie. Brenda bez wahania pomknęła w grube, miękkie objęcia ciotki, złożyła głowę na jej ramieniu i po raz pierwszy zaszlo-chała. Nie był to płacz, tylko rozdzierający szloch.

Kołysząc Brendę w ramionach, Mabel klepała ją po plecach i pocieszała łagodnie. Ale cały czas wodziła oczami po pokoju jak matka wilczyca, gasząc wszelkie niechętne spojrzenia rzucane w stronę bratanicy.

Tłum już nie patrzył na nich, wrócił normalny szum. Myron poczuł, jak rozkurcza mu się żołądek. Poszukał wzrokiem znajomych twarzy. Rozpoznał dwóch koszykarzy, przeciw którym grał w szkole średniej i w lidze. Pozdrowili go skinie-niami. Odpowiedział im tym samym. Przez pokój przeleciał malec, wyjąc jak syrena. Myron rozpoznał w nim dzieciaka ze zdjęć stojących na kominku. Wnuczek Mabel. Syn Terence'a Edwardsa.

A gdzie był kandydat Edwards?

Myron ponownie rozejrzał się po pokoju. Ani śladu Teren-ce'a. Mabel i Brenda wreszcie się rozłączyły. Brenda otarła oczy, a kiedy ciotka wskazała jej łazienkę, skinęła głową i szybko wyszła.

Mabel, wpatrując się w Myrona, podeszła do niego i bez wstępów spytała:

— Wiesz, kto zabił mojego brata?

— Nie.

— Ale go znajdziesz.

— Tak.

— Masz jakieś podejrzenia?

— Tylko podejrzenia — odparł. — Nic więcej.

Skinęła głową.

— Dobry z ciebie chłopak, Myron — powiedziała.

Kominek pełnił poniekąd rolę ołtarza. Zdjęcie Horace'a otaczały świece i kwiaty. Patrząc na uśmiech, którego nie widział od dziesięciu lat i miał już nigdy nie zobaczyć, Myron wcale nie czuł się dobry.

— Muszę zadać pani jeszcze kilka pytań — odparł.

— Proszę bardzo.

— Także na temat Anity.

Mabel utkwiła w nim wzrok.

— Wciąż myślisz, że Anita ma jakiś związek z tym wszystkim?

— Tak. Chciałbym też przysłać tu kogoś, żeby sprawdził pani telefon.

— Dlaczego?

— Jest na podsłuchu.

— Ale kto chciałby mnie podsłuchiwać? — spytała zmieszana.

Zrezygnował ze spekulacji.

— Nie wiem — odparł. — Czy pani brat, dzwoniąc tutaj, wspomniał o Holiday Inn w Livingston?

W jej oczach zaszła zmiana.

— Dlaczego o to pytasz?

— Dzień przed zniknięciem Horace zjadł tam lunch z kierowniczką. Był to ostatni rachunek, jaki zapłacił kartą. Poza tym wpadliśmy tam dziś z Brendą i motel wydał się jej znajomy. Ma wrażenie, że była w nim kiedyś z Anitą.

Mabel zamknęła oczy.

— Co się stało? — spytał.

Do domu weszli nowi żałobnicy, niosąc półmiski z jedzeniem.

Mabel z miłym uśmiechem przyjęła kondolencje, mocno ściskając im dłonie. Myron czekał.

— Horace nie wspomniał przez telefon o Holiday Inn — powiedziała mu w wolnej chwili.

— Jeszcze jedno pytanie.

— Tak?

— Czy Anita była kiedyś z Brendą w tym motelu?

Do pokoju weszła Brenda. Spojrzała na nich. Mabel położyła dłoń na ramieniu Myrona.

— Nie pora na taką rozmowę — powiedziała.

Skinął głową.

— Możesz przyjechać jutro wieczorem? Sam.

— Tak.

Zostawiła go zajęła się rodziną i przyjaciółmi brata. Myron znowu poczuł się jak intruz, lecz tym razem wcale nie z powodu barwy skóry.

Szybko wyszedł.

20

W samochodzie włączył komórkę. Były dwa telefony. Jeden od Esperanzy z agencji, drugi od Jessiki. Po krótkim namyśle — bo właściwie nie było się nad czym zastanawiać — zadzwonił do hotelu w Los Angeles. Czy, oddzwaniając do Jessiki niezwłocznie, zachował się jak mięczak? Być może. Jednakże we własnych oczach okazał wyjątkową dojrzałość. Ktoś mógłby nazwać go pantoflarzem, ale kombinacje, gierki i podchody nie były w jego stylu.

Hotelowa telefonistka połączyła go z pokojem Jessiki, jednak nikt nie podniósł słuchawki. Zostawił wiadomość i zadzwonił do agencji.

— Mamy duży problem — oznajmiła Esperanza.

— W niedzielę?

— Pan Bóg wziął sobie wolne, ale nie właściciele drużyn.

— Słyszałaś o Horasie Slaughterze?

— Tak. Przykro mi, że straciłeś przyjaciela, ale mamy robotę. I problem.

— Jaki?

— Yankees sprzedają Lestera Ellisa. Do Seatlle. Na jutro zwołali konferencję prasową.

Myron potarł grzbiet nosa.

— Od kogo się dowiedziałaś?

— Od Devona Richardsa.

Rzetelne źródło. Cholera!

— Czy Lester o tym wie?

— Nie.

— Wścieknie się.

— Mnie to mówisz?

— Masz jakieś propozycje?

— Żadnych — odparła Esperanza. — Drobna korzyść z bycia podwładną.

Komórka zasygnalizowała, że ktoś dzwoni.

— Zadzwonię — zapowiedział i przełączył linię. — Halo?

— Ktoś mnie śledzi — oznajmiła Francine Neagly.

— Gdzie jesteś?

— Przy supermarkecie A&P, niedaleko ronda.

— Co to za samochód?

— Niebieski buick skylark. Kilkuletni. Z białym dachem.

— Numer rejestracyjny?

— New Jersey, cztery, siedem, sześć, cztery, pięć, T.

— Kiedy zaczynasz służbę? — spytał po chwili.

— Za pół godziny.

— W samochodzie czy przy biurku?

— Przy biurku.

— Dobra, przejmę go.

— Przejmiesz?

— Zostajesz w komendzie, więc nie będzie marnował pięknej niedzieli na czekanie. Pojadę za nim.

— Pośledzisz śledzącego?

— Tak. Pojedź Mount Pleasant do Livingston Avenue. Tam go przejmę.

— Myron?

— Tak?

— Jeżeli to duża sprawa, chcę się włączyć.

— Jasne.

Rozłączyli się. Myron zawrócił do Livingston. Zaparkował przy Memorial Circle, w pobliżu skrzyżowania z Livingston Avenue. Miał stamtąd dobry widok na komendę policji i łatwy dojazd do wszystkich tras. Silnik zostawił na chodzie, obserwując półmilowe „rondo", tłumnie odwiedzane przez living-stończyków. Przechadzające się wolno, zwykle dwójkami, starsze panie, z których co odważniejsze wymachiwały hantelkami. Pary po pięćdziesiątce i sześćdziesiątce, wiele z nich — miły obrazek — w jednakowych dresach. Wlokące się noga za nogą nastolatki, którym usta pracowały znacznie intensywniej niż kończyny i mięśnie sercowo-naczyniowe. Mijający ich jakby byli powietrzem zaprzysięgli biegacze z zaciętymi minami, w lśniących okularach, demonstrowali nagie brzuchy. Nagie brzuchy! Nawet mężczyźni! Co się wyrabiało?!

Zmusił się, żeby nie myśleć o całowaniu Brendy. O jej pałającej z podniecenia twarzy. O tym, co poczuł, kiedy uśmiechnęła się do niego z drugiego końca piknikowego stołu. O ożywieniu, z jakim rozmawiała z gośćmi na barbecue. I o czułości, z jaką opatrywała Timmy'emu nogę.

Jak dobrze, że o niej nie myślał.

Zadał sobie pytanie, czy Horace by to pochwalił. Dziwna myśl. Ale cóż poradzić. Czy jego dawny mentor by to zaakceptował? Ciekawe... Co by było, gdyby zaczął się spotykać z Murzynką? Dlaczego go pociągała? Z powodu tabu? Dlatego że coś go od niej odpychało? Jak wyglądałaby ich przyszłość? Wyobraził ich sobie, lekarkę pediatrę i agenta sportowego, mieszaną parę z podobnymi marzeniami, w podmiejskim domu... Jakie to głupie, że zakochany w przebywającej w Los Angeles kobiecie mężczyzna wymyśla podobne bzdury na temat osoby poznanej zaledwie dwa dni temu.

Głupie? Pewnie.

Jego samochód minęła zawzięta jasnowłosa biegaczka w obcisłych karmazynowych majtkach i w wysłużonym sportowym białym topie. Przebiegając, zajrzała do środka i uśmiechnęła się. Myron odpowiedział jej uśmiechem. Nagi brzuch! Nie ma tego złego, co by na dobre nie wyszło.

Po drugiej stronie ulicy Francine podjechała pod komendę policji. Trzymając nogę na hamulcu, Myron włączył bieg. Buick skylark minął komendę, nie zwalniając. Myron próbował sprawdzić u swojego informatora w wydziale komunikacji, do kogo należy ten wóz, ale była niedziela, więc cóż, wydział nie pracował.

Skręciwszy w Livingston Avenue, Myron podążył za buickiem na południe. Trzymał się cztery samochody z tyłu i wyciągał szyję. Nikt się nie ścigał. W niedzielę nikomu się nie śpieszyło. I bardzo dobrze. Buick zatrzymał się na światłach przy Northfield Avenue. Po prawej było małe centrum handlowe z cegły. Kiedy Myron dorastał, w tym samym budynku mieściła się szkoła podstawowa Roosevelta. Ale przed około dwudziestu laty ktoś uznał, że w New Jersey nie potrzeba aż tylu szkół, za to więcej centrów handlowych. Jasnowidz.

Skylark skręcił w prawo. Trzymający się z tyłu Myron poszedł w jego ślady. Znów jechali w stronę drogi 10., ale po niespełna pół mili skylark skręcił w lewo, w Crescent Road. Myron zmarszczył brwi. Ta podmiejska uliczka służyła głównie jako skrót do Hobart Gap Road. Hm! To znaczyło, że kierowca skylarka jest najprawdopodobniej stąd i dobrze zna miasto.

Po szybkim skręcie w prawo nastąpił skręt w lewo. Myron wiedział już, dokąd jedzie skylark. Oprócz dwupoziomowych domów i ledwie płynącego potoku w okolicy była tylko jedna rzecz — boisko szkolnej ligi besjbolowej.

Boisko Meadowbrook. A właściwie dwa. Słoneczna niedziela oznaczała, że ulica i parking będą zapchane pojazdami. Znane mu z dzieciństwa rodzinne samochody z drewnianymi panelami zastąpiły furgonetki i mikrobusy, lecz poza tym niewiele się zmieniło. Parking wciąż był żwirowy. W budkach z białego cementu z zielonymi pasami mamy-ochotniczki serwowały jedzenie i napoje. A z rozchwianych, wciąż metalowych trybun dochodził odrobinę za głośny doping rodziców.

Buick skylark zaparkował w niedozwolonym miejscu pod tablicą do zatrzymywania piłek. Myron zwolnił i zaczekał. Specjalnie się nie zdziwił, gdy z buicka wysiadł z wielkim fasonem detektyw Wickner, który kiedyś prowadził sprawę „wypadku" Elizabeth Bradford. Emerytowany policjant zdjął okulary przeciwsłoneczne, wrzucił je do wozu i włożył zieloną bejsbolówkę z dużym S. Twarz wyraźnie mu się odprężyła, jakby słońce świecące nad boiskiem było najdelikatniejszą masażystką. Pomachał jakimś znajomym, stojącym pod tablicą do zatrzymywania piłek — tablicą imienia Eliego Wicknera, jak głosił napis — a gdy pozdrowili go machnięciem ręki, ruszył w ich stronę.

Myron odczekał chwilę. Detektyw Eli Wickner pozostał wierny temu samemu miejscu — Tronowi Wicknera — co za czasów, gdy on sam grał na tym boisku jako chłopiec. Tam się z nim witano, podchodzono, klepano po plecach, ściskano mu dłoń. Niewiele brakowało, a całowano by w pierścień. Wickner promieniał. Był u siebie. W raju. Miejscu, gdzie wciąż czuł się bogiem.

Czas było to zmienić.

Myron znalazł wolne miejsce przecznicę dalej. Wysiadł z samochodu i ruszył w stronę boiska. Pod nogami zachrupał mu żwir. Cofnął się do czasów, gdy po tej samej nawierzchni szedł w miękkich dziecięcych korkach. Do jedenastego roku życia był dobrym graczem szkolnej ligi — co tam dobrym, wspaniałym. Grał tu, na boisku drugim. Miał najwięcej asów w lidze i był bliski pobicia miejscowego rekordu wszech czasów. Wystarczyło, żeby w czterech meczach zdobył dwa asy więcej. Rzucał dwunastoletni Joey Davito. Rzucał z całej siły, nie panując nad piłką. Pierwszą trafił go prosto w czoło, tuż pod kaskiem. Myron upadł. Pamiętał, że lądując na plecach, mrugał oczami. Pamiętał, jak patrzył w słońce. Pamiętał twarz pochylonego nad nim trenera, pana Farleya. A potem zobaczył ojca. Tata mruganiem powstrzymał łzy i wziął go w mocne ramiona, delikatnie podkładając pod głowę dużą dłoń. Pojechali do szpitala, ale wypadek nie pozostawił trwałych skutków. Przynajmniej fizycznych. Jednakże od tej pory Myron zaczął się uchylać przed piłkami w bazie-mecie. Zmienił się jego stosunek do bejsbolu. Zraził się do gry, która przestała być niewinną zabawą.

Rok później w ogóle przestał grać.

Wicknera otaczała gromada mężczyzn w bejsbolówkach, nasadzonych prosto, wysokich, bez pogniecionych daszków, jak u chłopców. Ich pękate, jakby połknęli kule do kręgli, bandziochy — piwne mięśnie wyrzeźbione budweiserem —

opinały białe koszulki. Opierając się łokciami o płot, w pozach z niedzielnej przejażdżki samochodem, komentowali grę chłopaczków, nie szczędząc im krytyki, analizując zagrania i przepowiadając przyszłość, tak jakby kogokolwiek obchodziło choć trochę ich zdanie.

Szkolna liga bejsbolowa jest źródłem wielu uraz. W ostatnich latach słusznie napisano sporo cierpkich słów o nachalnych, przesadnie ambitnych rodzicach małych graczy, ale ich czułostkowa, głosząca powszechną równość, politycznie poprawna, pseudonewage'owa odmiana jest niewiele lepsza. Chłopak leciutko odbija piłkę po ziemi. Przygnębiony, wzdycha, idzie do pierwszej bazy, eliminują go z gry, gdy do drugiej brak mu mili, skwaszony w milczeniu wraca do boksu, a newage'owy trener woła do niego: „Świetnie się spisałeś!". A przecież nie spisał się dobrze. I co stąd wynika? Rodzice udają, że zwycięstwo jest nieważne, a najlepszy gracz w drużynie nie powinien odbijać piłek w pierwszej kolejności ani grać dłużej od najgorszego. Sęk jednak w tym — pomijając fakt, iż jest to wierutne kłamstwo — że dzieciaki nie dają się okpić. Dzieciaki nie są głupie. Dobrze wiedzą, że mydli im się oczy gadkami typu „jak długo sprawia wam to przyjemność". I nie znoszą tego.

Tak więc urazy pozostają. I pewnie nic tego nie zmieni.

Niektórzy rozpoznali Myrona. Klepiąc sąsiadów po ramionach, zaczęli pokazywać go rękami. Jest tam. Myron Bolitar. Najlepszy koszykarz, jakiego wydało to miasto. Byłby zawodowym asem, gdyby... Gdyby nie pech. Kolano. Myron Bolitar. Na poły legenda, na poły przestroga dla dzisiejszych młodych. Sportowy odpowiednik rozbitego samochodu, który zwykle pokazują jako ostrzeżenie, czym grozi jazda po pijaku.

Myron skierował się wprost do mężczyzn przy tablicy. Kibiców z Livingston. Gości, którzy chodzili na wszystkie mecze futbolowe, koszykarskie i bejsbolowe. Niektórzy z nich byli mili. Innym nie zamykały się usta. Wszyscy rozpoznali Myrona. Ciepło go powitali. Detektyw Wickner, ze wzrokiem przyklejonym do boiska, milczał, odrobinę za pilnie je obserwując, zwłaszcza że trwała przerwa między kolejkami.

Myron klepnął go w ramię.

— Cześć, detektywie — powiedział.

Wickner odwrócił się wolno. Jego przenikliwe szare oczy były dziś mocno przekrwione. Może z powodu zapalenia spojówek. Jakiegoś uczulenia. Albo alkoholu. Co kto woli. Opalona na brąz skóra wyglądała jak niegarbowana. Suwak żółtej koszuli z kołnierzykiem miał rozpięty. Na szyi gruby złoty łańcuch. Prawdopodobnie nowy. Może kupiony z okazji przejścia na emeryturę. Nie pasował do niego.

Wickner zdobył się na uśmiech.

— Na tyle wydoroślałeś, Myron, by mówić mi Eli — odparł.

— Jak się masz, Eli? — spróbował Myron.

— Nie najgorzej. Emerytura mi służy. Dużo wędkuję. A co u ciebie? Wiem, że próbowałeś wrócić do koszykówki. Szkoda, że ci nie wyszło.

— Dziękuję.

— Wciąż mieszkasz z rodzicami?

— Nie, w Nowym Jorku.

— To co cię sprowadza w te strony? Odwiedzasz rodzinę?

Myron potrząsnął głową.

— Chciałem z tobą porozmawiać.

Odeszli wolno kilka kroków od grupy. Nikt do nich nie dołączył, język ich ciał działał jak pole siłowe.

— O czym? — spytał Wickner.

— O starej sprawie.

— Policyjnej?

— Tak — odparł Myron, patrząc mu w oczy.

— Co to za sprawa?

— Śmierć Elizabeth Bradford.

Wickner, trzeba mu przyznać, nie odegrał zaskoczenia. Zdjął bejsbolówkę, przygładził siwe rozwichrzone kosmyki i włożył czapkę z powrotem.

— Co chcesz wiedzieć? — spytał.

— Bradfordowie cię przekupili? Zapłacili ci jednorazowo czy na raty i z odsetkami?

Wickner nie zgiął się po tym ciosie, ale prawy kącik ust drgał mu tak, jakby starał się powstrzymać łzy.

— Nie podoba mi się to, co mówisz, synu — odparł.

— Trudno. — Myron wiedział, że tańczenie wokół tematu i subtelne wypytywanie nic nie dadzą. Jego jedyną szansą był bezpośredni frontalny atak. — Masz do wyboru, Eli. Albo mi powiesz, co naprawdę stało się z Elizabeth Bradford, a ja w zamian zataję twój udział w sprawie. Albo roztrąbię prasie, że policja ukryła wyniki śledztwa, i stracisz dobre imię. — Wskazał na boisko. — A kiedy z tobą skończę, będziesz miał duże szczęście, jeśli twoje nazwisko ozdobi klubowy pisuar.

Wickner odwrócił się. Jego ramiona wznosiły się i opadały, jakby z trudem oddychał.

— Nie wiem, o czym mówisz — powiedział.

Myron zawahał się tylko chwilę.

— Co się z tobą stało, Eli? — spytał cicho.

— Słucham?

— Kiedyś cię podziwiałem. Szanowałem twoje zdanie.

Trafił w sedno. Ramiona Wicknera lekko podskoczyły. Nie podniósł głowy. Myron czekał. Wickner w końcu obrócił się twarzą ku niemu. Jego ogorzała skóra wydawała się jeszcze suchsza i bardziej szorstka. Szykował się, żeby coś powiedzieć. Myron nie ponaglał go, czekał.

Wtem na jego ramieniu zacisnęła się wielka dłoń.

— Mamy problem?

Myron obrócił się. Dłoń należała do szefa detektywów, Roya Pomeranza, kulturysty, byłego partnera Eliego Wicknera. Był w białej koszulce i białych spodenkach, tak wysoko podciągniętych, jakby ktoś go za nie podnosił. Zachował posturę He-mana, ale kompletnie wyłysiał i głowę miał gładką jak wywoskowane kolano.

— Zabierz tę rękę — powiedział Myron.

Pomeranz zignorował żądanie.

— Wszystko w porządku? — spytał.

— My tylko rozmawiamy, Roy — odparł Wickner.

— O czym?

— O tobie — wtrącił Myron.

— Tak?

Pomeranz uśmiechnął się szeroko.

— Właśnie mówiliśmy, że gdybyś miał w uchu kolczyk, wyglądałbyś kropla w kroplę jak Mister Muscle.

Uśmiech Pomeranza zniknął.

— Powtórzę jeszcze raz. — Myron ściszył głos. — Zabierz rękę, bo złamię ci ją w trzech miejscach.

W trzech! Konkretne groźby skutkowały najlepiej. Nauczył się tego od Wina.

Żeby zachować twarz, Pomeranz zdjął rękę z jego ramienia po paru sekundach.

— Nadal służysz w policji, Roy — rzekł Myron. — A więc masz najwięcej do stracenia. Ale złożę ci tę samą propozycję co Eliemu. Powiedz, co wiesz o śmierci Bradfordowej, a postaram się zataić twój udział w sprawie.

— To dziwne, Bolitar.

Pomeranz uśmiechnął się bezczelnie.

— Co?

— Że ryjesz w niej w roku wyborów.

— Do czego pijesz?

— Że pracujesz dla Davisona. Dla tego spermojada próbujesz pogrążyć porządnego człowieka, jakim jest Arthur Bradford.

Davison był rywalem Bradforda do fotela gubernatora.

— Niestety, Roy, mylisz się.

— Naprawdę? Tak czy owak, Elizabeth Bradford umarła wskutek upadku.

— Kto ją popchnął?

— To był wypadek.

— Ktoś ją popchnął przypadkiem?

— Nikt jej nie popchnął, cwaniuro. Była późna noc. Śliski taras. Wypadła. To był wypadek, jakich wiele.

— Co ty powiesz? Ile kobiet w ostatnich dwudziestu latach wypadło w Livingston z własnego balkonu i się zabiło?

Pomeranz skrzyżował ręce na piersiach. Bicepsy sterczały

mu jak piłki do bejsbolu. Napinał mięśnie tak subtelnie, jak ktoś, kto chce ukryć, że je napina.

— Mówię o wypadkach w domu. Wiesz, ile osób ginie rocznie wskutek wypadków w domu?

— Nie wiem, Roy, ile?

Pomeranz nie odpowiedział. Niespodzianka. Wymienił spojrzenia z byłym partnerem. Wickner milczał. Wyglądał na zawstydzonego.

— A co z napaścią na Anitę Slaughter? — spytał Myron, decydując się pójść za ciosem. — To też był przypadek?

Policjanci oniemieli. Wickner mimowolnie jęknął. Pomeranzowi opadły ręce grube jak uda.

— Nie wiem, o czym mówisz — odparł.

— Ależ wiesz, Roy. Eli wspomniał o tym w aktach policyjnych.

Pomeranz wykrzywił się w gniewnym uśmiechu.

— Mówisz o aktach, które wykradła z archiwum Francine Neagly?

— Nie wykradła ich, tylko do nich zajrzała.

Pomeranz uśmiechnął się wolno.

— Szkoda, że zniknęły. Policjantka Neagly miała je w ręku ostatnia. Jesteśmy pewni, że je ukradła.

Myron pokręcił głową.

— Tak łatwo wam nie pójdzie, Roy. Możecie ukryć te akta. Możecie nawet ukryć akta o napaści na Anitę Slaughter. Ale ja mam w ręku akta szpitalne. Ze szpitala Świętego Barnaby. Oni je trzymają.

Policjanci znowu osłupieli. Blefował. Ale udanie. Trafił celnie.

Pomeranz nachylił się ku niemu, jego oddech cuchnął nieprzetrawionym jedzeniem.

— Wpychasz nos, gdzie nie trzeba — wycedził cicho.

— A ty nie myjesz po jedzeniu zębów.

— Nie pozwolę ci uwłaczać porządnemu człowiekowi fałszywymi insynuacjami!

— Uwłaczać insynuacjami? — powtórzył Myron. — Puszczasz sobie w radiowozie taśmy z kursami poszerzającymi słownictwo? Podatnicy o tym wiedzą?

— Pakujesz się w niebezpieczną grę, wesołku.

— U-u-u, ale się boję.

Brakuje ci riposty, sięgaj do klasyki.

— Nie muszę się z tobą chrzanić. — Pomeranz cofnął się i znów uśmiechnął. — Mam Francine Neagly.

— I co jej zrobisz?

— Nie miała powodu zaglądać do tych akt. Ktoś z kręgu Davisona, prawdopodobnie ty, Bolitar, zapłacił jej za ich wykradzenie. Ktoś, kto zbiera informacje, żeby je wypaczyć i zaszkodzić Arthurowi Bradfordowi.

— Wypaczyć? — spytał Myron, marszcząc czoło.

— Myślisz, że tego nie zrobię?

— Nie bardzo wiem, co to znaczy. Wypaczyć? To słowo też podłapałeś z którejś z twoich taśm?

Pomeranz wysunął ostrzegawczo palec.

— Myślisz, że nie zawieszę tej żałosnej cipy i nie zrujnuję jej kariery?

— Nawet ty nie jesteś chyba aż tak głupi, Pomeranz. Słyszałeś o Jessice Culver?

Palec Pomeranza opadł.

— To twoja dziewczyna. Pisarka.

— Bardzo znana. Bardzo szanowana. Wiesz, co zrobi z największą chęcią? Nagłośni i obnaży seksizm w policji. Spróbuj zrobić cokolwiek Francine, zdegradować ją, przydzielić choćby jedno gówniane zadanie, chuchnąć na nią między posiłkami, a bądź pewien, że Jessica załatwi cię tak, że w porównaniu z tobą Bob Packwood okaże się feministą w stylu Betty Friedan.

Pomeranz stropił się. Pewnie nie wiedział, kim jest Betty Friedan. Może zamiast niej należało wymienić Glorię Steinem. Niemniej, trzeba mu przyznać, dobrze wykorzystał czas. Dochodząc do siebie, zdobył się na prawie miły uśmiech.

— Chcesz zimnej wojny, proszę bardzo. Ja ci mogę posłać atomówkę, a ty mnie. Pat.

— Nieprawda, Roy. Ja nie mam nic do stracenia. Ty za to

masz robotę, rodzinę, dobre imię, a w perspektywie być może odsiadkę.

— Chyba żartujesz. Zadzierasz z najpotężniejszą rodziną w New Jersey. Naprawdę myślisz, że nie masz nic do stracenia?

Myron wzruszył ramionami.

— A do tego jestem kopnięty — odparł. — Inaczej mówiąc, mój mózg wszystko wypacza.

Pomeranz spojrzał na Wicknera. Wickner na niego. Prasnął kij pałkarza. Tłum zerwał się na nogi. Piłka uderzyła w ogrodzenie. „Dawaj, Billy!". Billy obiegł drugą bazę i wślizgnął się do trzeciej.

Pomeranz odszedł bez słowa.

Myron długo przyglądał się Wicknerowi.

— Bardzo jesteś zakłamany, Eli? — spytał.

Wickner nie odpowiedział.

— Kiedy miałem jedenaście lat, my, piątoklasiści, uważaliśmy cię za najrówniejszego gościa pod słońcem. Przyglądałem ci się podczas meczów. Bardzo chciałem zasłużyć na twoją pochwałę. Ale okazałeś się zwykłym kłamcą.

— Zostaw to, Myron — odparł Wickner, wpatrując się w boisko.

— Nie mogę.

— Davison to szuja. Nie wart tego.

— Nie pracuję dla Davisona. Pracuję dla córki Anity Slaughter.

Wickner wciąż wpatrywał się w boisko. Usta miał zaciśnięte, ale w ich kąciku Myron znów dostrzegł drżenie.

— Zranisz wielu ludzi.

— Co się stało z Elizabeth Bradford?

— Wypadła. I tyle.

— Nie zostawię tej sprawy.

Wickner jeszcze raz poprawił bejsbolówkę i ruszył.

— W takim razie zginie więcej osób — powiedział.

W jego głosie nie było groźby, tylko głuche bolesne przeświadczenie.

21

Przy samochodzie czekało na Myrona dwóch zbirów z Farmy Bradfordów. Jeden duży, mocno zbudowany, drugi chudy, starszy. Wprawdzie nie mógł zobaczyć, czy noszący długie rękawy szczuplak ma na ręku wytatuowanego węża, ale para ta pasowała do opisu Mabel Edwards.

Myron zagotował się w środku.

Duży miał budzić postrach. W szkole pewnie uprawiał zapasy. A może był wykidajłą w miejscowym barze. Uważał się za twardziela. Było jasne, że nie będzie z nim problemu. Starszy nie wyróżniał się warunkami fizycznymi. Wyglądał jak podstarzała wersja chuderlaka, którego w dawnym komiksie Charlesa Atlasa obsypują piachem. Z fizjonomii przypominał łasicę, a jego paciorkowate oczy mroziły. Myron wiedział, że nie należy sądzić ludzi po wyglądzie, ale ten typ miał zbyt ostre, zbyt okrutne rysy twarzy.

— Pokaże mi pan swój tatuaż? — spytał wprost.

Osiłek się zmieszał, ale po Łasicy pytanie spłynęło jak woda.

— Mężczyźni nigdy mnie o to nie proszą — odparł.

— Ale babki na pewno błagają o to bez przerwy.

Nie wiadomo, czy Łasicę dotknął jego żart, w każdym razie zagadnął ze śmiechem:

— Naprawdę chcesz zobaczyć mojego węża?

Myron potrząsnął głową. Wąż! Dostał odpowiedź. To oni byli u Mabel Edwards. Większy podbił jej oko.

Zakipiał w środku stopień mocniej.

— Czym mogę służyć, panowie? — spytał. — Zbieracie datki na klub Kiwanis?

— No jasne — odparł większy. — Z krwi.

— Ja nie jestem babcią, gieroju — rzekł Myron, patrząc mu w oczy.

— Że co?

Chudy odchrząknął.

— Chce się z tobą widzieć przyszły gubernator — powiedział.

— Przyszły gubernator?

Łasica wzruszył ramionami.

— W poufnej sprawie.

— Dobrze wiedzieć. To dlaczego do mnie nie zadzwonił?

— Przyszły gubernator uznał, że powinniśmy ci towarzyszyć.

— Tę milę zdołam przejechać sam. — Myron spojrzał na dużego zbira i wycedził: — W końcu nie jestem babcią.

Byczek prychnął i obrócił głowę.

— Ale mogę cię zbić, jakbyś był.

— Zbić jak babcię? Rety, co za gość!

Myron czytał niedawno o guru, uczących swoich adeptów umiejętności wyobrażania sobie, że odnoszą sukces. Wyobraź to sobie, a się stanie, brzmiało z grubsza ich credo. Tak czy owak sprawdzało się w walce. Gdy pojawia się przed tobą szansa, obmyśl plan ataku. Przewidź reakcje przeciwnika i przygotuj się na nie. To właśnie robił od chwili, gdy Łasica przyznał się, że ma tatuaż. W zasięgu wzroku nie było nikogo. Uderzył.

Kolanem trafił dużego w krocze. Wydawszy z siebie dźwięk, jakby wysysał ze słomki ostatnie krople płynu, byczek złożył się jak stary portfel. Myron wyciągnął pistolet i wycelował go w Łasicę. Jego duży koleżka stopniał i utworzył kałużę na chodniku.

Łasica się nie poruszył. Był lekko rozbawiony.

— Szkoda fatygi — rzekł.

— Owszem — przyznał Myron. — Ale znacznie lepiej się czuję. — Spojrzał na osiłka. — To za Mabel Edwards.

Łasica obojętnie wzruszył ramionami.

— I co teraz? — spytał.

— Gdzie wasz wóz?

— Podwieziono nas. Mieliśmy wrócić z tobą.

— Nic z tego.

Zwijający się na ziemi zbir próbował złapać dech. Stojących nic to nie obeszło. Myron opuścił pistolet.

— Pozwolisz, że sam się dowiozę — rzekł.

Chudy rozłożył ręce.

— Jak chcesz — odparł.

Myron ruszył do taurusa.

— Nie wiesz, z czym masz do czynienia.

— Ciągle to słyszę.

— Być może. Ale pierwszy raz ode mnie.

— Niech ci będzie, że mnie nastraszyłeś.

— Zapytaj swojego ojca, Myron.

Myron stanął jak wryty.

— O co chodzi?

— Zapytaj go o Arthura Bradforda — dodał chudy, uśmiechnięty jak mangusta wgryzająca się w kark. — Zapytaj go o mnie.

Pierś Myrona zalała lodowata woda.

— A co wspólnego z tym ma mój ojciec? — spytał.

Ale chudy nie raczył odpowiedzieć.

— Pośpiesz się — ponaglił. — Przyszły gubernator New Jersey czeka na ciebie.

22

Myron zadzwonił do Wina i szybko zdał mu relację.

— Szkoda fatygi — potwierdził Win.

— On uderzył kobietę.

— Trzeba było strzelić mu w kolano. Okaleczyć. Szkoda fatygi na kopniaka w jądra.

Pięknym za nadobne. Kodeks odwetu dla dżentelmenów autorstwa Windsora Horne'a Lockwooda Trzeciego.

— Włączę komórkę. Mógłbyś tam wpaść?

— Z rozkoszą. Ale wstrzymaj się z dalszą przemocą do mojego przyjazdu.

Innymi słowy: zostaw jej trochę dla mnie.

Strażnika pilnującego Farmy Bradfordów zaskoczyło, że Myron jest sam. Brama stała otworem, zapewne na przyjazd trzech osób. Myron nie zawahał się. Przejechał przez nią bez zatrzymywania. Strażnik wpadł w popłoch. Wyskoczył z budki. Myron pomachał mu paluszkiem, jak robił to Oliver Hardy. Co więcej, uśmiechnął się jak Flap. Wykorzystałby też z chęcią w tej scenie melonik, gdyby go miał.

Kiedy zajechał pod główne wejście, czekający już na niego w progu stary kamerdyner lekko się ukłonił.

— Proszę za mną, panie Bolitar — powiedział.

Poszli długim korytarzem z wieloma olejami na ścianach, przedstawiającymi głównie jeźdźców. Był też jeden akt. Naturalnie kobiecy. Jedyny obraz bez konia. Katarzyna Wielka od dawna nie żyła. Kamerdyner skręcił w prawo. Wkroczyli do szklanego korytarza, podobnego do tunelu w sztucznej Biosferze 2 w Arizonie albo Epcot Center w Disneylandzie na Florydzie. Myron obliczył, że przeszli około pięćdziesięciu jardów.

Służący zatrzymał się i otworzył drzwi. Twarz miał pokerową, jak przystało na idealnego kamerdynera.

— Proszę wejść — rzekł.

Nim Myron usłyszał cichutkie pluski, poczuł chlor.

— Nie wziąłem stroju kąpielowego — powiedział do czekającego sługi.

Kamerdyner nie zareagował.

— Zazwyczaj kąpię się w skórzanych stringach, choć nie gardzę ażurowym bikini.

Służący zamrugał oczami.

— Jeśli ma pan zapasowe, chętnie pożyczę.

— Proszę wejść.

— Dobrze, świetnie, ale bądźmy w kontakcie.

Kamerdyner — a może lokaj lub sługa — odszedł. W pomieszczeniu unosił się lekko stęchły zapach pływalni. Wszystko tu było z marmuru. W kątach stały posągi jakiejś bogini. Myron nie wiedział jakiej, ale pewnie bogini basenów pod dachem. Wodę pruł, posuwając się łagodnymi, niemal leniwymi ruchami i nie pozostawiając najmniejszych fal, pojedynczy pływak. Arthur Bradford dopłynął do brzegu blisko Myrona i znieruchomiał. Na głowie miał gogle pływackie z ciemnoniebieskimi szkłami. Zdjął je i przesunął ręką po łysinie.

— Co się stało z Samem i Mariem? — spytał.

— Z Mariem? To pewnie ten wielkolud.

— Mieli cię tutaj przywieźć.

— Jestem już duży, Artie. Nie potrzebuję nianiek.

Bradford wysłał ich oczywiście, żeby go zastraszyć. Musiał mu więc pokazać, że pomysł nie wypalił.

— No dobrze — zdecydował Bradford. — Przepłynę jeszcze sześć długości. Pozwolisz?

— Ależ proszę — odparł Myron z przyzwalającym gestem. — Czyż może być większa przyjemność niż patrzenie, jak
ktoś pływa? Wiesz, mam pomysł. Na spot reklamowy. I slogan:
Głosuj na Arta, ma domowy basen.

Bradford prawie się uśmiechnął.

— Dobre — pochwalił i płynnym ruchem wydostał się
z basenu.

Jego długie, szczupłe ciało było gładkie i lśniące. Chwycił
ręcznik i wskazał dwa szezlongi. Myron usiadł. Arthur Bradford też.

— Miałem pracowity dzień — powiedział. — Odbyłem cztery
spotkania z wyborcami. Po południu czekają mnie dalsze trzy.

Podczas wstępnej rozmowy grzecznościowej Myron kiwał
głową, zachęcając go do mówienia. Wreszcie Bradford się
w tym połapał i klepnął się po udach.

— Obaj jesteśmy bardzo zajęci — powiedział. — Mogę
przejść do rzeczy?

— Jasne.

— Chciałem — Bradford lekko się pochylił — porozmawiać
o twojej pierwszej wizycie.

Myron starał się zachować obojętną minę.

— Była mocno dziwna. Zgodzisz się?

Myron odmruknął. Zabrzmiało to jak „mhm", ale wypowie-
dziane neutralnym tonem.

— Mówiąc wprost, chciałbym wiedzieć, o co wam chodziło?

— O uzyskanie odpowiedzi na kilka pytań.

— To wiem. Moje pytanie brzmi: dlaczego?

— Co dlaczego?

— Dlaczego pytaliście o kobietę, która nie pracuje u mnie
od dwudziestu lat?

— Co za różnica? Przecież ledwie ją pamiętasz.

Arthur Bradford uśmiechnął się. Jego uśmiech mówił, że
obaj wiedzą, co jest grane, i nie muszą się czarować.

— Chcę ci pomóc. Ale wpierw muszę poznać twoje inten-
cje. — Rozłożył ręce. — W końcu walczę w poważnych
wyborach.

— Myślisz, że pracuję dla Davisona?

— Przyjechałeś tu z Windsorem pod fałszywym pretekstem. Zacząłeś zadawać dziwne pytania na temat mojej przeszłości. Przekupiłeś policjantkę, żeby wykradła akta dotyczące śmierci mojej żony. Jesteś związany z człowiekiem, który niedawno próbował mnie szantażować. A do tego widziano, jak rozmawiasz ze znanymi wspólnikami Davisona z kręgów przestępczych. — Bradford posłał Myronowi uprzejmy uśmiech polityka, który mimo woli patrzy na wszystkich nieco z góry. — Co byś sobie na moim miejscu pomyślał?

— Chwileczkę. Po pierwsze, nie zapłaciłem za kradzież akt.

— Zaprzeczasz, że spotkałeś się z policjantką Francine Neagly w barze Ritz?

— Nie. — Myron nie widział sensu we wdawaniu się w długie wyjaśnienia. — Na razie zostawmy ten temat. Kto próbował cię szantażować?

Na basen wszedł służący.

— Czy podać mrożoną herbatę, proszę pana? — spytał.

— Lemoniadę, Mattius — odparł Bradford po namyśle. — Z rozkoszą napiję się lemoniady.

— Tak jest, proszę pana. A pan, panie Bolitar?

Myron wątpił, czy Bradford ma w domu yoo-hoo.

— Dla mnie to samo, Mattius. Ale przyrządź ją tak, bym się napił z najwyższą rozkoszą.

Kamerdyner Mattius skinął głową, powiedział: „Tak jest, proszę pana", i wymknął się za drzwi.

Arhur Bradford zarzucił ręcznik na ramiona i położył się. Szezlongi były długie, więc stopy nie wisiały mu w powietrzu. Zamknął oczy.

— Obaj wiemy, że pamiętam Anitę Slaughter. Oczywiście, że nie zapomina się osoby, która znajduje zwłoki twojej żony.

— To jedyny powód?

Bradford odemknął oko.

— Słucham?

— Widziałem jej zdjęcia — odparł Myron. — Trudno zapomnieć taką piękność.

Bradford otworzył oczy. Chwilę milczał.

— Na świecie jest wiele atrakcyjnych kobiet.

— Mhm.

— Myślisz, że miałem z nią romans?

— Tego nie powiedziałem. Powiedziałem tylko, że była urodziwa. A mężczyźni pamiętają urodziwe kobiety.

— To prawda — przyznał Bradford. — Ale Davison z radością wykorzystałby taką plotkę. Rozumiesz mój niepokój? To jest polityka, a polityka to słowa. Mylnie sądzisz, że moje obawy w tej mierze dowodzą, że coś ukrywam. To nie tak. Wynikają one z troski o wizerunek publiczny. Choć nie zrobiłem nic złego, mój przeciwnik będzie próbował wmówić wyborcom, że nie mam czystego sumienia. Nadążasz?

— Jak polityk za lewą kasą.

Arthur Bradford miał rację. Kandydował na gubernatora. Nawet gdyby nie miał nic na sumieniu, przeszedłby do defensywy.

— Kto próbował cię szantażować? — powtórzył Myron.

Bradford odczekał chwilę, kalkulując, oceniając, co zyska, a co straci wyjawiając prawdę. Komputer w jego głowie zbadał scenariusze. Zyski przeważyły.

— Horace Slaughter — odparł.

— Czym? — spytał Myron.

Bradford nie odpowiedział wprost.

— Dzwonił do mojego sztabu wyborczego.

— I połączono go z tobą?

— Oświadczył, że ma obciążającą informację na temat Anity Slaughter. Pomyślałem, że to wariat, ale zaniepokoiło mnie, że zna jej nazwisko.

„Pewnie, że zaniepokoiło" — pomyślał Myron.

— Co powiedział?

— Chciał wiedzieć, co zrobiłem z jego żoną. Oskarżył mnie, że pomogłem jej uciec.

— Pomogłeś? W jaki sposób?

Bradford machnął rękami.

— Pomagałem jej, wspierałem ją, wywiozłem. Nie wiem. Gadał trzy po trzy.

— Ale co?

Bradford usiadł. Zwiesił nogi z szezlonga. Przez kilka chwil patrzył na Myrona jak na hamburger i nie był pewien, czy podpiekł się na tyle, że czas przewrócić go na drugą stronę.

— Chcę wiedzieć, dlaczego się tym interesujesz — powiedział.

Coś za coś. Na tym polegała ta gra.

— Z powodu córki.

— Słucham?

— Z powodu córki Anity Slaughter.

Bradford bardzo wolno skinął głową.

— Tej koszykarki?

— Tak.

— Reprezentujesz ją?

— Tak. Poza tym przyjaźniłem się z jej ojcem. Słyszałeś, że go zamordowano?

— Wiem z gazety.

„Z gazety"! Ten człowiek nie używał prostego „tak" i „nie".

— Co cię łączy z rodziną Ache'ów? — spytał Bradford.

Myron nareszcie skojarzył.

— To ich nazywasz „wspólnikami Davisona z kręgów przestępczych"?

— Tak.

— Ache'owie są zainteresowani jego zwycięstwem w wyborach?

— Oczywiście. Właśnie dlatego chcę wiedzieć, co cię z nimi łączy.

— Nic. Tworzą konkurencyjną ligę żeńskiej koszykówki. Chcą podpisać z Brendą kontrakt.

Ciekawe. Ache'owie spotkali się z Horace'em Slaughterem. Według FJaya, podpisał z nimi umowę na grę córki w ich lidze. A potem raptem zaczął prześladować Bradforda z powodu swojej zaginionej żony. Czy Horace współpracował z Ache'ami? Było nad czym myśleć.

Mattius przyniósł lemoniadę. Ze świeżo wyciśniętych cytryn. Zimną. Pyszną, więcej: rozkoszną. Ach, ci bogacze! Kiedy wyszedł, jego pan zapadł w głębokie zamyślenie, które tak często odgrywał przy poprzednim spotkaniu. Myron czekał.

— Polityk to dziwny stwór — zaczął Bradford. — Wszystkie stworzenia walczą o przetrwanie. Tak każe instynkt. Ale polityk podchodzi do tej walki najchłodniej. To silniejsze od niego. Zamordowano człowieka, a ja widzę w tym tylko potencjalne źródło kłopotów politycznych. Taka jest prawda. Zrobię wszystko, by mojego nazwiska nie powiązano z tą sprawą.

— Nie uda ci się. Czy chcemy tego, czy nie.

— Dlaczego?

— Bo policja połączy cię z nią tak samo, jak zrobiłem to ja.

— Nie rozumiem.

— Złożyłem ci wizytę, bo Horace Slaugter do ciebie zadzwonił. Policja przejrzy te same billingi. I trafią na ciebie.

Arthur Bradford uśmiechnął się.

— Nie martw się o policję.

Myron przypomniał sobie Wicknera, Pomeranza i potęgę rodziny Bradfordów. Uznał, że Arthur wie, co mówi. Po namyśle spróbował to wykorzystać.

— A więc chcesz, żebym siedział cicho? — spytał.

Bradford zawahał się. Nadszedł czas na szachy — przyjrzenie się planszy i przewidzenie następnego ruchu przeciwnika.

— Chcę, żebyś zachował się uczciwie — odparł.

— To znaczy?

— To znaczy, że brak ci dowodów, że zrobiłem coś niezgodnego z prawem.

Myron przekrzywił głowę i skinął nią. Mogło to oznaczać zarówno „tak", jak „nie".

— Poza tym jeśli rzeczywiście nie pracujesz dla Davisona, to nie masz powodu psuć mi kampanii.

— A jeżeli mam?

— Rozumiem — odparł Bradford, znów próbując wróżyć z fusów. — Domyślam się, że chcesz coś w zamian za milczenie.

— Być może. Ale nie tego, co myślisz.

— A czego?

— Dwóch rzeczy. Po pierwsze, odpowiedzi na kilka pytań.

Prawdziwych odpowiedzi. Jeśli nabiorę podejrzeń, że kłamiesz albo że boisz się o swój wizerunek, koniec z umową. Nie chcę ci bruździć. Nie obchodzą mnie wybory. Chcę tylko poznać prawdę.

— A ta druga rzecz?

Myron uśmiechnął się.

— Dojdziemy do niej. Najpierw chcę poznać odpowiedzi.

Bradford odczekał chwilę.

— Oczekujesz, że zgodzę się na warunek, którego nie znam?

— Najpierw odpowiedz na pytania. Jeżeli przekonam się, że nie kłamiesz, to ci go przedstawię. Ale jeżeli będziesz kręcił, unikał odpowiedzi, to ten drugi warunek straci ważność.

Bradfordowi to się nie spodobało.

— Nie mogę się na to zgodzić — powiedział.

— Jak chcesz. Do widzenia, Arthurze.

Myron wstał.

— Siadaj — zareagował ostro Bradford.

— Odpowiesz na moje pytania?

Arthur Bradford wpatrzył się w Myrona.

— Nie tylko kongresman Davison ma niewłaściwych znajomych — rzekł.

Jego słowa zawisły w ciszy.

— Jeżeli chcesz przetrwać w polityce, musisz się zadawać z najgorszym elementem w stanie — ciągnął. — Taka jest brzydka prawda. Wyrażam się jasno?

— Tak. Już trzeci raz w ciągu godziny ktoś mi grozi.

— Nie wyglądasz na przestraszonego.

— Nie jestem bojaźliwy. — Była to półprawda. Szkodziło okazywanie strachu. Okazałeś strach, traciłeś życie. — Dość tych bzdur. Mam kilka pytań. Mogę ci je zadać. Albo zadadzą je media.

Bradford znów zagrał na czas. Był wyjątkowo ostrożny.

— Nadal nie rozumiem, dlaczego się tym interesujesz — powiedział.

Wciąż uciekał od pytań.

— Już mówiłem. Ze względu na córkę.

— Kiedy przyjechałeś tu pierwszy raz, szukałeś jej ojca?

— Tak.

— Przyjechałeś, bo Horace Slaughter dzwonił do mojego sztabu?

Myron skinął głową. Wolno.

Bradford znów zrobił zdziwioną minę.

— To dlaczego, na miły Bóg, pytałeś o moją żonę? Jeśli rzeczywiście chodziło ci wyłącznie o Horace'a Slaughtera, to dlaczego tak bardzo interesowałeś się Anitą Slaughter i wydarzeniami sprzed dwudziestu lat?

Na basenie zaległa cisza, słychać było tylko cichutki szmer fal. Świetlne refleksy na powierzchni wody tańczyły jak kapryśny wygaszacz ekranu. Wiedzieli, że nadeszła chwila prawdy. Nie spuszczając oczu z Bradforda, Myron zastanawiał się, ile mu wyjawić i jak to spożytkować. Negocjacje. Życie, tak jak los agenta sportowego, było pasmem negocjacji.

— Szukałem nie tylko jego — odparł wolno. — Szukałem także Anity.

Chociaż Bradford walczył, by zachować kontrolę nad twarzą i mową ciała, po słowach Myrona raptownie zaczerpnął powietrza. Odrobinę pobladł. Bez wątpienia świetnie nad sobą panował, ale pod jego maską spokoju coś się kryło.

— Przecież Anita Slaughter zniknęła dwadzieścia lat temu — rzekł powoli.

— Tak.

— Myślisz, że wciąż żyje?

— Tak.

— Dlaczego?

Myron wiedział, że chcąc zdobyć informację, trzeba jej udzielić. Odkręcić kurek. Ale on odkręcił hydrant. Czas było zatrzymać i odwrócić ten strumień.

— A dlaczego to cię interesuje? — spytał.

— Nie interesuje — odparł nieprzekonująco Bradford. — Po prostu myślałem, że ona nie żyje.

— Na jakiej podstawie?

— Jak taka porządna kobieta mogłaby nagle uciec i porzucić dziecko?

200

— Może się bała.

— Męża?

— Ciebie.

Bradford zamarł.

— Z jakiego powodu? — spytał.

— To ty mi powiedz.

— Nie mam pojęcia.

Myron skinął głową.

— Dwadzieścia lat temu twoja żona przypadkowo spadła z tarasu, tak?

Bradford nie odpowiedział.

— Anita Slaughter przyszła rano do pracy i znalazła jej zwłoki. Twoja żona spadła z balkonu w ciemną deszczową noc i nikt tego nie zauważył. Ani ty, ani brat, ani nikt. Na jej ciało natknęła się dopiero Anita. Tak było?

Bradford nie pękł, ale Myron wyczuł, że pod jego spokojną fasadą pojawiły się małe rysy.

— Nic nie wiesz — powiedział.

— To mi powiedz.

— Kochałem moją żonę. Kochałem z całego serca.

— I co się stało?

Bradford wziął kilka oddechów, żeby się opanować.

— Wypadła — odparł. — Dlaczego łączysz jej śmierć ze zniknięciem Anity? — spytał silniejszym głosem, odzyskując zwykły ton. — O ile dobrze pamiętam, po tym wypadku Anita tu została. Przestała u nas pracować dłuższy czas po tragedii Elizabeth.

Tak rzeczywiście było. Coś jednak dalej uwierało Myrona jak ziarenko piasku w oku.

— Dlaczego więc uczepiłeś się śmierci mojej żony?

Nie mając odpowiedzi na to pytanie, Myron odparował je dwoma.

— Dlaczego wszyscy tak przejmują się protokołami policji? Czego boją się policjanci?

— Tego samego co ja — odparł Bradford. — To rok wyborów. Zaglądanie do starych akt budzi podejrzenia. I tyle.

Moja żona umarła wskutek wypadku. Koniec, kropka — rzekł jeszcze mocniejszym głosem.

Bywa, że w trakcie negocjacji zdarza się więcej dramatycznych zmian niż w meczu koszykówki. Bradford znów zdobył przewagę.

— A teraz odpowiedz mi na pytanie: dlaczego sądzisz, że Anita Slaughter nadal żyje? Przecież rodzina nie miała od niej wieści od dwudziestu lat.

— Kto mówi, że nie miała?

Bradford uniósł brew.

— Twierdzisz, że mieli?

Myron wzruszył ramionami. Musiał się bardzo pilnować. Gdyby Anita Slaughter rzeczywiście ukrywała się przed Arthurem — a ten był przekonany, że ona nie żyje — to jak zareagowałby na dowód, że się myli? Spróbowałby ją, co logiczne, odnaleźć i uciszyć? Interesująca myśl. Z drugiej strony, gdyby — zgodnie z jego wcześniejszą teorią — Bradford płacił jej za milczenie, to wiedziałby, że Anita żyje. A w każdym razie wiedziałby, że uciekła i nic złego jej nie spotkało.

O co w tym wszystkim chodziło?

— Powiedziałem wystarczająco dużo — odparł.

Bradford długim łykiem osuszył szklankę. Zakręcił dzbankiem z lemoniadą, dolał sobie i wskazał szklankę Myrona. Myron odmówił. Usiedli wygodniej.

— Chciałbym cię wynająć — powiedział Bradford.

Myron spróbował się uśmiechnąć.

— W charakterze?

— Powiedzmy, doradcy. Może ochroniarza. Chcę, żebyś informował mnie na bieżąco o postępach twojego śledztwa. Mam na swoim garnuszku dość idiotów, którym płacę za wyciszanie spraw mogących mi zaszkodzić. Najlepszy jest ten, kto trzyma rękę na pulsie. Kto ostrzeże przed ewentualnym skandalem. Co ty na to?

— Spasuję.

— Nie galopuj. Ja i moi ludzie cię wesprzemy.

— Jasne. W razie jakiejkolwiek wpadki, ukręcisz sprawie łeb.

— Zależy mi na właściwym naświetleniu faktów.

— Albo zaciemnieniu.

Bradford uśmiechnął się.

— Tracisz z oczu nagrodę, Myron — rzekł. — Twojej klientki nie interesuję ja ani moja polityczna kariera. Zależy jej na odnalezieniu matki. Chciałbym pomóc.

— Pewnie. Przecież polityką zająłeś się przede wszystkim z potrzeby służenia bliźnim.

Bradford pokręcił głową.

— Składam ci poważną propozycję, a ty na nią kichasz. Nadszedł czas na przejęcie inicjatywy.

— Nie w tym rzecz. Nawet gdybym chciał ją przyjąć — odparł Myron, starannie dobierając słowa — to nie mogę.

— Dlaczego?

— Wspomniałem ci o drugim warunku.

— Owszem.

Bradford przytknął palec do ust.

— Pracuję dla Brendy Slaughter. I to ona ma u mnie pierwszeństwo.

Bradford z ulgą położył rękę na karku.

— Oczywiście — powiedział.

— Czytałeś gazety. Policja myśli, że zabiła ojca.

— Przyznasz, że jest dobrą podejrzaną.

— Zapewne. Ale jeśli ją aresztują, będę działał w jej najlepszym interesie. — Myron wpatrzył się w Bradforda. — Dlatego przekażę policji każdą informację, która naprowadzi ich na innych podejrzanych.

Bradford zrozumiał, do czego pije, i uśmiechnął się.

— Włącznie ze mną — rzekł.

Myron uniósł dłonie i wzruszył ramionami.

— Mam wybór? — spytał. — Klientka ma pierwszeństwo. Ale... — zawiesił głos — oczywiście nie będzie to konieczne, jeżeli Brendy nie aresztują.

— Aha. — Bradford znów się uśmiechnął, usiadł prosto i uniósł ręce tak, jakby chciał go powstrzymać. — To mi wystarczy. Zajmę się tym. — Sprawdził godzinę. — Muszę się ubrać. Kampania czeka.

Wstali. Bradford wyciągnął rękę. Myron uścisnął ją. Nie oczekiwał po nim szczerości, ale obaj się czegoś dowiedzieli. Trudno powiedzieć, kto z nich więcej zyskał. Pierwszą zasadą negocjacji jest nie być świnią. Jeżeli będziesz tylko brał, twoja pazerność obróci się przeciwko tobie.

— Do widzenia — powiedział Bradford, wciąż ściskając mu rękę. — Liczę, że będziesz informował mnie na bieżąco o postępach śledztwa.

Rozłączyli dłonie. Myron wpatrzył się w niego. Nie chciał zadać tego pytania, ale nie mógł się powstrzymać.

— Znasz mojego ojca?

Bradford przekrzywił głowę i uśmiechnął się.

— Tak ci powiedział?

— Nie. Wspomniał o tym twój przyjaciel Sam.

— Sam pracuje dla mnie od dawna.

— Nie pytałem o niego. Pytałem o mojego ojca.

Mattius otworzył drzwi. Bradford wskazał je ręką.

— Dlaczego sam go o to nie spytasz, Myron? To pomoże wyjaśnić sytuację.

23

Kiedy kamerdyner Mattius odprowadzał go korytarzem, w pustej jak tykwa głowie Myrona kołatało uparcie jedno pytanie: „Ojciec?".

Przeszukał pamięć. Czy w domu padło kiedyś nazwisko Bradforda, czy w jakiejś rozmowie o polityce ojciec nie wspomniał o tym najbardziej znanym mieszkańcu Livingston? Nie przypominał sobie.

Skąd więc Bradford go znał?

W holu zastał wielkiego Maria i chudego Sama. Mario deptał posadzkę z taką pasją, jakby go wkurzała, a rękami i dłońmi gestykulował oszczędnie jak komik Jerry Lewis. Gdyby był bohaterem komiksu, z uszu buchałby mu dym.

Chudy Sam palił marlboro, oparty o poręcz schodów jak Sinatra czekający na Deana Martina. Miał w sobie tyle luzu, ile Win. Wprawdzie Myron też czasem używał przemocy i był w tym dobry, ale towarzyszyły temu skoki adrenaliny, mrowienie w nogach, a po walce zimne poty. Była to oczywiście normalna reakcja. Tylko bardzo nieliczni potrafili zachować spokój, zimną krew i patrzeć na wybuch własnej agresji jak na film puszczony w zwolnionym tempie.

Wielki Mario ruszył na Myrona jak burza. Z pięściami przy bokach i twarzą tak zniekształconą, jakby przyciskał ją do szklanych drzwi.

— Już nie żyjesz, palancie! Słyszysz! Nie żyjesz! Wyciągnę cię na powietrze i...

Myron znów uderzył kolanem. I ponownie trafił. Cymbał Mario padł na zimny marmur i zaczął się rzucać jak zdychająca ryba.

— Przyjacielska rada dnia — rzekł Myron. — Warto zainwestować w najajnik, choć nie nadaje się na kieliszek do jaj.

Opierający się wciąż o poręcz Sam zaciągnął się papierosem i wypuścił nosem dym.

— Jest nowy — wyjaśnił.

Myron skinął głową.

— Czasem ma się chęć nastraszyć durniów. Durnie pękają przed osiłkami. — Sam znowu się zaciągnął. — Ale nie myśl sobie, że jak trafiłeś na frajera, to możesz szurać.

Myron spojrzał na posadzkę. Już miał zażartować, ale powstrzymał się i pokręcił głową. Szurnąć w jaja?

A ileż to roboty.

Win czekał przy taurusie. Lekko zgięty w pasie, ćwiczył uderzenia golfowe. Oczywiście bez kija i piłeczki. Któż nie pamięta, jak przy dźwiękach głośnego rocka skakał po łóżku i udawał, że gra na gitarze? Golfiści robią to samo. Kiedy w duszy zagra im zew natury, wkraczają na wyimaginowane pole startowe i machają wyimaginowanymi kijami. Zazwyczaj „drewniakami". Choć kiedy pragną uderzyć pewniej, wyjmują z wyimaginowanych worków wyimaginowane „żelaza". Golfiści, tak jak nastolatkowie z wyobrażonymi gitarami, też lubią przeglądać się w lustrach. Win na przykład często przeglądał się w witrynach sklepów. Przystawał na chodniku, upewniał się, czy dobrze chwycił „kij", sprawdzał prawidłowość zamachu, prężył nadgarstki i tak dalej.

— Win?

— Chwileczkę.

Win przekręcił boczne lusterko po stronie pasażera, żeby lepiej się widzieć. Coś w nim dostrzegł, znieruchomiał w pół zamachu, zmarszczył brwi.

— Pamiętaj: przedmioty w lustrze mogą wydawać się mniejsze — przypomniał mu Myron.

Win nie zareagował. Ustawił się ponownie nad, hm, piłką, wybrał „klinek" do wybicia jej z piachu i spróbował krótkiego wyimaginowanego podbicia. Sądząc po jego minie, hm, piłka wylądowała na „łączce" i dotoczyła się na trzy stopy od dołka. Win uśmiechnął się i uniósł rękę, by pozdrowić, hm, rozentuzjazmowany tłum.

Golfiści.

— Jak dotarłeś tu tak szybko? — spytał Myron.

— Batkopterem.

Firma maklerska Lock-Horne dysponowała śmigłowcem i lądowiskiem na dachu wieżowca. Win zapewne przyleciał nim na pobliskie lotnisko i przybiegł.

— Wszystko słyszałeś?

Win skinął głową.

— Co o tym myślisz?

— Szkoda fatygi.

— Jasne, powinienem strzelić mu w kolano.

— Zgadza się. Ale w tym przypadku mam na myśli całą tę sprawę.

— To znaczy?

— Arthur Bradford być może ma rację. Tracisz z oczu nagrodę.

— Jaką nagrodę?

Win uśmiechnął się.

— No właśnie.

— Naprawdę nie wiem, o czym mówisz.

Myron otworzył drzwiczki i wsunęli się na fotele. Sztuczna skóra rozgrzała się od słońca. Klimatyzator pluł ciepłem.

— Czasem braliśmy na siebie dodatkowe obowiązki — rzekł Win. — Ale z reguły jednak z jakiegoś powodu. W jakimś celu. Wiedzieliśmy, co chcemy osiągnąć.

— A w tym przypadku jest inaczej?

— Tak.

— No, to podam ci trzy cele. Po pierwsze, chcę znaleźć

Anitę Slaughter. Po drugie, chcę znaleźć mordercę Horace'a Slaughtera. Po trzecie, chcę ochronić Brendę.

— Ochronić przed czym?

— Jeszcze nie wiem.

— Aha. I sądzisz, upewniam się, czy dobrze zrozumiałem, że najskuteczniej ochronisz ją, podpadając policji, najpotężniejszej rodzinie w stanie i znanym gangsterom?

— Nic na to nie poradzę.

— No cóż, oczywiście masz rację. Musimy jednak uwzględnić dwa pozostałe cele. — Win opuścił osłonę przeciwsłoneczną i sprawdził w lusterku fryzurę. Nie odstawał mu ani jeden blond włos. Mimo to ją poprawił, marszcząc brwi. Podniósł osłonę. — Zacznijmy od odszukania Anity Slaughter, zgoda?

Myron skinął głową, choć przeczuwał, że nie spodoba mu się to, co usłyszy.

— Znalezienie matki Brendy jest kluczem do tej sprawy, tak?

— Tak.

— A więc, jeszcze raz upewniam się, czy wszystko dobrze zrozumiałem, zrażasz do siebie policjantów, najpotężniejszą rodzinę w stanie i znanych gangsterów, żeby znaleźć kobietę, która uciekła dwadzieścia lat temu?

— Tak.

— A dlaczego jej szukasz?

— Z powodu Brendy. Chce wiedzieć, gdzie jest jej matka. Ma prawo...

— No, nie! — przerwał mu Win.

— No, nie?

— Kim jesteś? Amerykańskim Związkiem Swobód Obywatelskich? Jakie znowu prawo? Chyba kaduka. Naprawdę wierzysz, że ktoś przetrzymuje Anitę Slaughter wbrew jej woli?

— Nie.

— W takim razie co, z łaski swojej, chcesz osiągnąć? Gdyby Anita Slaughter pragnęła pojednać się z córką, toby o to zabiegała. Najwyraźniej zdecydowała inaczej. Wiemy, że uciekła dwadzieścia lat temu. Wiemy, że bardzo się starała, żeby nikt jej nie znalazł. Nie wiemy tylko dlaczego. A ty nie chcesz uszanować jej decyzji.

Myron nie odpowiedział.

— W normalnych okolicznościach poszukiwania byłyby niebezpieczne — ciągnął Win. — Na szczęście sprawę ułatwia nam autentyczne poczucie zagrożenia naszych przeciwników. W sumie ogromnie ryzykujemy z bardzo błahego powodu.

Myron potrząsnął głową, ale dostrzegł w jego słowach logikę. Sam się nad tym zastanawiał. Znowu szedł po linie, tym razem nad rozsrożonym piekłem, ciągnąc za sobą innych, w tym Francine Neagly. Po co i dlaczego? Win miał rację. Sprowokował potężnych ludzi. A jeśli wypłaszając Anitę z kryjówki, mimowiednie pomagał tym, którzy chcieli ją skrzywdzić, gdyż na otwartej przestrzeni łatwiej mogli ją namierzyć? Musiał działać bardzo ostrożnie. Jeden fałszywy ruch i ba-bach!

— Jest jeszcze coś — powiedział. — Być może zatuszowana zbrodnia.

— Mówisz o Elizabeth Bradford?

— Tak.

Win zmarszczył brwi.

— A więc o to ci chodzi, Myron? Ryzykujesz cudze życie, żeby zadośćuczynić sprawiedliwości po dwudziestu latach? Czyżby Elizabeth Bradford wzywała cię do tego zza grobu?

— Myślę też o Horasie.

— Dlaczego?

— Był moim przyjacielem.

— I wierzysz, że odnalezienie jego zabójcy zmniejszy twoje wyrzuty sumienia, że nie odzywałeś się do niego dziesięć lat?

Myron przełknął gorzką pigułkę.

— To cios poniżej pasa, Win — odparł.

— Nie, przyjacielu, ja tylko staram się odciągnąć cię znad przepaści. Nie twierdzę, że to, co robisz, jest bezwartościowe. W przeszłości pracowaliśmy już dla wątpliwych zysków. Należy jednak zanalizować koszty i korzyści. Poszukujesz kobiety, która nie chce być znaleziona. Prowokujesz siły potężniejsze od nas obu razem.

— Mówisz, jakbyś się bał, Win.

Win wpatrzył się w niego.

— Znasz mnie.

Myron zajrzał w jego niebieskie oczy ze srebrnymi plamkami i skinął głową. Znał go dobrze.

— Przemawia przeze mnie nie strach, lecz pragmatyzm. Nie ma nic złego w prowokacji. Nie ma nic złego w dążeniu do starcia. Robiliśmy to wiele razy. Obaj wiemy, że rzadko się cofam w takich przypadkach, przeciwnie, za bardzo je lubię. Ale zawsze przyświecał nam jakiś cel. Szukaliśmy Kathy, żeby oczyścić z podejrzeń twojego klienta. Z tego samego powodu szukaliśmy mordercy Valerie. Grega tropiliśmy, bo dobrze ci zapłacono. To samo można powiedzieć o Coldrenie. Tu jednak cel jest zbyt mglisty.

Z cichutko nastawionego radia w samochodzie dolatywał śpiew Seala, który porównywał swoją miłość z „pocałunkiem nagrobnej róży". Ach, romanse.

— Nie mogę tego zostawić — rzekł Myron. — Przynajmniej na razie.

Win nie odpowiedział.

— I potrzebuję twojej pomocy.

Win milczał.

— Żeby pomóc Brendzie, ustanowiono stypendia. Być może to matka przekazywała jej tą drogą pieniądze. Anonimowo. Zbadasz, kto je przekazywał i skąd?

Win zgasił radio. Ruch na drodze był minimalny. Głuche milczenie zakłócał tylko szum klimatyzatora. Minęło parę minut.

— Zakochałeś się w niej? — spytał znienacka Win.

Zaskoczony Myron otworzył i zamknął usta. Win nie zadawał mu dotąd takich pytań. Przeciwnie, robił wszystko, by unikać rozmów na ten temat. Prędzej wyjaśniłbyś leżakowi, co to jest jazz, niż jemu, na czym polega miłość.

— Być może — odparł.

— To wpływa na twój osąd. Emocje czasem rządzą rozsądkiem.

— Nie dopuszczę do tego.

— A gdybyś był w niej zakochany? Kontynuowałbyś poszukiwania?

— A czy to ważne?

Win skinął głową. Mało kto tak dobrze jak on rozumiał, że hipotezy mają się nijak do rzeczywistości.

— No dobrze — powiedział. — Podaj mi informacje o tych stypendiach. Zobaczę, co zdołam znaleźć.

Zamilkli. Win jak zwykle był w pełni zrelaksowany i gotów do akcji.

— Bardzo cienka linia oddziela upór od głupoty — powiedział. — Pozostań po właściwej stronie.

24

Popołudniowy niedzielny ruch na drogach wciąż był umiarkowany. Przez Lincoln Tunnel przejechali śpiewająco. Bawiący się guzikami nowego odtwarzacza kompaktów Win wybrał wiązankę amerykańskich standardów z lat siedemdziesiątych. Po wysłuchaniu *The Night Chicago Died* i *The Night the Lights Went Out in Georgia* Myron doszedł do wniosku, że w latach siedemdziesiątych nocą było niebezpiecznie. Potem przesłanie o pokoju na ziemi wyrąbała piosenka z filmu *Billy Jack*. Kto pamięta serię filmów z karateką Billym Jackiem? Win pamiętał. I to aż za dobrze.

Ostatnią piosenką był klasyczny wyciskacz łez *Shannon*. Shannon umiera w piosence dość szybko. Rozdzierający głos rozpaczał, że Shannon zginęła, spłynęła do morza. Smutno. Piosenka ta zawsze wzruszała Myrona. Matka bolała nad stratą. Tata miał wszystkiego dość. Bez Shannon zmienił im się świat.

— Wiesz, że Shannon to suka? — zagadnął Win.

— Żartujesz.

Win potrząsnął głową.

— Wsłuchaj się uważnie w refren.

— Z całego refrenu wyraźnie słyszę tylko słowa, że Shannon zginęła i spłynęła do morza.

— Po nich następują życzenia, żeby Shannon znalazła wyspę z cienistym drzewem.

— Z cienistym drzewem?

— „Tak jak to na naszym podwórzu za domem" — zaśpiewał Win.

— To wcale nie znaczy, że chodzi o psa. Może Shannon lubiła siadywać pod drzewem. Może ci z piosenki mieli hamak.

— Może. Jest jednak pewna subtelna wskazówka.

— Jaka?

— Na kopercie płyty podają, że piosenka jest o psie.

Cały Win.

— Podwieźć cię do domu? — spytał Myron.

Win pokręcił głową.

— Mam papierkową robotę — odparł. — A poza tym lepiej, żebym był w pobliżu.

Myron nie oponował.

— Masz broń? — spytał Win.

— Tak.

— Chcesz jeszcze jeden pistolet?

— Nie.

Zostawili samochód w garażu Kinneya i wjechali windą. W wysokościowcu było dzisiaj cicho, mrówki daleko od kopca. Efekt był niesamowity jak w apokaliptycznym filmie o końcu Ziemi, gdzie wszystko jest puste i widmowe. Dzwonki windy niosły się w martwej ciszy niczym gromy.

Myron wysiadł na dwunastym piętrze. Mimo że była niedziela, Wielka Cyndi siedziała przy swoim biurku. Jak zawsze wszystko wokół niej wydawało się małe niczym w tym odcinku *Strefy mroku*, w którym kurczy się dom, i niedorzeczne, jak wpychanie dużego pluszowego zwierzaka do różowego chevroleta lalki Barbie. Była zapaśniczka — pewnie z powodu kłopotów z fryzurą — miała dziś na głowie perukę, która wyglądała na skradzioną z szafy Carol Channing. Kiedy wstała, uśmiechając się do niego, zdziwił się, że mimo otwartych oczu nie skamieniał.

Mająca metr dziewięćdziesiąt wzrostu Wielka Cyndi była dziś w butach na wysokich obcasach. Lakierach. Obcasy zawyły z bólu pod jej ciężarem. Jej dzisiejszy strój — koszulę z żabotem jak z czasów rewolucji francuskiej i szary żakiet ze świeżo pękniętym szwem na ramieniu — można było od biedy uznać za kostium do biura.

Podniosła ręce i się obróciła. Jak prężąca się na tylnych łapach Godzilla, porażona paralizatorem.

— Ładnie? — spytała.

— Bardzo — odparł.

Park Jurajski III: Pokaz mody.

— Kupiłam u Benny'ego.

— Benny'ego?

— W Village — wyjaśniła. — W sklepie z odzieżą dla transwestytów. Ale ubiera się w nim mnóstwo z nas, dużych dziewczyn.

Myron skinął głową.

— Praktyczne — powiedział.

Wielka Cyndi pociągnęła nosem i nagle się rozpłakała. A ponieważ wciąż nosiła o wieeeele za mocny makijaż, w dodatku niewodoodporny, wkrótce zaczęła przypominać lampkę z lawy pozostawioną w kuchence mikrofalowej.

— Ach, panie Bolitar!

Ciężko stąpając, podbiegła do niego z rozpostartymi rękami, przy akompaniamencie skrzypnięć podłogi. Stanęła mu przed oczami scena z kreskówki, w której spadający bohaterowie wycinają w kolejnych piętrach kontury swoich sylwetek.

Myron podniósł ręce do góry. Nie! Myron dobry! Myron lubić Cyndi! Cyndi nie skrzywdzić Myrona! Ale nic tym nie wskórał.

Objęła go, otoczyła ramionami i podniosła w górę. Miał wrażenie, że zaatakowało go wodne łóżko. Zamknął oczy i postarał się przetrwać atak.

— Dziękuję panu — powiedziała przez łzy.

Kątem oka dostrzegł Esperanzę. Obserwowała tę scenę z założonymi rękami i lekkim uśmiechem. Nowa praca, przypomniał sobie raptem. Zatrudnienie na pełny etat.

— Proszę bardzo — wydusił z siebie.

— Postawił pan na mnie. Nigdy pana nie zawiodę.

— W takim razie postaw mnie na ziemi.

Na podobny do chichotu dźwięk, który z siebie wydała, dzieci w trzech sąsiednich stanach krzyknęły z przerażenia i przypadły do swoich mam.

Postawiła go na podłodze tak ostrożnie, jak dziecko kładące klocek na szczycie piramidy.

— Nie pożałuje pan. Będę pracować dzień i noc. Będę pracować w weekendy. Zanosić pańskie pranie. Parzyć kawę. Podawać yoo-hoo. A nawet masować plecy.

W głowie mignął mu obraz walca drogowego toczącego się w stronę obitej brzoskwini.

— Mmm... z przyjemnością wypiłbym yoo-hoo.

— Już się robi.

Wielka Cyndi w podskokach dopadła lodówki.

Myron podszedł do Esperanzy.

— Ona świetnie masuje plecy — powiedziała.

— Wierzę ci na słowo.

— Powiedziałam Wielkiej Cyndi, że to ty zatrudniłeś ją na pełny etat.

— Pozwól, że następnym razem sam wyciągnę jej cierń z łapy.

— Wstrząsnąć, panie Bolitar? — spytała Wielka Cyndi, unosząc w górę puszkę yoo-hoo.

— Dzięki, Cyndi, dam sobie radę.

— Tak, panie Bolitar.

Gdy wracała do niego w podskokach, przerażony przypomniał sobie scenę z wywracającym się statkiem z *Tragedii Posejdona*. Wielka Cyndi podała mu yoo-hoo i znowu się uśmiechnęła. A bogowie zakryli oczy.

— Coś nowego w sprawie sprzedaży Lestera? — spytał Esperanzę.

— Nie.

— Połącz mnie z Ronem Dixonem. Spróbuj zadzwonić do jego domu.

— Już się robi — zgłosiła się Wielka Cyndi.

Esperanza wzruszyła ramionami. Wielka Cyndi wystukała

numer i przemówiła z angielskim akcentem. Głosem Maggie Smith grającej w sztuce Noëla Cowarda. Myron wszedł z Esperanzą do gabinetu. Wielka Cyndi przełączyła rozmowę.

— Ron? Tu Myron Bolitar, jak się masz?

— Wiem, kto dzwoni, głupku. Od twojej recepcjonistki. Jest niedziela, Myron. Niedziela to mój dzień wolny. Niedziela to dzień poświęcony rodzinie. Czas zarezerwowany dla najbliższych. Szansa, żeby lepiej poznać dzieci. Więc dlaczego dzwonisz do mnie w niedzielę?

— Sprzedajesz Lestera Ellisa?

— Dzwonisz do mnie w niedzielę do domu z takiego powodu?

— Czy to prawda?

— Bez komentarzy.

— Obiecałeś, że go nie sprzedasz.

— Niezupełnie. Obiecałem, że nie będę o to zabiegał. Przypominam ci, superagencie, że to ty chciałeś wstawić do kontraktu klauzulę o sprzedaży Lestera za twoją zgodą. Proszę bardzo, powiedziałem, ale za pięćdziesiąt patyków z jego zarobków. Odmówiłeś. A kiedy sprawa powraca, to żal ci pupę ściska, wielki menago?

Myron poprawił się w fotelu. Żal ścisnął mu pupę, że ha.

— Komu go sprzedajesz?

— Bez komentarzy.

— Nie rób tego, Ron. To wielki talent.

— Jasne. Szkoda, że nie wielki bejsbolista.

— Wygłupisz się. Pamiętasz wymianę Nolana Ryana za Jima Fregosiego? Pamiętasz, jak Babe Ruth został... — Myron zapomniał, na kogo go wymieniono — sprzedany przez Red Sox?

— Porównujesz Lestera Ellisa z Babe'em Ruthem?

— Porozmawiajmy.

— Nie mamy o czym. A teraz, wybacz, ale dzwoni żona. Dziwne.

— Co?

— Czas zarezerwowany dla najbliższych. Na lepsze poznanie dzieci. Wiesz, co odkryłem, Myron?

— Co?

— Że nie ich nie znoszę.

Ron Dixon rozłączył się.

Myron spojrzał na Esperanzę.

— Połącz mnie z Alem Toneyem z „Chicago Tribune".

— Lestera sprzedają do Seattle.

— Zaufaj mi.

— Nie proś mnie. — Esperanza wskazała telefon. — Poproś Wielką Cyndi.

Myron włączył interkom.

— Wielka Cyndi, możesz mnie połączyć z Alem Toneyem? Powinien być w redakcji.

— Tak, panie Bolitar — odparła i niebawem oznajmiła: — Al Toney na linii pierwszej.

— Al? Tu Myron Bolitar.

— Cześć, Myron, co się stało?

— Mam u ciebie dług.

— Żeby jeden.

— Chcesz bombę?

— Już twardnieją mi sutki. Poświntusz, kochanieńki.

— Znasz Lestera Ellisa? Jutro sprzedają go do Seattle. Jest uszczęśliwiony. Przez cały rok wiercił Yankees dziurę w brzuchu, żeby go sprzedali. Jesteśmy w siódmym niebie.

— I ty to nazywasz bombą?

— To ważny temat.

— Może w Nowym Jorku i Seattle. Ale nie w Chicago.

— Pomyślałem jednak, że cię zainteresuje.

— Pomyliłeś się. Wciąż masz u mnie dług.

— A może najpierw obmacasz swoje sutki?

— Chwileczkę... Miękkie jak przejrzałe winogrona. Ale jeżeli się upierasz, to za kilka chwil obmacam je jeszcze raz.

— Poddaję się, Al, dzięki. Wprawdzie wątpiłem, czy załapiesz się na temat, ale zawsze warto próbować. Między nami mówiąc, Yankees bardzo zależy na jego sprzedaży. Chcą, żebym ją rozreklamował. Myślałem, że mi w tym pomożesz.

— Dlaczego? Kogo kupują?

— Nie wiem.

— Lester to bardzo dobry gracz. Surowy, ale dobry. Dlaczego Yankees chcą się go pozbyć?

— Nie wydrukujesz tego?

W słuchawce zaległa cisza. Myron niemal słyszał, jak Alowi pracuje mózg.

— Nie, jeśli mnie poprosisz.

— Ma kontuzję. Miał wypadek w domu. Uszkodził kolano. Trzymają to w tajemnicy, ale po sezonie Lester będzie wymagał operacji.

Znowu zapadła cisza.

— Nie wydrukujesz tego, Al.

— Żaden problem. No, muszę kończyć.

Myron uśmiechnął się.

— Do usłyszenia — powiedział.

— Czy robisz to, co podejrzewam? — spytała Esperanza, wpatrując się w niego.

— Al Toney to mistrz luk w przepisach — wyjaśnił. Obiecał, że tego nie wydrukuje. I nie wydrukuje. Ale nie ma sobie równych, jeśli chodzi o wymianę świadczeń z kolegami po fachu.

— No i?

— W tej chwili dzwoni do znajomka z „Seattle Times" i przehandlowuje mu wiadomość. Pogłoska o kontuzji trafi do gazet przed sfinalizowaniem sprzedaży i po transakcji.

— Wysoce nieetyczne zagranie — powiedziała z uśmiechem.

Myron wzruszył ramionami.

— Powiedzmy, że nieczyste.

— Ale podoba mi się.

— Zawsze pamiętaj o credo RepSport MB: klient jest najważniejszy.

— Nawet w łóżku — dopowiedziała.

— Jesteśmy agencją świadczącą wszelkie usługi. — Myron wpatrywał się w nią dłuższą chwilę. — Mogę cię o coś spytać?

Przechyliła głowę.

— Nie wiem. A ty?

— Dlaczego nienawidzisz Jessiki?

Zachmurzyła się. Wzruszyła ramionami.

— Czy ja wiem? Z przyzwyczajenia.

— Pytam serio.

Założyła nogę na nogę i zaraz ją zdjęła.

— Poprzestanę na wtykaniu jej szpilek, zgoda?

— Jesteś moją najlepszą przyjaciółką. Chcę wiedzieć, dlaczego jej nie lubisz.

Esperanza westchnęła, ponownie skrzyżowała nogi i zatknęła za ucho luźny kosmyk włosów.

— Jessica jest błyskotliwa, inteligentna, zabawna. Jest świetną pisarką i nie wyrzuciłabym jej z łóżka za okruszki po krakersach.

Biseksualistki!

— Ale ona cię rani.

— I co z tego? Nie jest pierwszą kobietą, która pobłądziła.

— To prawda — przyznała Esperanza. Klepnęła się w kolana i wstała. — Pewnie źle ją oceniam. Mogę odejść?

— To dlaczego wciąż żywisz urazę?

— Bo lubię. To łatwiejsze od wybaczenia.

Myron pokręcił głową i wskazał fotel.

— Co mam ci powiedzieć? — spytała.

— Powiedz mi, dlaczego jej nie lubisz.

— Jestem upierdliwa. Nie bierz tego poważnie.

Znów pokręcił głową.

Esperanza przyłożyła dłoń do twarzy i na chwilę odwróciła wzrok.

— Jesteś za miękki — powiedziała.

— Co masz na myśli?

— Za miękki na taki ból. Większość ludzi go wytrzymuje. Ja. Jessica. Z całą pewnością Win. Ale nie ty. Brak ci twardości. Jesteś nieprzystosowany.

— Więc być może to moja wina.

— Pewnie, że twoja. Przynajmniej częściowo. Przede wszystkim za bardzo idealizujesz swoje związki. Jesteś za wrażliwy. Za bardzo się odsłaniałeś. Byłeś za szczery.

— A czy to takie złe?

Zawahała się.

— Nie. W sumie dobre. Nieco naiwne, ale o wiele lepsze od postawy tych durniów, którzy wszystko duszą w sobie. Moglibyśmy skończyć ten temat?

— Nie odpowiedziałaś mi na pytanie.

Esperanza uniosła dłonie.

— Zrobiłam, co mogłam — odparła.

Myron powrócił myślami do szkolnej ligi bejsbolowej. Odkąd Joey Davito trafił go piłką w czoło, trudno mu było ustać z pałką w bazie-matce. Skinął głową. Za bardzo się odsłaniał, powiedziała. Czy to się zmieniło?

Esperanza wykorzystała milczenie, żeby przejść do innego tematu.

— Zbadałam sprawę Elizabeth Bradford — powiedziała.

— I?

— Nie znalazłam nic, co budziłoby podejrzenia, że to nie był wypadek. Możesz pojechać do jej brata. Mieszka w Westport. Ale wątpię, czy coś ci powie. Jest blisko związany ze szwagrem.

Strata czasu.

— A reszta rodziny?

— W Westport mieszka również jej siostra. Ale lato spędza na Lazurowym Wybrzeżu.

Odpada.

— Coś jeszcze?

— Zastanowiło mnie jedno. Elizabeth Bradford była bardzo towarzyską osobą, damą ze świecznika. Jej nazwisko pojawiało się niemal co tydzień w gazetach w związku z różnymi uroczystościami i imprezami. Ale na jakieś pół roku przed upadkiem z balkonu wzmianki o niej urwały się.

— Jak to „urwały się"?

— Znikły. Jej nazwisko znikło z prasy, nawet z miejscowej gazety.

— Może była na Lazurowym Wybrzeżu.

— Może. Ale na pewno bez męża. O Arthurze wciąż wiele pisano.

Myron zagłębił się w fotelu, obrócił wraz z nim i jeszcze raz przyjrzał się broadwayowskim plakatom za biurkiem. Nie ma co, musi je zdjąć.

— Przed tym o Elizabeth Bradford było dużo artykułów? — spytał.

— Nie artykułów — sprostowała Esperanza. — Wzmianek. Jej nazwisko prawie zawsze poprzedzały słowa: „Gospodynią imprezy była...", „Wśród gości była..." lub: „Na zdjęciu od prawej stoją...".

Myron skinął głową.

— Wymieniano je w stałych rubrykach, w artykułach, w czym?

— W stałej rubryce towarzyskiej „Jersey Ledger", zatytułowanej „Wieczorki towarzyskie".

— Chwytliwie.

Myron jak przez mgłę pamiętał tę rubrykę z dzieciństwa. Przeglądała ją jego matka, szukając znajomych nazwisk, wyróżnionych tłustym drukiem. Raz nawet do niej trafiła, jako „wybitna miejscowa adwokatka, Ellen Bolitar". A potem przez tydzień kazała się tak tytułować. Gdy ją pozdrawiał: „Cześć, mamo!", mówiła: „Dla ciebie, huncwocie, jestem wybitną miejscową adwokatką!".

— Kto prowadził tę rubrykę? — spytał.

Esperanza podała mu kartkę ze zdjęciem ładnej kobiety z przesadnie wysoką fryzurą typu hełm, à la lady Bird Johnson. Nazywała się Deborah Whittaker.

— Da się zdobyć jej adres?

Esperanza skinęła głową.

— Nie zajmie mi to wiele.

Wpatrywali się w siebie dłuższą chwilę. Termin, który mu wyznaczyła, zawisł nad nim jak kosa kostuchy.

— Nie wyobrażam sobie życia bez ciebie — powiedział Myron.

— Bez obawy — odparła. — Cokolwiek postanowisz, pozostaniesz moim najlepszym przyjacielem.

— Partnerstwo rujnuje przyjaźń.

— Gadanie.

— Ja to wiem.

Długo unikał tej rozmowy. Jak koszykarz, obleciał wszystkie cztery kąty boiska, wyczerpując limit dwudziestu czterech sekund na oddanie rzutu. Nie mógł dłużej odkładać tego, co nieuniknione, licząc, iż przemieni się ono cudem w dym i rozpłynie w powietrzu.

— Spróbowali tego mój ojciec i wuj. A skończyło się tym, że nie odzywali się do siebie cztery lata.

Skinęła głową.

— Wiem.

— Ich stosunki nigdy nie powróciły do normy. I już nie powrócą. Znam tuziny rodzin i znajomych, porządnych ludzi, Esperanzo, którzy próbowali być wspólnikami. I na dłuższą metę nikomu się to nie udało. Nikomu. Brat skłócił się z bratem. Córka z ojcem. Najlepszy przyjaciel z najlepszym przyjacielem. Pieniądze odmieniają ludzi.

Esperanza znów skinęła głową.

— Nasza przyjaźń przetrwa wszystko — dodał. — Ale czy przetrwa partnerstwo?

Wstała.

— Zdobędę adres Deborah Whittaker. Nie powinno mi to zająć długo.

— Dziękuję.

— Daję ci trzy tygodnie na podjęcie decyzji. Wystarczy?

Skinął głową. Zaschło mu w gardle. Chciał coś dodać, ale przychodziły mu do głowy myśli jeszcze głupsze od poprzednich.

Zabuczał interkom. Esperanza wyszła z gabinetu. Myron wcisnął klawisz.

— Tak?

— „Seattle Times" na linii pierwszej — poinformowała Wielka Cyndi.

25

Pomalowany na jaskrawożółty kolor, osadzony w mile urządzonym, malowniczym krajobrazie, dom spokojnej starości w Inglemoore mimo to wyglądał na przybytek, do którego się trafia, żeby umrzeć.

Ścianę w głównym holu zdobiła tęcza. Meble były wesołe i funkcjonalne. Nic pluszowego. Żeby pensjonariusze nie mieli kłopotów ze wstawaniem z foteli. Na stole królowała duża kompozycja ze świeżo ściętych kwiatów. Jaskrawoczerwonych, wyjątkowo pięknych róż, które miały umrzeć za dzień czy dwa.

Myron wziął głęboki oddech. Ochłoń, chłopcze, ochłoń.

Silnie pachniało wiśniami, jakby gdzieś w pobliżu wisiał samochodowy odświeżacz w kształcie drzewka. Powitała go kobieta ubrana w spodnie i bluzkę, czyli „ładnie i niezobowiązująco". Miała tuż po trzydziestce i zaprogramowany cieplutki uśmiech „żony ze Stepford".

— Przyjechałem do Deborah Whittaker.

— Naturalnie — powiedziała. — Deborah jest pewnie w pokoju rekreacyjnym. Nazywam się Gayle. Zaprowadzę pana.

Deborah. Gayle. Wszyscy tu mieli tylko imiona. Lekarzem był zapewne jakiś doktor Bob. Ruszyli korytarzem z wesołymi muralami na ścianach. Na lśniących podłogach Myron dojrzał świeże ślady po wózkach. Cały personel demonstrował jednakowe sztuczne uśmiechy. Najpewniej wyćwiczone. Wszyscy — pielęgniarze, siostry i kto tam jeszcze — byli w cywilnych ubraniach. Nikt nie nosił stetoskopu, pagera, plakietki, niczego, co kojarzyłoby się z medycyną. W Inglemoore wszyscy byli kolegami.

Gayle i Myron weszli do pokoju rekreacyjnego — z nieużywanymi stołami do ping-ponga, nieużywanymi stołami bilardowymi, nieużywanymi stolikami do gry w karty i nadużywanym telewizorem.

— Proszę usiąść. Becky i Deborah zaraz przyjdą.

— Becky? — spytał Myron i znów otrzymał uśmiech.

— Becky to przyjaciółka Deborah.

— Rozumiem.

Pozostał z sześciorgiem starych ludzi, w tym pięcioma kobietami. Starość nie zna seksizmu. Byli dobrze ubrani, starzec miał nawet krawat, wszyscy siedzieli w wózkach. Dwoje się trzęsło. Dwoje mamrotało do siebie. Skórę mieli poszarzałą, jakby spraną, pozbawioną naturalnej cielistej barwy. Jedna ze staruszek pozdrowiła go kościstą, niebiesko pożyłkowaną ręką. Uśmiechnął się i też ją pozdrowił.

Na ścianie powtarzało się hasło:

INGLEMOORE — DZIŚ JEST TWÓJ NAJLEPSZY DZIEŃ.

Miło, ale nie mógł oprzeć się myśli, że powinno ono raczej brzmieć:

INGLEMOORE — NIC LEPSZEGO CIĘ NIE CZEKA.

Hm! A może by tak na odjezdnym wrzucić je do skrzynki propozycji?

Do pokoju wczłapała posuwiście Deborah Whittaker. Choć nadal nosiła fryzurę typu hełm ze zdjęcia w gazecie — czarną jak szuwaks i tak mocno wylakierowaną, że wyglądała niczym z włókna szklanego — to ogólny efekt podsuwał skojarzenie z Dorianem Grayem, jakby w jednej chwili postarzała się o milion lat. Spoglądała wzrokiem żołnierza wpatrzonego w cel odległy o milę. Drobny tik na jej twarzy przywodził na myśl Katherine Hepburn. Być może cierpiała na parkinsona, ale Myron nie znał się na tym.

Trzydziestoletnia „przyjaciółka" Deborah, Becky, wywołała jego nazwisko. Wprawdzie też była w cywilnym ubraniu, a nie w bieli, i nic nie zdradzało, że jest pielęgniarką, od razu skojarzyła mu się z Louise Fletcher z *Lotu nad kukułczym gniazdem*.

Wstał.

— Jestem Becky — przedstawiła się.

— Myron Bolitar.

Uścisnęła mu dłoń i obdarzyła protekcjonalnym uśmiechem. Prawdopodobnie było to silniejsze od niej. Być może dopiero po godzinie od wyjścia z pracy potrafiła uśmiechnąć się szczerze.

— Czy mogę wam towarzyszyć? — spytała.

— Odejdź — wychrypiała Deborah Whittaker głosem, który zabrzmiał jak łysa opona na szutrowej drodze.

— Posłuchaj, Deborah...

— Nie posłucham! Nie podzielę się z tobą takim przystojniakiem. Zjeżdżaj!

Protekcjonalny uśmiech Becky stracił na pewności.

— Deborah — powiedziała tonem, który miał być miły, lecz znów zabrzmiał protekcjonalnie — wiesz, gdzie jesteśmy?

— Oczywiście! Alianci zbombardowali Monachium. Państwa Osi się poddały. Jestem wolontariuszką organizacji wspomagania żołnierzy i ich rodzin, stoję na południowym nabrzeżu Manhattanu, w twarz wieje mi morska bryza i czekam na przyjazd marynarzy, żeby pierwszemu, który zejdzie z okrętu, złożyć mocny, wilgotny całus.

Deborah Whittaker mrugnęła do Myrona.

— Debora, to nie jest rok tysiąc dziewięćset czterdziesty piąty. Mamy...

— Wiem, na miły Bóg! Nie bądź taka infantylna, Becky! — Staruszka usiadła i nachyliła się w stronę Myrona. — Nie ukrywam, bywa ze mną różnie. Czasem jestem tu. A czasem podróżuję w czasie. Kiedy miał tę przypadłość mój dziadek, nazywano to stwardnieniem arterii. Kiedy miała ją moja matka, nazywano to starością. A kiedy dopadła mnie, chorobą Parkinsona i Alzheimera. — Mięśnie jej twarzy wciąż drgały. Spojrzała na pielęgniarkę. — Proszę cię, Becky, zejdź mi z oczu, dopóki jeszcze kojarzę.

Becky odczekała chwilę, z trudem podtrzymując niepewny uśmiech. Myron skinął jej głową i odeszła.

Deborah Whittaker przysunęła się bliżej.

— Lubię ją irytować — wyznała szeptem. — To jedyny przywilej starczego wieku. — Położyła dłonie na kolanach i zdobyła się na drżący uśmiech. — Wiem, że się przedstawiłeś, ale nie zapamiętałam imienia.

— Myron.

— To nie to — powiedziała zaskoczona. — Może André? Wyglądasz jak André. Kiedyś mnie czesał.

Becky obserwowała ich bacznie z kąta. Gotowa do interwencji.

Myron postanowił od razu przejść do rzeczy.

— Pani Whittaker, chciałem panią spytać o Elizabeth Bradford.

— O Lizzy? — Oczy staruszki zapłonęły i nabrały blasku. — Jest tutaj?

— Nie, proszę pani.

— Myślałam, że umarła.

— Umarła.

— Biedactwo. Wydawała wspaniałe przyjęcia. Na Farmie Bradfordów. Sznury świateł na werandzie. Setki gości. Lizzy zawsze zamawiała najlepszą orkiestrę, najlepsze jedzenie. Tak się świetnie bawiłam na jej rautach. Stroiłam się i...

Urwała. Oczy jej przygasły, jakby raptem dotarło do niej, że nie będzie więcej zaproszeń i przyjęć.

— W swojej rubryce często pisała pani o Elizabeth Bradford — przypomniał Myron.

— Oczywiście. — Machnęła ręką. — Opłacało się o niej pisać. Miała świetną pozycję towarzyską. Ale...

Znów urwała i wzrok jej uciekł.

— Ale?

226

— Nie pisałam o niej od miesięcy. Dziwne. W zeszłym tygodniu na balu charytatywnym na rzecz szpitala dziecięcego Świętego Sebastiana, który wydała Constance Lawrence, znowu jej nie było. A to przecież ulubiona wenta Lizzy. Prowadziła ją od czterech lat.

Myron skinął głową, próbując nadążyć za jej wędrówką po epokach.

— Nie chodzi już na przyjęcia? — spytał.

— Nie.

— Dlaczego?

Deborah Whittaker chyba lekko się wzdrygnęła. Spojrzała na niego podejrzliwie.

— Przypomnij mi, jak się nazywasz — powiedziała.

— Myron.

— To wiem. Przed chwilą mi powiedziałeś. Jak masz na nazwisko.

— Bolitar.

Oczy znów jej rozbłysły.

— Syn Ellen?

— Zgadza się.

— Ellen Bolitar — powiedziała z promiennym uśmiechem. — Jak się miewa?

— Dziękuję, dobrze.

— Bystra kobieta. Powiedz mi, Myron, nadal rozrywa na strzępy świadków oskarżenia?

— Tak, proszę pani.

— Bardzo bystra.

— Uwielbiała pani rubrykę.

Deborah rozpromieniła się.

— Adwokatka Ellen Bolitar czyta moją rubrykę?

— Co tydzień. Od niej zaczynała lekturę gazety.

Deborah Whittaker wyprostowała się w fotelu, kręcąc głową.

— Słyszeliście, państwo? Ellen Bolitar czyta moją rubrykę.

Uśmiechnęła się do Myrona. Od ciągłych przeskoków w czasie Myronowi zaczęły mylić się czasy gramatyczne. Musiał za nią nadążać.

— Co za miła wizyta, Myron.

— Tak, proszę pani.

Jej uśmiech zadrżał i zniknął.

— Nikt tu nie pamięta mojej rubryki — poskarżyła się. — Są bardzo uprzejmi i mili. Dobrze mnie traktują. Ale dla nich jestem jeszcze jedną starszą panią. Kiedy osiągasz pewien wiek, przestają cię dostrzegać. Widzą w tobie tylko rozsypujące się próchno. Nie pojmują, że kryjący się w środku umysł był kiedyś błyskotliwy, a zużyte ciało uczestniczyło w najfantastyczniejszych zabawach i tańczyło z najprzystojniejszymi mężczyznami. Są na to ślepi. Nie pamiętam, co jadłam na śniadanie, ale pamiętam te zabawy. Uważasz, że to dziwne?

Myron potrząsnął głową.

— Nie, proszę pani.

— Ostatni wieczorek u Lizzy pamiętam, jakby to było wczoraj. Była w czarnej sukni bez ramiączek od Halstona i białych perłach. Opalona i ładna. A ja w jaskraworóżowej letniej sukience. Projektu Lilly Pulitzer. Wiedz, że nadal przyciągałam wzrok.

— Co stało się z Lizzy, pani Whittaker? Dlaczego przestała bywać na przyjęciach?

Deborah Whittaker nagle zesztywniała.

— Prowadzę rubrykę towarzyską, a nie plotkarską — odparła.

— Rozumiem. Ale pytam nie ze wścibstwa. To ważna sprawa.

— Lizzy jest moją przyjaciółką.

— Czy widziała ją pani po tym przyjęciu?

Jej wzrok znów uciekł gdzieś daleko.

— Myślałam, że za dużo pije. Zaczęłam się nawet obawiać, że ma z tym problem.

— Z piciem?

— Nie lubię plotkować. To nie w moim stylu. Redaguję kolumnę towarzyską. Staram się nie ranić ludzi.

— Doceniam to, pani Whittaker.

— Ale się myliłam.

— Myliła się pani?

— Lizzy nie ma problemu z piciem. Oczywiście pije dla towarzystwa, ale jest za doskonałą gospodynią, żeby przebrać miarę.

Znów te czasy gramatyczne.

— Widziała ją pani po tym przyjęciu? — powtórzył.

— Nie — odparła cicho. — Już nie.

— A może rozmawiała z nią pani przez telefon?

— Dzwoniłam do niej dwa razy. Po tym, jak nie pojawiła się u Woodmeresów i na balu Constance. Czułam, że coś się stało. Ale z nią nie rozmawiałam. Raz nie było jej w domu, a za drugim razem nie mogła podejść. — Deborah spojrzała na Myrona. — Wiesz, gdzie ona jest? Myślisz, że wyjdzie z tego?

Myron nie wiedział, co odpowiedzieć. Ani w jakim czasie.

— Martwiła się pani o nią? — spytał.

— Oczywiście. Mam wrażenie, że Lizzy zniknęła. Pytałam o nią wszystkie jej przyjaciółki z klubu, ale żadna jej nie widziała. — Zmarszczyła brwi. — Zresztą, co to za przyjaciółki. Przyjaciółki tak nie plotkują.

— Nie plotkują o czym?

— O Lizzy.

— Co to za plotki?

Ściszyła głos do konspiracyjnego szeptu.

— Myślałam, że zachowuje się dziwnie, bo za dużo pije. Ale to nie było to.

Myron pochylił się ku niej i też ściszył głos.

— A co? — spytał.

Deborah Whittaker wpatrzyła się w niego. Zastanawiał się, jaką rzeczywistość widzą jej zamglone, zachmurzone oczy.

— Depresja — odparła wreszcie. — Panie w klubie szeptały, że wpadła w depresję. Że Arthur ją odesłał. Do zakładu z miękkimi ścianami.

Myron poczuł chłód.

— Pogłoski! — wyrzuciła z siebie. — Podłe plotki!

— Nie dała im pani wiary?

— Powiedz mi coś. — Deborah Whittaker wyprostowała się i oblizała usta tak suche, jakby miały za chwilę się złuszczyć. — Jeśli Elizabeth Bradford zamknięto w jakimś zakładzie, to jak mogła wypaść z balkonu w swoim domu?

Myron skinął głową. Było o czym myśleć.

26

Zabawił tam nieco dłużej, rozmawiając z Deborah o ludziach i czasach, których nie znał. W końcu Becky ogłosiła koniec wizyty. Obiecał, że jeszcze wpadnie. Przyrzekł, że postara się przywieźć matkę. Mówił szczerze. Deborah Whittaker odczłapała posuwiście. Zastanawiał się, czy gdy dotrze do swojego pokoju, będzie pamiętała o jego wizycie. I czy w ogóle ma to jakieś znaczenie.

Z samochodu zadzwonił do sztabu wyborczego Arthura Bradforda. Jego „sekretarz kampanii" poinformowała, że „przyszły gubernator" będzie w Belleville. Myron podziękował, wyłączył komórkę, sprawdził godzinę i ruszył w drogę. Obliczył, że jeżeli nie trafi na korek, zdąży.

Kiedy wjechał na Garden State Parkway, połączył się z biurem ojca.

— Natychmiast ci go daję, Myron — powiedziała, jak zawsze od dwudziestu pięciu lat, gdy tam dzwonił, Eloise, długoletnia sekretarka taty.

Nie było ważne, czy ojciec jest zajęty. Nieważne, czy akurat przyjmował kogoś w gabinecie, czy rozmawiał przez telefon. Dawno temu wydał polecenie: „Kiedy dzwoni mój syn, zawsze można mi przeszkodzić".

— Nie trzeba — powiedział Myron. — Przekaż mu, że wpadnę za dwie godziny.

— Tutaj? Mój Boże, Myron, nie byłeś u nas od lat.

— Wiem.

— Czy coś się stało?

— Nic, Eloise. Chciałem z nim pogadać. Powiedz mu, że to nic takiego.

— Och, twój ojciec na pewno bardzo się ucieszy.

Myron nie był tego pewien.

Wymalowane modnymi pochylonymi trójwymiarowymi literami na pasiastym, czerwono-granatowym, przystrojonym dużymi białymi gwiazdami autokarze wyborczym hasło Arthura Bradforda brzmiało: BRADFORD NA GUBERNATORA. Szyby w nim — co za proste, bezpretensjonalne rozwiązanie — były czarne, tak by nikt z pospólstwa nie mógł podejrzeć swojego przywódcy.

Arthur Bradford z mikrofonem w ręku stał przy drzwiach pojazdu. Za nim jego brat Chance, z gotowym do zdjęć uśmiechem politycznego poplecznika, mówiącym: „Czyż nasz kandydat nie jest super?". A po prawej cioteczny brat Brendy, Terence Edwards. On również miał na twarzy promienny uśmiech, naturalny jak czupryna senatora Joego Bidena. Obaj w idiotycznych kapeluszach ze styropianu, w jakich mógłby występować kwartet rewelersów.

Rzadki tłum składał się głównie ze starszych osób. Mocno starszych. Zagubieni, rozglądali się wokoło, jakby ktoś zwabił ich obietnicą darmowej wyżerki. Inni zwalniali kroku i krążyli z ciekawością gapiów, świadków drobnej stłuczki, którzy liczą, że wybuchnie draka. Ludzie ze sztabu Bradforda weszli w tłum, rozdając wielkie tablice, znaczki, a nawet idiotyczne styropianowe kapelusze z wydrukowanym modnymi literami hasłem: BRADFORD NA GUBERNATORA. Rozproszeni wśród zebranych klakierzy co jakiś czas wpadali w entuzjazm, a reszta tłumu leniwie za nimi. Było też trochę przedstawicieli prasy i kablówek — miejscowych reporterów politycznych, wyraźnie cierpiących z powodu zadania, jakie im przypadło, i zastanawiających się, co gorsze: zdać relację z jeszcze jednej drętwej mowy polityka czy z wypadku typu ręka, noga, mózg na ścianie. Z ich min wynikało, że nie mogą się zdecydować.

Myron przecisnął się przez tłum.

— New Jersey potrzebuje zmian — grzmiał Arthur Bradford. — New Jersey potrzebuje odważnego, śmiałego przywódcy. New Jersey potrzebuje gubernatora, który nie będzie ulegał żadnym naciskom.

Jejku!

Pracownikom Bradforda spodobało się to hasło. Wpadli w taki zachwyt jak (w wyobrażeniu Myrona) gwiazdka porno udająca orgazm. Tłum zareagował powściągliwiej. „Bradford... Bradford... Bradford!", skandowali — jakże oryginalnie! — klakierzy.

— Jeszcze raz, proszę państwa, oto przyszły gubernator New Jersey, Arthur Bradford! — zakrzyknął przez głośnik ktoś inny. — Tego potrzeba naszemu stanowi!

Aplauz. Arthur pozdrowił prosty lud. A potem zstąpił z piedestału i dotknął kilku wybrańców.

— Liczę na wasze poparcie — oświadczał po każdym uścisku ręki.

Myron odwrócił się, bo klepnięto go w ramię. Za nim stał Chance. Wciąż się uśmiechał, a na głowie miał idiotyczny styropianowy kapelusz.

— Czego tu szukasz? — spytał.

— Dasz mi swój kapelusz? — spytał Myron, wskazując na jego głowę.

— Nie lubię cię, Bolitar — odparł z przylepionym uśmiechem Chance.

— Uch, zabolało!

Myron odwzajemnił mu fałszywy uśmiech.

Gdyby jeden z nich był kobietą, mogliby poprowadzić w duecie którąś z telewizyjnych imitacji programu *Hard Copy*.

— Muszę porozmawiać z Artem — rzekł Myron.

Wciąż się uśmiechali. Serdeczni kumple.

— Wejdź do autokaru.

— Oczywiście. Ale po wejściu przestanę się uśmiechać, zgoda? Zaczynają mnie boleć policzki.

Myron wzruszył ramionami, bo Chance zdążył odejść. Wskoczył do autokaru. Chodnik w środku był gruby i kasztanowy. Zamiast zwykłych foteli klubowe. Był też barek z minilodówką, telefony, terminale komputerowe, a pod sufitem kilka telewizorów.

Siedzący samotnie z przodu autokaru chudy Sam czytał magazyn „People". Spojrzał na Myrona i opuścił wzrok na gazetę.

— Pięćdziesiątka najbardziej intrygujących osób. A mnie nie ma wśród nich — powiedział.

Myron skinął współczująco głową.

— Ta lista opiera się na znajomościach, a nie zasługach.

— Polityka — zgodził się Sam i przewrócił stronę. — Przejdź na tył, chłopcze.

— Rozkaz.

Myron usadowił się w pseudofuturystycznym obrotowym fotelu, który wyglądał jak rekwizyt z planu filmowego *Galaktyki*. Nie czekał długo. Pierwszy wskoczył do środka Chance. Wciąż się uśmiechał i machał ręką. Za nim wszedł Terence Edwards. A na końcu Arthur. Kierowca naciśnięciem guzika zamknął drzwi i w tej samej chwili wszyscy trzej zrzucili z twarzy uśmiechy jak drażniące skórę maski.

Arthur dał znak Terence'owi, żeby usiadł z przodu. Edwards skwapliwie wypełnił polecenie — jak podwładny. Arthur i Chance przeszli na tył autobusu. Pierwszy rozluźniony, a drugi z taką miną, jakby miał zatwardzenie.

— Miło cię widzieć — rzekł Arthur.

— Sama przyjemność — odparł Myron.

— Napijesz się czegoś?

— Pewnie.

Autokar ruszył. Zebrany tłum pomachał jego weneckim szybom. Spoglądający na swoich wyborców z najwyższą pogardą Arthur Bradford — ot, demokrata — rzucił Myronowi napój. Jeden otworzył sobie. Myron zerknął na markę. Snapple. Dietetyczna mrożona herbata brzoskwiniowa. Nieźle. Arthur usiadł, Chance przy nim.

— Co myślisz o moim przemówieniu? — spytał Arthur.

— New Jersey potrzebuje więcej politycznych komunałów.

Arthur uśmiechnął się.

— Wolałbyś bardziej szczegółową dyskusję na poważne tematy? W tym upale? Z taką publicznością?

— Co mam odpowiedzieć? I tak wolę hasło: „Głosuj na Arta, ma w domu basen".

Bradford zbył jego odpowiedź machnięciem ręki.

— Dowiedziałeś się czegoś nowego o Anicie Slaughter? — spytał.

— Nie. Ale dowiedziałem się czegoś nowego o twojej zmarłej żonie.

Arthur zmarszczył brwi. Chance poczerwieniał.

— Podobno szukasz Anity.

— Szukam. Ale przy tej okazji wciąż wyłazi na wierzch sprawa śmierci twojej żony. Wiesz dlaczego?

— Bo jesteś idiotą! — nie wytrzymał Chance.

Myron spojrzał na niego i podniósł palec do ust.

— Ciiii! — powiedział.

— To bez sensu — rzekł Arthur. — Bez sensu! Mówiłem ci kilka razy, że śmierć Elizabeth nie ma nic wspólnego z Anitą Slaughter.

— W takim razie mnie oświeć. Dlaczego twoja żona przestała chodzić na przyjęcia?

— Słucham?

— Przez ostatnie pół roku życia twojej żony nie widziała żadna z jej przyjaciółek. Przestała chodzić na przyjęcia. Przestała nawet bywać w klubie.

— Kto ci tak powiedział?

— Rozmawiałem z kilkoma jej znajomymi.

Arthur uśmiechnął się.

— Rozmawiałeś z jedną starą potworą.

— Ostrożnie, Artie. Stare potwory też chodzą na wybory. — Myron zamilkł. — Ej, rymnęło mi się! Mam dla ciebie jeszcze jeden wyborczy slogan: Głosujcie na mnie, stare potwory! Art Bradford waszym gubernatorem!

Nikt nie sięgnął po pióro, żeby to zapisać.

— Marnujesz mój czas, koniec współpracy — oznajmił Arthur. — Kierowca cię wysadzi.

— Mogę z tym pójść do prasy — odparł Myron.

— A ja wpakować ci kulę w łeb! — zaripostował natychmiast Chance.

Myron znów podniósł palec do ust.

Chance już miał coś dodać, ale Arthur przejął ster.

— Zawarliśmy umowę — powiedział. — Ja uchronię Brendę Slaughter od aresztu. Ty poszukasz Anity Slaughter i nie wspomnisz o mnie prasie. Ale ty uparcie grzebiesz w marginaliach. To błąd. Twoje bezcelowe rycie zwróci w końcu uwagę mojego rywala i dostarczy mu nowej amunicji przeciwko mnie.

Na próżno czekał na reakcję Myrona. Myron milczał.

— Trudno, nie mam wyboru. Powiem ci, co chcesz wiedzieć. Przekonasz się, że to nieistotne dla sprawy. A potem ruszymy z martwego punktu.

Chance'owi to się nie spodobało.

— Arthur, nie mówisz poważnie...

— Siądź z przodu, Chance.

— Ale... On może pracować dla Davisona!

Arthur potrząsnął głową.

— Nie pracuje dla niego.

— Skąd możesz wiedzieć...

— Gdyby dla niego pracował, to w tej sprawie węszyłaby już sfora psów Davisona. Jeśli nie przestanie w niej grzebać, tamci na pewno to spostrzegą.

— Nie podoba mi się to — rzekł Chance, patrząc na Myrona.

Myron mrugnął.

— Usiądź z przodu!

Chance chciał odejść z godnością, ale mu się nie udało. Wycofał się jak niepyszny na front autokaru.

— Rozumie się samo przez się, że to, co ci powiem, jest ściśle poufne — rzekł Arthur do Myrona. — Gdybyś to komuś powtórzył... — Nie dokończył zdania. — Rozmawiałeś już z ojcem?

— Nie.

— To pomoże.

— W czym?

Arthur nie odpowiedział, zapatrzony w okno. Autokar zatrzymał się na świetle. Grupka ludzi pomachała w jego stronę. Dla Bradforda byli powietrzem.

— Kochałem moją żonę — zaczął. — Chcę, żebyś to zrozumiał. Poznaliśmy się na uczelni. Pewnego dnia zobaczyłem, jak idzie przez kampus... — Zapaliło się zielone światło. Autokar ruszył. — I to zmieniło moje życie. — Zerknął na Myrona i uśmiechnął się. — Pieprzna historia, co?

— Sympatyczna — odparł Myron, wzruszając ramionami.

— O, tak. — Na to wspomnienie Arthur Bradford skłonił głowę i polityka zastąpił w nim na chwilę zwykły człowiek. — Ślub wzięliśmy tydzień po dyplomie. Huczne wesele odbyło się na Farmie Bradfordów. Żałuj, żeś tego nie widział. Sześćset osób. Nasze rodziny były bardzo przejęte, ale my figę o to dbaliśmy. Byliśmy zakochani. Przepełnieni młodzieńczą pewnością, że tak już pozostanie.

Znów zapatrzył się w okno. Autokar zawibrował. Ktoś włączył telewizję i przyciszył głos.

— Pierwszy cios spadł na nas rok po ślubie. Elizabeth dowiedziała się, że nie może mieć dzieci. Słabe ścianki macicy. Zachodziła w ciążę, lecz nie mogła jej donosić. Roniła przed końcem pierwszego trymestru. Z perspektywy czasu dziwię się sobie. Elizabeth od samego początku miała okresy wyciszenia, napady melancholii. Ale dla mnie nie była to melancholia. Raczej chwile refleksji, które dziwnie mnie wzruszały. Dostrzegasz w tym sens?

Myron skinął głową, ale Arthur wciąż patrzył w okno.

— Z czasem napady stały się częstsze. Nasiliły się. Uznałem, że to naturalne. Kto nie byłby smutny w takich okolicznościach? Dziś oczywiście nazwano by Elizabeth cyklofreniczką. — Uśmiechnął się. — Mówią, że wszystkiemu winna jest fizjologia. Po prostu zachwianie równowagi chemicznej mózgu lub coś takiego. Niektórzy posuwają się do twierdzenia, że nieważne są bodźce zewnętrzne i Elizabeth zachorowałaby nawet bez kłopotów z macicą. — Arthur Bradford spojrzał na Myrona. — Wierzysz w to?

— Nie znam się na tym.

— Myślę, że to możliwe — ciągnął, jakby nie słyszał odpowiedzi. — Choroby umysłowe są takie dziwne. Rozumiemy dolegliwości fizyczne. Jednak kiedy mózg działa irracjonalnie, nie potrafimy tego pojąć. Możemy wyrażać żal. Ale nie możemy w pełni zrozumieć. Patrzyłem, jak Elizabeth stopniowo traci poczytalność. Jej stan wciąż się pogarszał. Znajomi, którzy uważali ją za ekscentryczkę, zaczęli snuć domysły. Czasem było tak źle, że trzymaliśmy ją w domu, udając, że wyjechała na wakacje. Ciągnęło się to latami. Kobieta, w której się zakochałem, powoli nikła. Na długo, pięć, sześć lat przed śmiercią stała się inną osobą. Oczywiście robiliśmy wszystko, co tylko można. Zapewniliśmy jej najlepszą opiekę medyczną, wspieraliśmy ją duchowo, próbowaliśmy przywrócić do normalnego życia. Lecz nic nie było w stanie powstrzymać choroby. W końcu Elizabeth nie mogła opuszczać domu.

Zamilkł.

— Nie oddałeś jej do zakładu? — spytał Myron.

Arthur pociągnął łyk mrożonej herbaty. Zaczął się bawić nalepką na butelce, odrywając rogi.

— Nie — rzekł wreszcie. — Rodzina nalegała, żebym ją tam umieścił. Ale nie mogłem tego zrobić. Być może bym się bez niej obył, przestała być kobietą, którą kochałem, nie byłem jednak w stanie jej porzucić. Nieważne, kim się stała. Za wiele jej zawdzięczałem.

Myron skinął w milczeniu głową. Telewizor z przodu

autokaru wyłączono, ale z głośno nastawionego radia — daj im dwadzieścia dwie minuty, a dadzą ci cały świat — leciały wiadomości. Sam czytał „People". Chance wciąż zerkał ponad jego ramieniem oczami wąskimi jak szparki.

— Wynająłem pielęgniarki i zatrzymałem Elizabeth w domu. Żyłem dalej swoim życiem, ona zaś coraz bardziej traciła kontakt ze światem. Po fakcie można powiedzieć, że moja rodzina miała rację. Powinienem umieścić ją w zakładzie.

Autokar nagle zahamował i się zakołysał, a Myron i Arthur wraz z nim.

— Pewnie się domyślasz, co było dalej. Pogorszyło jej się do tego stopnia, że pod koniec była bliska katatonii. Choroba zawładnęła jej mózgiem do reszty. Nie myliłeś się. Elizabeth nie zginęła przypadkowo. Wyskoczyła. Nie wylądowała nieszczęśliwie na głowie. Zrobiła to rozmyślnie. Moja żona popełniła samobójstwo.

Arthur zakrył twarz dłonią i zagłębił się w fotelu. Może grał — politycy są doskonałymi aktorami. Ale Myron wziął ten gest za oznakę prawdziwych wyrzutów sumienia, uznał, że z oczu Bradforda istotnie coś zniknęło i została pustka. Nie był jednak tego pewien. Ci, co twierdzą, iż wiedzą, kiedy ktoś kłamie, zwykle dają się zwieść najłatwiej.

— Anita znalazła jej zwłoki? — spytał.

Arthur skinął głową.

— Reszta to typowe działanie mojej rodziny. Natychmiast zatuszowano prawdę. Wręczono łapówki. Sam rozumiesz, samobójstwo... szalona żona, którą jeden z Bradfordów doprowadził do śmierci... nie wchodziło w grę. Chcieliśmy też zataić nazwisko Anity, ale wymieniono je przez radio w wiadomościach. Prasa je podchwyciła.

To się zgadzało.

— Wspomniałeś o łapówkach.

— Tak.

— Ile dostała Anita?

Arthur zamknął oczy.

— Anita nie dostała nic.

— Czego zażądała?

— Niczego. Nie była taka.

— Zaufałeś jej, że nic nie powie.

Arthur skinął głową.

— Tak. Zaufałem jej.

— Nie zagroziłeś ani...

— Nigdy.

— Trudno mi w to uwierzyć.

Arthur wzruszył ramionami.

— Pozostała u nas jeszcze dziewięć miesięcy. Nic ci to nie mówi?

Ta sama zagadka. Myron chwilę się zastanawiał. Z przodu autokaru dobiegł hałas. To wstał Chance. Szybko przemierzył autokar i zatrzymał się przy nich. Zignorowali go.

— Powiedziałeś mu? — spytał po dłuższej chwili.

— Tak — odparł Arthur.

Chance obrócił się do Myrona.

— Jeżeli komukolwiek piśniesz choć słowo, zabiję...

— Ciiii.

W tym momencie Myron znalazł odpowiedź.

Wisiała w powietrzu, tuż-tuż. Opowieść Bradforda była częściowo prawdziwa — tak jest zawsze w przypadku doskonałych kłamstw — ale czegoś w niej brakowało.

— O czymś zapomniałeś — powiedział, wpatrując się w niego.

Zmarszczki na czole Arthura pogłębiły się.

— O czym?

— Który z was — Myron wskazał na Chance'a, a potem na niego — pobił Anitę Slaughter?

Bracia zamilkli jak kamienie.

— Kilka tygodni przed samobójstwem Elizabeth ktoś poturbował Anitę Slaughter — ciągnął Myron. — Zabrano ją do szpitala Świętego Barnaby. Kiedy twoja żona skoczyła z balkonu, Anita nadal nosiła ślady pobicia. Opowiesz mi o tym?

Naraz nastąpiło kilka rzeczy. Arthur Bradford lekko skinął

głową. Sam odłożył tygodnik „People" i wstał. Chance się wściekł.

— On za dużo wie! — krzyknął.

Zamyślony Arthur nie zareagował.

— Musimy go usunąć!

W ich stronę ruszył Sam.

— Chance? — powiedział cicho Myron.

— Co?

— Masz rozpięte pod szyją.

Chance spojrzał na rozporek. W tym momencie Myron przystawił mu do krocza trzydziestkęósemkę. Chance odskoczył, ale lufa podążyła za nim. Chudy Sam wycelował w Myrona pistolet.

— Każ mu usiąść — powiedział Myron — bo zrobię ci taką dziurkę, że nie będziesz miał kłopotów z wkładaniem cewnika.

Wszyscy zamarli. Sam wciąż celował w Myrona, Myron wtykał lufę w krocze Chance'a, a Arthur trwał w zamyśleniu. Chance zaczął się trząść.

— Nie zmocz mi pukawki, Chance.

Odzywka godna twardziela. Ale sytuacja nie była dobra. Myron znał takich jak Sam. Strzelali mimo ryzyka.

— Niepotrzebnie wyjąłeś pistolet. Nikt nie zrobi ci krzywdy — rzekł Arthur.

— Co za ulga.

— Więcej jesteś wart dla mnie żywy. W innym razie Sam już by cię rozwalił. Rozumiesz?

Myron nie odpowiedział.

— Nasza umowa obowiązuje: znajdź Anitę, Myron, a ja uchronię Brendę przed aresztowaniem. I nie wmieszamy do tego mojej żony. Wyrażam się jasno?

Trzymający wciąż pistolet na poziomie oka Sam uśmiechnął się.

— To tak ma wyglądać zaufanie? — spytał Myron, wskazując go głową.

— Sam.

Sam schował pistolet, wrócił na miejsce i złapał się za „People".

Myron nieco mocniej wcisnął pistolet w krocze Chance'a, a gdy ten skowytnął, schował broń do kieszeni.

Autokar podwiózł go do taurusa. Gdy z niego wysiadał, Sam zasalutował. Odpowiedział mu skinieniem głowy. Autokar odjechał i zniknął za rogiem. W tym momencie Myron zdał sobie sprawę, że wstrzymywał oddech. Spróbował się odprężyć i zebrać myśli.

— Wkładanie cewnika? — powiedział na głos. — Okropność.

27

Biuro ojca mieściło się nadal w magazynie w Newark. Przed laty szyto tu bieliznę. A w tej chwili sprowadzano gotowe wyroby z Indonezji, Malezji lub z innego kraju, w którym zatrudnia się dzieci. Wszyscy wiedzieli o wyzyskiwaniu nieletnich, a mimo to korzystali z owoców ich pracy i kupowali wyprodukowany tam towar, bo co prawda było to naganne moralnie, ale pozwalało zaoszczędzić garść dolarów. Łatwo ciskać gromy na pracę dzieci w fabrykach, łatwo się oburzać na płacenie dwunastolatkom dwunastu czy ilu tam centów za godzinę, łatwo potępiać ich rodziców i taki wyzysk. Znacznie trudniej to robić, kiedy musisz wybierać między dwunastoma centami a przymieraniem głodem, między wyzyskiem a śmiercią.

A najłatwiej jest za wiele o tym nie myśleć.

Trzydzieści lat temu w Newark naprawdę szyto bieliznę. U taty Myrona pracowało wielu czarnych ze slumsów. Uważał się za dobrego pracodawcę. Sądził, że ma u nich opinię dobrodzieja. Ale kiedy po wybuchu zamieszek w roku 1968 pracownicy spalili mu cztery budynki fabryczne, zmienił co do nich zdanie.

Eloise Williams zaczęła u niego pracować przed zamieszkami. „Będzie miała u mnie pracę, póki żyję" — często powtarzał. Była dla niego jak druga żona. Dbała o niego w pracy. Spierali się, kłócili, czasem byli na siebie źli. Ale było to najprawdziwsze uczucie. Myron był tego świadom. „Chwała Bogu, że Eloise jest brzydsza od krowy spod Czarnobyla — mawiała jego mama. — Bo inaczej byłabym podejrzliwa".

Fabryka składała się niegdyś z pięciu budynków. Pozostał tylko magazyn. Ojciec Myrona składował w nim dostawy zza oceanu. Biuro mieściło się dokładnie pośrodku i sięgało prawie pod sufit. Wszystkie cztery ściany były ze szkła, dzięki czemu mógł obserwować towar niczym strażnik teren więzienia z wieży.

Myron wszedł po metalowych schodach na górę. Eloise powitała go mocnym uściskiem i uszczypnięciem w policzek. Niemal oczekiwał, że za chwilę wyjmie z szuflady biurka jakąś zabawkę. Kiedy odwiedzał biuro ojca w dzieciństwie, zawsze miała dla niego w pogotowiu korkowiec, samolocik do składania albo komiks. Ale tym razem tylko go uściskała. Niespecjalnie rozpaczał.

— Wchodź jak w dym — powiedziała, nie naciskając dzwonka ani nie pytając jego ojca, czy jest wolny.

Przez szybę widział, że ojciec rozmawia przez telefon. Jak zwykle, z ożywieniem. Kiedy wszedł, staruszek uniósł palec.

— Irv, powiedziałem, jutro. Żadnych wymówek. Jutro, słyszysz?

Niedziela, a wszyscy pracowali. Ach, ten kurczący się wolny czas u schyłku dwudziestego wieku.

Ojciec odłożył słuchawkę, spojrzał na syna i cały się rozpromienił. Myron obszedł biurko i pocałował go w policzek. Jego szorstka, podobna do papieru ściernego skóra lekko pachniała old spice'em. Tak jak powinna.

Był ubrany jak członek Knesetu — w czarne spodnie i białą koszulę z rozpiętym kołnierzykiem, pod którą nosił podkoszulek z rękawkami. Między podkoszulkiem a szyją sterczały siwe włosy. Miał bardzo semicką urodę — ciemnooliwkową cerę i nos, który ludzie uprzejmi nazywali wydatnym.

— Pamiętasz Don Rica? — spytał.

— Portugalską knajpkę, do której kiedyś chodziliśmy?

Ojciec skinął głową.

— Już jej nie ma. Od zeszłego miesiąca. Manuel prowadził ją pięknie przez trzydzieści sześć lat. I w końcu musiał się poddać.

— Przykro słyszeć.

Ojciec prychnął szyderczo i machnął ręką.

— Kogo to obchodzi? Zagaduję cię, bo się trochę zmartwiłem. Eloise powiedziała, że przez telefon miałeś dziwny głos. Wszystko w porządku? — spytał ciszej.

— Nic mi nie jest.

— Potrzebujesz pieniędzy?

— Nie, tato, nie potrzebuję.

— Ale coś się stało, tak?

Myron postanowił, że spyta od razu.

— Znasz Arthura Bradforda?

Ojciec pobladł — nie powoli, ale w jednej chwili — i zaczął przekładać rzeczy na biurku. Poprawił rodzinne fotografie, nieco dłużej zatrzymując się na zdjęciu Myrona dzierżącego wysoko w górze trofeum Krajowego Akademickiego Zrzeszenia Sportowego, NCAA, po zdobyciu z drużyną Uniwersytetu Duke'a tytułu mistrza kraju. A potem podniósł puste pudełko po pączkach i wrzucił je do kosza.

— A dlaczego pytasz? — rzekł wreszcie.

— W coś się zaplątałem.

— W związku z Arthurem Bradfordem?

— Tak.

— To się wyplącz. I to szybko.

Ojciec podniósł do ust turystyczny kubek do kawy i zapuścił żurawia. Kubek był pusty.

— Powiedział, żebym ciebie o niego spytał. On i gość, którego zatrudnia.

Al Bolitar poderwał głowę.

— Sam Richards? — spytał cicho, z lękiem. — To on żyje?

— Tak.

— Cholera!

— Skąd ich znasz? — spytał Myron po chwili.

Ojciec otworzył szufladę i zaczął w niej czegoś szukać, a potem zawołał Eloise. Podeszła do drzwi.

— Gdzie jest tylenol? — spytał.

— W dolnej prawej szufladzie. Z lewej strony z tyłu. Pod pudełkiem z gumkami — odparła Eloise i spytała Myrona: — Chcesz yoo-hoo?

— Tak, proszę.

Trzymali yoo-hoo! Nie był w biurze ojca od blisko dekady, a oni wciąż trzymali jego ulubiony napój! Ojciec znalazł buteleczkę i zaczął się bawić nakrętką. Eloise wyszła i zamknęła drzwi.

— Nigdy cię nie okłamałem.

— Wiem.

— Starałem się ciebie chronić. To rola rodziców. Chronić swoje dzieci. Kiedy widzą, że zbliża się niebezpieczeństwo, próbują wkroczyć i przyjąć cios na siebie.

— Nie możesz przyjąć za mnie tego ciosu.

Ojciec wolno skinął głową.

— To żadna ulga — powiedział.

— Nic mi nie będzie. Chcę tylko wiedzieć, z czym mam do czynienia.

— Ze złem w najczystszej postaci. — Ojciec wytrząsnął dwie tabletki i połknął je bez wody. — Masz do czynienia z najczystszym okrucieństwem, z ludźmi pozbawionymi sumienia.

Eloise wróciła z yoo-hoo. Czytając w ich twarzach, bez słowa podała Myronowi napój i szybko się wymknęła. W oddali wózek widłowy włączył klakson, ostrzegając, że się cofa.

— Zdarzyło się to z rok po zamieszkach — zaczął ojciec. — Jesteś chyba za młody, żeby pamiętać, ale rozruchy rozdarły to miasto. Do dziś nie wyleczyło się ono z ran. Przeciwnie. Przypomina moją konfekcję. — Wskazał na pudła w dole. — Kiedy materiał puści przy szwie i nic się z tym nie zrobi, rozdarcie się powiększy i odzież się rozleci. Tak wygląda Newark. Jak podarta sztuka odzieży... Moi pracownicy w końcu powrócili, ale odmienieni. Gniewni. Z pracodawcy zmieniłem się dla nich w gnębiciela. Patrzyli na mnie, jakbym to ja przywiózł siłą ich zakutych w łańcuchy przodków przez ocean. A potem zaczęli podburzać ich wichrzyciele. Mane, tekel, fares. To był koniec produkcji w tej fabryce. Koszty pracy stały się za wysokie. To miasto samo się zżerało. W końcu robotnikami zaczęli kierować gangsterzy. Robotnicy zapragnęli stworzyć związek. Zażądali tego! Oczywiście byłem temu przeciwny.

Ojciec spojrzał przez szklaną ścianę na niekończące się rzędy pudeł. Myron zastanawiał się, ile razy oglądał ten sam widok. Co myślał, kiedy na nie patrzył, o czym marzył przez te wszystkie lata, które spędził w zakurzonym magazynie. Myron potrząsnął puszką i otworzył ją z puknięciem. Na ten dźwięk jego ojciec lekko się wzdrygnął. Spojrzał na syna i zdobył się na uśmiech.

— Stary Bradford związał się z gangsterami, którzy chcieli założyć u mnie związek. Oto kto maczał w tym palce: gangsterzy, bandziory, łajdaki, parający się wszystkim, od stręczycielstwa po grę w numerki. Raptem stali się fachowcami od kwestii pracowniczych. Mimo to z nimi walczyłem. I wygrywałem. Któregoś dnia stary Bradford przysłał tu, do tego magazynu, swojego syna Arthura. Żeby ze mną pogadał. Był z nim Sam Richards. Bydlak stał oparty o tę ścianę i milczał. Arthur usiadł i położył nogi na moim biurku. Oświadczył, że zgodzę się na założenie tego związku. Co więcej, poprę go finansowo. Szczodrymi wpłatami. Odparłem gnojkowi, że jest słowo na to, co robi: wymuszenie. I kazałem mu się wynieść z biura.

Na czoło Ala Bolitara wystąpiły krople potu. Wyjął chusteczkę i kilka razy je osuszył. W rogu biura pracował wiatrak. Obracając się tam i z powrotem, raz po raz drażnił miłym wiaterkiem i wystawiał na sztywny upał. Myron spojrzał na rodzinne fotografie. Skupił wzrok na zdjęciu z rejsu po Karaibach. Pochodziło sprzed jakichś dziesięciu lat. Ubrani w krzykliwe koszule, opaleni, mama i tata tryskali zdrowiem i byli znacznie młodsi. Przestraszył się.

— Co się stało potem? — spytał.

Ojciec przełknął coś.

— Wtedy przemówił Sam. Podszedł do biurka, spojrzał na zdjęcia, uśmiechnął się, jakby był starym przyjacielem rodziny, i rzucił na nie sekator.

Myron poczuł chłód.

Jego ojciec mówił dalej. Oczy miał rozszerzone, spojrzenie nieobecne.

— „Wyobraź sobie, co można tym zrobić człowiekowi — powiedział. — Wyobraź sobie odcinanie części ciała po kawałku. Nie to, po jakim czasie ktoś taki umiera, ale jak długo potrafisz utrzymać go przy życiu". To wszystko. Arthur Bradford zaczął się śmiać i obaj wyszli z biura.

Ojciec znów zajrzał do kubka, ale ten pozostał pusty. Myron wyciągnął w jego stronę yoo-hoo, ale Al Bolitar odmówił, kręcąc głową.

— Wróciłem do domu i starałem się udawać, że wszystko jest cacy. Jeść. Uśmiechać się. Bawiłem się z tobą na podwórku. Cały czas jednak myślałem o tym, co powiedział Sam. Twoja matka wyczuła, że coś się stało, ale przynajmniej choć raz nie wierciła mi dziury w brzuchu. Później się położyłem. Z początku nie mogłem zasnąć. Wyobrażałem sobie, tak jak zalecił ten łotr, odcinanie cząstek ludzkiego ciała. Powoli. Każdemu cięciu towarzyszył krzyk. I wtedy zadzwonił telefon. Podskoczyłem, spojrzałem na zegarek. Była trzecia rano. Podniosłem słuchawkę, nikt się nie odezwał. Ale byli tam. Słyszałem ich oddechy. Milczeli. Odłożyłem słuchawkę i wstałem z łóżka.

Ojciec oddychał płytko. Oczy miał załzawione. Kiedy Myron wstał, chcąc do niego podejść, powstrzymał go gestem.

— Daj mi skończyć, dobrze?

Myron skinął głową i usiadł.

— Wszedłem do twojego pokoju. — Głos ojca stał się monotonny, głuchy i bez życia. — Pewnie wiesz, że robiłem to bardzo często. Czasem siadałem przy tobie z nabożnym zachwytem i patrzyłem, jak śpisz.

Po twarzy Ala Bolitara popłynęły łzy.

— Wszedłem więc do twojego pokoju. Twój głęboki oddech natychmiast mnie pokrzepił. Uśmiechnąłem się. Podszedłem, żeby cię opatulić, i wtedy go zobaczyłem.

Podniósł pięść do ust, jakby chciał stłumić kaszlnięcie. Pierś mu zadygotała i wyrzucił z siebie słowa:

— Na twoim łóżku, na kołderce, leżał sekator. Ktoś włamał się do twojego pokoju i zostawił sekator.

Stalowa ręka ścisnęła Myronowi trzewia.

Ojciec spojrzał na niego zaczerwienionymi oczami.

— Z takimi jak oni się nie walczy, Myron — powiedział. — Z takimi jak oni nie wygrasz. To nie kwestia odwagi. To kwestia troski. Masz bliskich, o których się troszczysz. Ci ludzie tego nie rozumieją. Są wyzuci z uczuć. Czy możesz zranić kogoś, kto nic nie czuje?

Myron nie odpowiedział.

— Po prostu się wycofaj. To żaden wstyd.

Myron wstał. Jego ojciec również. Objęli się i mocno uścisnęli. Myron zamknął oczy. Ojciec przygarnął jego głowę i pogładził po włosach. Myron przywarł do niego. Wciągnął w nos zapach wody old spice i powrócił w przeszłość, wspominając, jak ta sama ojcowska ręka podtrzymywała mu głowę, gdy oberwał piłką od Joeya Davita.

To nadal krzepi, skonstatował. Chociaż minęło tyle lat, w ramionach ojca wciąż czuł się najbezpieczniej.

28

Sekator.

To nie mógł być przypadek. Chwycił komórkę i zadzwonił do szkoły, gdzie trwał trening.

— Cześć — usłyszał po kilku minutach głos Brendy.

— Cześć.

Zamilkli.

— Uwielbiam elokwentnych mężczyzn — powiedziała.

— Mhm.

Zaśmiała się. Tak melodyjnie, że zadrgało mu serce.

— Co u ciebie? — spytał.

— W porządku. Pomaga mi gra. Poza tym dużo myślałam o tobie. To też pomaga.

— Nawzajem.

Zabójcze teksty, jeden w drugi.

— Będziesz wieczorem na meczu? — spytała Brenda.

— Jasne. Wpaść po ciebie?

— Nie, pojadę autobusem z drużyną.

— Mam pytanie.

— Strzelaj.

— Jak nazywają się ci dwaj chłopcy, którym przecięto ścięgna Achillesa?

— Clay Jackson i Arthur Harris.

— Przecięto je sekatorem, tak?

— Tak.

— I mieszkają w East Orange?

— Tak, a dlaczego pytasz?

— To nie Horace ich okaleczył.

— A kto?

— To długa historia. Opowiem ci później.

— Po meczu — zaproponowała. — Wprawdzie mam pewne zobowiązania wobec mediów, ale możemy przegryźć coś do drodze i wrócić do Wina.

— Doskonale.

Zamilkli.

— Za bardzo się narzucam? — spytała po chwili.

— Ależ skąd.

— Może powinnam być bardziej nieprzystępna.

— Nie.

— Rzecz w tym... — urwała i dodała po chwili — że dobrze mi z tym, wiesz?

Skinął głową. Wiedział. Przypomniał sobie słowa Esperanzy, że kiedyś za bardzo się odsłaniał — stał jak wrośnięty w ziemię, zupełnie się nie bojąc, że oberwie piłką w głowę.

— Zobaczymy się na meczu — powiedział i skończył rozmowę.

Usiadł, zamknął oczy i pomyślał o Brendzie, pozwalając, żeby myśli o niej spłynęły na niego kaskadą. Poczuł mrowienie w ciele. Uśmiechnął się.

Brenda.

Otworzył oczy i otrząsnął się z marzeń. Ponownie włączył telefon w samochodzie i wystukał numer Wina.

— Mów.

— Potrzebuję wsparcia — powiedział.

— Byczo — ucieszył się Win.

Spotkali się w Essex Green Mall w West Orange.

— To daleko stąd? — spytał Win.

— Dziesięć minut.

— Podła dzielnica?

— Tak.

Win spojrzał na swojego cennego jaguara.

— Pojedziemy twoim samochodem — zdecydował.

Wsiedli do forda taurusa. Słońce u schyłku lata kładło nadal długie, cienkie cienie. Upał parował z chodników ciemnymi, dymnymi, leniwymi wiciami. Powietrze było tak gęste, że jabłku spadającemu z drzewa dotarcie do ziemi zajęłoby kilka minut.

— Zasięgnąłem informacji o stypendium Edukacji Powszechnej — rzekł Win. — Ten, kto je ufundował, doskonale znał się na finansach. Pieniądze przekazano z zagranicy, a konkretnie z Kajmanów.

— Więc ich źródło jest nie do wykrycia?

— Prawie nie do wykrycia — sprostował Win. — Ale nawet na Kajmanach kto smaruje, ten jedzie.

— Komu posmarujemy łapę?

— Już posmarowałem. Niestety, konto było na fikcyjne nazwisko i zamknięto je cztery lata temu.

— Cztery lata temu — powtórzył Myron. — Zaraz po tym, jak Brenda dostała ostatnie szkolne stypendium. Przed rozpoczęciem studiów medycznych.

Win skinął głową.

— To logiczne — powiedział niczym pan Spock ze *Star Treka*.

— A więc dotarliśmy do ściany.

— Chwilowo. Trzeba będzie przeszukać stare akta, ale zajmie to kilka dni.

— Coś jeszcze?

— Stypendystki nie wybrała instytucja związana ze szkolnictwem, tylko adwokaci. Kryteria były ogólnikowe: potencjał intelektualny, postawa społeczna i tym podobne.

— Innymi słowy, wszystko zaaranżowano tak, żeby ci prawnicy wybrali Brendę. Tak jak się domyślaliśmy, chodziło o przekazanie jej pieniędzy.

— Logiczne — powtórzył Win, znów kiwając głową.

Wyruszyli z West Orange do East Orange. Przemiana następowała powoli. W miejsce pięknych podmiejskich domów pojawiły się ogrodzone osiedla, po nich znowu domy — mniejsze, na mniejszych parcelach, starsze i bardziej ścieśnione — a wreszcie opuszczone fabryki i budynki komunalne. Przypominało to powrót motyla do stadium poczwarki.

— Poza tym zadzwonił Hal — dodał Win.

Z Halem, ekspertem od elektroniki, znali się z czasów wspólnej pracy dla rządu. To jego Myron poprosił o sprawdzenie podsłuchów.

— No i?

— Wszędzie, w mieszkaniach Mabel Edwards, Horace'a Slaughtera i u Brendy w akademiku, założono podsłuch telefoniczny i pluskwy.

— Żadna niespodzianka.

— Z wyjątkiem jednego. Urządzenia w dwóch domach, Mabel i Horace'a, były stare. Zdaniem Hala, założono je co najmniej trzy lata temu.

Myron puścił umysł w ruch.

— Trzy lata?

— Tak. Oczywiście w przybliżeniu. W każdym razie były stare, po części pokryte skorupą kurzu.

— A co z podsłuchem w telefonie Brendy?

— Założono go niedawno. Ale Brenda mieszka tam dopiero kilka miesięcy. Hal znalazł też pluskwy w pokojach. Jedną pod biurkiem w sypialni. Drugą w dużym pokoju za kanapą.

— Mikrofony?

Win skinął głową.

— Kogoś interesowały nie tylko jej rozmowy przez telefon.

— Cholera.

Win o mało się nie uśmiechnął.

— Wiedziałem, że się zdziwisz.

— Ktoś od dawna niewątpliwie szpieguje jej rodzinę — powiedział Myron, wprowadzając do mózgu nowe dane.

— Niewątpliwie.

— Ktoś, kto ma wpływy i środki.

— Oczywiście.

— Wszystko wskazuje na Bradfordów. Szukają Anity Slaughter. Z tego, co wiemy, od dwudziestu lat. To jedyne sensowne rozwiązanie. Wiesz, co to oznacza?

— Powiedz.

— Że Arthur Bradford mnie oszukał.

Win westchnął wymownie.

— Polityk, któremu nie można ufać? Zaraz powiesz mi, że nie ma Świętego Mikołaja.

— Potwierdza to nasz wstępny domysł. Wyjaśnia, dlaczego Arthur Bradford jest tak skory do współpracy. Anita Slaughter uciekła, bo się bała. Mam ją znaleźć, żeby mógł ją zabić.

— A potem spróbuje zabić ciebie.— Win sprawdził w lusterku fryzurę. — Niełatwo jest być przystojnym, rozumiesz.

— Ale się nie uskarżasz.

— Już taki jestem.

Win zerknął jeszcze raz w lusterko i ustawił je w poprzedniej pozycji.

Clay Jackson mieszkał w biednej robotniczej dzielnicy, przy ulicy z szeregowymi domami, samymi bliźniakami, nie licząc kilku narożnych knajp z brudnymi oknami, przez które błyskały niemrawo neonowe reklamy budweisera. Podwórza za nimi wychodziły na drogę 280. Ogrodzenia były z siatki. Z popękanych chodników wyrastało tyle chwastów, że nie dało się określić, gdzie kończy się trotuar, a gdzie zaczyna trawnik.

Tu również mieszkali sami czarni. Myron znów poczuł znajomy, niewytłumaczalny niepokój.

Po drugiej stronie ulicy, naprzeciwko domu Claya Jacksona, w małym parku smażono coś na rożnie. Grano w softball. Zewsząd dobiegały gromkie śmiechy. Ryczał radiomagnetofon. Oczy wszystkich zwróciły się na wysiadających z taurusa Myrona i Wina. Radiomagnetofon nagle zamilkł. Myron zmusił się do uśmiechu. Na Winie spojrzenia miejscowych nie zrobiły żadnego wrażenia.

— Patrzą na nas — powiedział Myron.

— Gdyby dwóch czarnych podjechało pod twój dom w Livingston, to jakby ich tam przyjęto?

— Myślisz, że sąsiedzi dzwonią na policję i donoszą, że po ulicy kręci się dwóch „podejrzanych młodych"?

— Młodych? — spytał Win, unosząc brew.

— Pobożne życzenia.

— Mowa.

Ruszyli w stronę ganku podobnego do tego z *Ulicy Sezamkowej*. Ale grzebiący w pobliskim koszu na śmieci mężczyzna w niczym nie przypominał Oskara Zrzędy. Myron zapukał do drzwi. Win przyjrzał się oczom, płynnym ruchom, badając wzrokiem sytuację. Grający w softball i raczący się barbecue po drugiej stronie wciąż na nich patrzyli. Bez najmniejszej sympatii.

Myron zapukał powtórnie.

— Kto tam? — odezwał się kobiecy głos.

— Nazywam się Myron Bolitar. A to jest Win Lockwood. Chcielibyśmy się widzieć z Clayem Jacksonem.

— Możecie chwilę zaczekać?

Czekali blisko minutę, nim zabrzęczał łańcuch. Obróciła się gałka i w drzwiach stanęła kobieta. Czarna, może czterdziestoletnia. Uśmiech na jej twarzy pełgał jak neonowa reklama budweisera w narożnej knajpie.

— Jestem matką Claya — powiedziała. — Wejdźcie.

Weszli za nią do środka. Na kuchni gotowało się coś smacznego. Stary klimatyzator ryczał niczym odrzutowiec DC-10, ale działał. Krótko jednak zażywali przyjemnego chłodu, bo gospodyni poprowadziła ich pośpiesznie wąskim korytarzem i przez tylne drzwi znów wyszli na zewnątrz, na podwórko.

— Napijecie się czegoś? — spytała, przekrzykując hałas autostrady.

Myron spojrzał na Wina. Win zmarszczył brwi.

— Nie, dziękujemy.

— Dobrze. — Uśmiech matki Claya rozmigotał się jak dyskotekowy stroboskop. — Pójdę po syna. Zaraz wrócę.

Zamknęła zewnętrzne drzwi.

Zostali sami. Podwórko było malutkie. Ze stojących tu skrzynek buchały kolorowe kwiaty i marniały dwa duże krzewy. Myron podszedł do ogrodzenia i spojrzał na drogę 280. Po czteropasmowej autostradzie mknęła rzeka pojazdów. Snujące się wolno w dusznym upale spaliny zawisały w powietrzu. Gdy przełykał ślinę, czuł ich smak.

— Niedobrze — powiedział Win.

Myron skinął głową. Do twojego domu przychodzą dwaj biali. Nie znasz żadnego. Nie prosisz, żeby się wylegitymowali, tylko wpuszczasz ich do środka i zostawiasz na podwórzu. Coś tu śmierdziało, nie tylko spaliny.

— Poczekajmy, co z tego wyniknie — powiedział.

Nie czekali długo. Z trzech kierunków nadeszło ośmiu rosłych Murzynów. Dwóch wypadło przez tylne drzwi. Trzech zaszło ich z prawej strony domu, a trzech z lewej. W rękach mieli aluminiowe kije bejsbolowe, a na twarzach miny „przylutujmy im". Wachlarzykiem otoczyli podwórko. Myronowi przyśpieszył puls. Win splótł ręce na piersi. Poruszały się tylko jego oczy.

Napastnicy nie byli ulicznymi łobuzami ani członkami gangu. Byli graczami w softball z parku po drugiej stronie ulicy, dorosłymi mężczyznami o krzepkich ciałach, zaprawionych w codziennej pracy — dokerami, kierowcami ciężarówek et cetera. Niektórzy trzymali kije gotowe do uderzenia, inni na ramionach, a jeszcze inni odbijali je lekko od nóg, jak Joe Don Baker w filmie *Z podniesionym czołem.*

Myron zmrużył oczy w słońcu

— Skończyliście grać? — spytał.

Największy z Murzynów wystąpił naprzód. Brzuch miał jak żelazny kocioł, dłonie zgrubiałe, a ręce tak mocarne, że nautilus na siłowni pękłby pod naporem jego nierzeźbionych muskułów, jakby był ze styropianu. Poszerzona do maksimum bejsbolówka Nike karlała na jego głowie do rozmiarów jarmułki. Koszulkę miał z logo Reeboka. Czapka Nike, koszulka Reeboka? Markowy bigamista.

— Gra dopiero się zaczyna, baranie.

Myron spojrzał na Wina.

— Odpowiedź niezła, lecz mało oryginalna — odparł Win. — Słowo „baran" doczepione na siłę. Temu panu tymczasem podziękujemy, może lepiej się spisze następnym razem.

Ósemka mężczyzn okrążyła Myrona i Wina.

— Choć no tu, kajzerko.

Nike-Reebok, ich oczywisty przywódca, wskazał pałką Wina.

Win spojrzał na Myrona.

— Chyba mówi o tobie — powiedział Myron.

— Bierze mnie za rodaka Schwarzeneggera.

Win uśmiechnął się, a Myronowi zabiło serce. Ludzie zawsze popełniali ten błąd. Nieodmiennie obierali sobie Wina za cel. Nie dość, że miał metr siedemdziesiąt kilka wzrostu, ze dwadzieścia centymetrów mniej od niego, to jego powierzchowność — jasne włosy, blada cera, niebieskie żyłki, kościec, zda się, kruchy jak z porcelany — wyzwalała w nich najgorsze instynkty. Win wydawał się miękki, chowany pod kloszem, wychuchany — wymoczek, którego wystarczy stuknąć, a rozleci się jak tani fajans. Łatwa zdobycz. Ulubiona przez wszystkich.

Win podszedł do Nike-Reeboka, uniósł brew i głosem kamerdynera Lurcha z *Rodziny Adamsów* spytał:

— Pan wzywał?

— Jak się nazywasz, kajzerko?

— Thurgood Marshall *.

Silna grupa nie przyjęła tego z entuzjazmem. Zaszumiała.

— Sadzisz się na rasistowskie dowcipy?

— A nazwanie kogoś kajzerką nie jest rasistowskim wicem?

Win zerknął na Myrona i uniósł kciuki. Myron zrobił to samo. W pokazowej szkolnej debacie Win za tę odpowiedź zdobyłby punkt.

— Jesteś gliną, Thurgood?

---

* Pierwszy w historii Stanów Zjednoczonych czarny sędzia Sądu Najwyższego, mianowany w roku 1967 na to stanowisko przez prezydenta Lyndona Johnsona.

Win zmarszczył czoło.

— W tym stroju?! — Chwycił się za klapy. — Liiitości!

— To czego tu szukasz?

— Chcemy porozmawiać z niejakim Clayem Jacksonem.

— O czym?

— O energii słonecznej i jej roli w dwudziestym pierwszym wieku.

Wódz Murzynów spojrzał na swoich żołnierzy. Zacieśnili pętlę. Myronowi zapulsowało w uszach. Nie odrywał oczu od Wina i czekał.

— Coś mi mówi, białasy, że przyjechaliście jeszcze raz skrzywdzić Claya. — Nike-Reebok przysunął się bliżej, stając oko w oko z Winem. — Coś mi mówi, że w jego obronie mamy prawo użyć środków ostatecznych. No nie, chłopaki?

Jego paczka potwierdziła to pomrukami, unosząc kije.

Win sięgnął znienacka ręką i wyrwał mu kij. Usta kompletnie zaskoczonego wielkiego Murzyna ułożyły się w „o". Wpatrzył się w swoje ręce, jakby oczekiwał, że kij za chwilę się zmaterializuje. Ale się nie zmaterializował. Win odrzucił go w kąt podwórka i skinął na kolosa.

— Pójdziesz ze mną w tango, pumperniklu? — spytał.

— Win! — wtrącił Myron.

Ale Win wpatrywał się w przeciwnika.

— Czekam.

Nike-Reebok uśmiechnął się, zatarł ręce i oblizał usta.

— Zostawcie go mnie, chłopaki — powiedział. Łatwa zdobycz!

A potem natarł jak potwór Frankensteina, grubymi paluchami sięgając do szyi Wina. Wyczekawszy do ostatniej chwili, Win zwarł palce, zmieniając dłoń w grot, błyskawicznie odskoczył w bok i ruchem szybkim jak dziobnięcie ptaka wbił ich czubki w gardło przeciwnika. Z ust kolosa wydobył się odgłos gwałtownego dławienia, zbliżony do dźwięku dentystycznego odsysacza śliny, a jego ręce instynktownie frunęły do gardła. Win nisko zanurkował i sieknął stopą, obcasem kosząc mu nogi. Wielki Murzyn fajtnął i wylądował na potylicy.

Win z uśmiechem przystawił mu do twarzy czterdziestkę-czwórkę.

— Coś mi mówi, że zaatakowałeś mnie kijem bejsbolo-wym — powiedział. — Coś mi mówi, że strzelenie ci w oko uznano by za w pełni usprawiedliwione.

Myron, który również wydobył pistolet, kazał reszcie rzucić kije na ziemię. Rzucili. A potem na jego życzenie położyli się na brzuchach i spletli dłonie na głowach. Zajęło to chwilę, w końcu jednak wszyscy się podporządkowali.

Nike-Reebok też położył się na brzuchu.

— Nie... — wycharczał, wykręcając szyję.

— Słucham?

Win przyłożył wolną rękę do ucha.

— Nie damy wam drugi raz skrzywdzić tego chłopaka.

Win ze śmiechem dotknął czubkiem buta głowy Murzyna. Myron pochwycił jego wzrok i pokręcił głową. Win wzruszył ramionami, ale cofnął nogę.

— Nikogo nie chcemy skrzywdzić — powiedział Myron. — Chcemy się tylko dowiedzieć, kto napadł na Claya na tamtym dachu.

— Dlaczego? — spytano.

Myron obrócił się w stronę drzwi. Z domu wykuśtykał o kulach młody chłopak. Gips na jego ścięgnie wyglądał jak pękate morskie zwierzę, które zżera mu stopę.

— Bo wszyscy myślą, że zrobił to Horace Slaughter.

Clay Jackson stanął chwiejnie na jednej nodze.

— I co z tego?

— Zrobił to?

— A co cię to obchodzi?

— Bo ktoś go zabił.

— I co z tego?

Clay wzruszył ramionami.

Myron otworzył usta, zamknął je, westchnął.

— To długa historia, Clay. Chcę tylko wiedzieć, kto ci przeciął ścięgno.

Chłopak potrząsnął głową.

— Nie powiem.

— Dlaczego?

— Zabronili mi.

— A ty robisz, co ci każą? — odezwał się Win.

Chłopak spojrzał na niego.

— Tak.

— Ten, co ci to zrobił, był straszny?

Clayowi zatańczyła grdyka.

— No jasne.

— Ja jestem straszniejszy.

Nikt się nie poruszył.

— Mam zademonstrować?

— Win! — upomniał go Myron.

Nike-Reebok zaryzykował. Ale kiedy spróbował unieść się na łokciach, Win podniósł nogę i spuścił ją jak siekierę tam, gdzie kręgosłup łączył się z karkiem. Wielki Murzyn rozrzucił ręce, opadł na ziemię bezwładnie jak mokry piach i znieruchomiał. Bejsbolówka zsunęła mu się z głowy, bo Win wcisnął butem jego twarz w błotnisty grunt takim ruchem, jakby gasił papierosa.

— Win! — powtórzył Myron.

— Przestań! — zawołał z rozszerzonymi oczami Clay Jackson, z rozpaczą szukając wzrokiem pomocy u Myrona. — To mój wujek, człowieku! On tylko mnie broni.

— Świetnie mu to idzie.

Win docisnął stopę i jeszcze głębiej wbił umazaną błotem twarz wuja chłopca w miękką ziemię.

Wielki Murzyn miał zapchane usta i nos i nie mógł oddychać.

Z ziemi zaczął się podnosić drugi. Win wycelował w niego pistolet.

— Uwaga — ostrzegł — ważny komunikat. Ja nie bawię się w strzały ostrzegawcze.

Śmiałek opadł na trawę.

Mocno przyciskając głowę Nike-Reeboka do ziemi, Win zajął się Clayem Jacksonem. Choć chłopak wciąż strugał chojraka, wyraźnie się trząsł. Myron, szczerze mówiąc, również.

— Boisz się, co cię może spotkać, zamiast bać się tego, co spotka cię na pewno — powiedział Win.

Podniósł nogę, zgiął ją w kolanie i ustawił się do zadania ciosu obcasem.

Myron ruszył do niego, ale Win zmroził go spojrzeniem i po chwili posłał mu charakterystyczny uśmiech. Niedbały, lekko rozbawiony. Uśmiech, który sugerował, że gotów jest to zrobić, a nawet, że sprawi mu to przyjemność. Chociaż Myron widział ów uśmiech niejeden raz, nieodmiennie mroził mu krew w żyłach.

— Liczę do pięciu — zapowiedział Win. — Ale czaszkę zmiażdżę mu pewnie, nim dojdę do trzech.

— Dwóch białych — odparł szybko Clay Jackson. — Z pistoletami. Jeden duży, młody nas związał. Wyglądał na pakera. Dowodził mały, starszy. To on nas pociął.

Win obrócił się do Myrona i rozłożył ręce.

— Możemy jechać? — spytał.

29

— Posunąłeś się za daleko — powiedział Myron w samochodzie.

— E tam.

— Mówię serio, Win.

— Chciałeś informacji, to ją wydobyłem.

— Nie w taki sposób, jak chciałem.

— No, wiesz. Ten człowiek zaatakował mnie kijem bejsbolowym.

— Bał się. Myślał, że chcemy skrzywdzić jego siostrzeńca. Win udał, że gra na skrzypcach. Myron potrząsnął głową.

— Chłopak i tak w końcu by nam to powiedział.

— Wątpię. Ten Sam naprawdę go nastraszył.

— Dlatego musiałeś nastraszyć go jeszcze mocniej?

— Odpowiedź brzmi: tak.

— Więcej tego nie zrobisz, Win. Nie wolno krzywdzić niewinnych ludzi.

— E tam — powtórzył Win i sprawdził godzinę. — Skończyłeś? Zaspokoiłeś poczucie moralnej wyższości?

— O co ci chodzi, do diabła?!

Win spojrzał na niego.

— Znasz moje metody — rzekł wolno. — A jednak ciągle mnie wzywasz.

Zamilkli. Echo jego słów zawisło w parnym powietrzu niczym spaliny samochodowe. Myron zacisnął dłonie na kierownicy tak mocno, że zbielały mu kostki.

Milczeli przez całą drogę do domu Mabel Edwards.

— Wiem, że stosujesz przemoc — rzekł Myron, kiedy zaparkował. Spojrzał na przyjaciela. — Lecz z reguły tylko wobec tych, którzy na to zasługują.

Win nie zareagował.

— Gdyby chłopak nic nam nie powiedział, spełniłbyś groźbę?

— To nie wchodziło w grę. Wiedziałem, że nam powie.

— Ale przypuśćmy, że by nie powiedział.

Win potrząsnął głową.

— Dopuszczasz coś, co nie mieści się w granicach prawdopodobieństwa — odparł.

— To znaczy? Oświeć mnie.

Win zastanawiał się chwilę.

— Nigdy z rozmysłem nie krzywdzę niewinnych — rzekł. — Ale też nigdy nie stosuję gróźb bez pokrycia.

— To nie jest odpowiedź, Win.

Win spojrzał na dom Mabel.

— Idź do niej, Myron — powiedział. — Nie marnuj czasu.

Mabel Edwards usiadła naprzeciwko niego w małym pokoiku.

— A więc Brenda pamięta Holiday Inn — powiedziała.

Było pewne, że pozostałość po siniaku — nikłe zażółcenie wokół jej oka — zniknie, zanim Wielkiego Maria przestanie boleć w kroku. We wciąż pełnym żałobników domu przycichło. Wraz ze zmrokiem powróciła rzeczywistość. Win wartował na ulicy.

— Jak przez mgłę — odparł Myron. — Nie było to konkretne wspomnienie, raczej *déjà vu*.

Mabel pokiwała głową, jakby to coś wyjaśniało.

— Minęło tyle czasu.

— Więc Brenda była w tym hotelu?

Mabel spuściła wzrok, wygładziła dół sukienki i sięgnęła po filiżankę z herbatą.

— Była tam z matką — odparła.

— Kiedy?

Mabel podniosła filiżankę do ust.

— W dniu jej zniknięcia.

— Anita zabrała Brendę ze sobą? — spytał, próbując ukryć zmieszanie.

— Tak, w pierwszym odruchu.

— Nie rozumiem. Brenda nic nie mówiła...

— Miała pięć lat. Nie pamięta. W każdym razie tak myślał Horace.

— Ale przedtem pani o tym nie wspomniała.

— Mój brat nie chciał, żeby Brenda o tym wiedziała. Bał się, że to ją zrani.

— Wciąż nie bardzo rozumiem. Dlaczego Anita wzięła ze sobą Brendę do hotelu?

Mabel Edwards w końcu łyknęła herbaty, delikatnie odstawiła filiżankę, jeszcze raz wygładziła sukienkę i zaczęła się bawić łańcuszkiem na szyi.

— Wspomniałam ci już. Anita napisała do Horace'a list, że go rzuca. Zabrała wszystkie pieniądze i uciekła.

Nareszcie zrozumiał.

— Zamierzała zabrać Brendę ze sobą.

— Tak.

Pieniądze, pomyślał Myron. Od początku nie dawało mu spokoju, że Anita je wzięła. Ucieczka przed niebezpieczeń-stwem to jedno. Ale zostawienie córki bez grosza to szczególnie okrutny postępek. I oto znalazł wyjaśnienie — Anita zamierzała zabrać Brendę ze sobą.

— Co się stało? — spytał.

— Zmieniła zdanie.

— Dlaczego?

W drzwi wsadziła głowę kobieta, ale trafiona groźnym spojrzeniem Mabel znikła jak cel na strzelnicy. Z kuchni dobiegały odgłosy sprzątania. Znajomi i rodzina szykowali dom na drugi dzień żałoby. Mabel wyglądała starzej niż rano. Zmęczenie promieniowało z niej jak gorączka.

— Anita spakowała rzeczy. Uciekła i zameldowała się z Brendą w hotelu. Nie wiem, co zaszło potem. Może się przestraszyła. Może uświadomiła sobie, że ucieczka z pięcioletnią córeczką jest absurdem. Nieważne. Zadzwoniła do Horace'a. Płakała, histeryzowała. Powiedziała, że nie da rady. Kazała mu przyjechać po Brendę.

Mabel zamilkła.

— I Horace pojechał do Holiday Inn? — spytał Myron.

— Tak.

— Gdzie była Anita?

Mabel wzruszyła ramionami.

— Domyślam się, że zdążyła uciec.

— I to wszystko zdarzyło się wieczorem w dniu ucieczki?

— Tak.

— A więc uciekła z domu kilka godzin wcześniej.

— Tak.

— Dlaczego nagle zmieniła zdanie? Co wpłynęło na tę szybką decyzję pozostawienia córki?

Mabel Edwards wstała z głębokim westchnieniem i podeszła do telewizora. Jej zazwyczaj gibkie, płynne ruchy usztywniła zgryzota. Ostrożnie zdjęła z odbiornika zdjęcie i podała je Myronowi.

— To Roland, ojciec Terence'a — powiedziała. — Mój mąż.

Myron przyjrzał się czarno-białej fotografii.

— Zastrzelono go, gdy wracał do domu z pracy. Dla dwunastu dolarów. Na naszym ganku. Dwie kule w głowę. Dla dwunastu dolarów — powtórzyła monotonnym, beznamiętnym głosem. — Bardzo to przeżyłam. Roland był jedynym mężczyzną, którego w życiu kochałam. Zaczęłam pić. Mały Terence tak bardzo przypominał ojca, że ledwie mogłam patrzeć mu w twarz. I piłam jeszcze więcej. A potem doszły narkotyki. Przestałam dbać o syna. Wkroczyły władze i trafił do rodziny zastępczej.

Mabel zbadała wzrokiem jego reakcję. Próbował zachować neutralną minę.

— Uratowała mnie Anita. Ona i Horace posłali mnie do zakładu na odwyk. Zabrało mi to trochę, ale doszłam do siebie. Anita zajęła się Terence'em, tak że władze mi go nie zabrały.

Mabel uniosła z piersi okulary do czytania, włożyła je na nos i wpatrzyła się w podobiznę zabitego męża. Tęsknota na jej twarzy była tak oczywista, jawna i nieskrywana, że Myron poczuł, jak do oczu cisną mu się łzy.

— Gdy najbardziej potrzebowałam Anity, zawsze mogłam na nią liczyć. Zawsze.

Znów spojrzała na Myrona.

— Rozumiesz, co chcę powiedzieć?

— Nie, proszę pani.

— Na Anitę zawsze mogłam liczyć — powtórzyła. — Ale kiedy ona znalazła się w kłopotach, co zrobiłam? Wiedziałam, że Horace i ona mają problemy. Ale mnie to nie obeszło. Zniknęła i jak się zachowałam? Próbowałam o niej zapomnieć. Uciekła, a ja kupiłam ładny dom z dala od slumsów i starałam się zerwać z przeszłością. To, że puściła mojego brata kantem, było, bez dwóch zdań, podłe. Ale co wystraszyło ją aż tak, że znienacka porzuciła własne dziecko? Wciąż zadaję sobie to pytanie. Co przeraziło ją tak bardzo, że nie wraca od dwudziestu lat?

Myron poprawił się w fotelu.

— Znalazła pani jakieś wyjaśnienie? — spytał.

— Nie. Ale kiedyś spytałam o to Anitę.

— Kiedy?

— Z piętnaście lat temu. Zadzwoniła, żeby dowiedzieć się o Brendę. Spytałam, dlaczego nie wraca i nie zobaczy się z córką.

— Co odpowiedziała?

Mabel spojrzała mu prosto w oczy.

— Powiedziała: „Jeżeli wrócę, Brenda umrze".

Serce Myrona przeszył lodowaty chłód.

— Co miała na myśli? — spytał.

— Zabrzmiało to jak pewnik. Jak to, że jeden plus jeden to dwa. — Mabel odstawiła zdjęcie na telewizor. — Więcej jej o to nie spytałam. Mam wrażenie, że są sprawy, o których lepiej nic nie wiedzieć.

30

Myron i Win wrócili do Nowego Jorku oddzielnie, każdy swoim samochodem. Mecz Brendy zaczynał się za trzy kwadranse. Dość czasu, żeby wpaść do domu i przebrać się.

Myron zaparkował na Spring Street, blokując czyjeś auto. Kluczyki zostawił w stacyjce. Samochód był bezpieczny, bo obok czuwał w jaguarze Win. Myron wjechał windą na górę. Otworzył drzwi i ujrzał Jessicę.

Zamarł.

Wpatrzyła się w niego.

— Nie uciekam — powiedziała. — Nigdy już nie ucieknę.

Przełknął ślinę i skinął głową. Próbował się ruszyć, ale jego nogi miały inny pomysł.

— Co się stało? — spytała.

— Dużo — odparł.

— Słucham.

— Zabito mojego przyjaciela Horace'a.

Zamknęła oczy.

— Przykro mi.

— Esperanza odchodzi z MB.

— Nie możesz temu zaradzić?

— Nie.

Zadzwoniła komórka. Wyłączył ją. Stali jak wmurowani.

— Co jeszcze? — spytała Jessica.

— To wszystko.

Potrząsnęła głową.

— Nawet na mnie nie spojrzałeś.

Rzeczywiście. Podniósł głowę i spojrzał na nią pierwszy raz od chwili, gdy wszedł do mieszkania. Była jak zwykle nieznośnie piękna. Poczuł, jak coś w nim pęka.

— Omal się z kimś nie przespałem — powiedział.

Ani drgnęła. .

— Omal?

— Tak.

— Rozumiem... Dlaczego omal? — spytała po chwili.

— Słucham?

— To ona się powstrzymała? Czy ty?

— Ja.

— Dlaczego?

— Dlaczego?

— Tak, Myron, dlaczego nie poszedłeś na całość?

— Boże, co za piekielne pytanie.

— Wcale nie. Kusiło cię, przyznaj się.

— Tak.

— Mało, że kusiło — dodała. — Chciałeś to zrobić.

— Nie wiem.

— Kłamiesz.

— Niech ci będzie, chciałem to zrobić.

— Dlaczego nie zrobiłeś?

— Bo związany jestem z inną. A ściślej, kocham inną.

— Jak rycersko. Więc wstrzymałeś się ze względu na mnie?

— Wstrzymałem się ze względu na nas.

— Znowu kłamiesz. Wstrzymałeś się ze względu na siebie. Myron Bolitar, idealny mężczyzna, wierny tej jednej jedynej.

Zacisnęła dłoń w pięść i przytknęła do ust. Zrobił krok w jej stronę, ale się cofnęła.

— Postępowałam głupio. Przyznaję — powiedziała. — Popełniłam w życiu tyle głupstw, aż dziw, że mnie nie rzuciłeś. A może narobiłam ich tyle, bo wiedziałam, że mogę. Zawsze mnie kochałeś. Nieważne, jak głupio się zachowywałam, ty zawsze mnie kochałeś. A zatem może należy mi się mały rewanż.

— Nie chodzi o rewanż.

— Wiem, do diabła! — Objęła się rękami, jakby raptem w pokoju zrobiło się bardzo zimno. Jakby chciała, żeby ją ktoś przytulił. — I to właśnie mnie przeraża.

Milczał i czekał.

— Ty nie oszukujesz, Myron. Nie latasz za spódniczkami. Nie szukasz przygód. Co więcej, trudno cię skusić. Dlatego pytam: jak bardzo ją kochasz?

Myron podniósł ręce do góry.

— Ledwie ją znam.

— Myślisz, że to się liczy?

— Nie chcę cię stracić, Jess.

— A ja nie mam zamiaru oddać cię bez walki. Ale muszę wiedzieć, z czym mam do czynienia.

— To nie tak.

— A jak?

Otworzył usta i je zamknął.

— Chcesz wyjść za mąż? — spytał.

Zamrugała oczami, ale się nie cofnęła.

— Czy to oświadczyny?

— Zadałem ci pytanie. Czy chcesz wyjść za mąż?

— Jeżeli będzie trzeba, to tak, zechcę.

Myron uśmiechnął się.

— Boże, co za entuzjazm!

— Co chcesz ode mnie usłyszeć, Myron? Powiem, co tylko zechcesz. Tak, nie, cokolwiek, bylebyś ze mną został.

— Ja nie poddaję cię próbie, Jess.

— No, to dlaczego raptem mówisz o małżeństwie?

— Bo chcę być z tobą na zawsze. Kupić dom. Mieć dzieci.

— Ja też — odparła. — Ale żyje nam się bardzo dobrze. Mamy swoje kariery, wolność. Po co to psuć? Będzie na to czas później.

Potrząsnął głową.

— O co chodzi? — spytała.

— Grasz na zwłokę.

— Nie, nie gram.

— Nie chciałbym czekać z założeniem rodziny na dogodniejszy czas.

— Chcesz ją założyć właśnie teraz?! — Jessica uniosła ręce. — Natychmiast? Naprawdę tego chcesz? Marzysz o domu na przedmieściach, jaki mają twoi rodzice? O grillach w sobotnie wieczory? O tablicy do kosza za domem? O udzielaniu się w komitecie rodzicielskim? O zakupach w centrum handlowym przed nowym rokiem szkolnym? Naprawdę o tym wszystkim marzysz?

Myron spojrzał na nią i poczuł, że coś w nim pęka i się rozsypuje.

— Tak — odparł. — Właśnie o tym.

Stali, wpatrując się w siebie. Zapukano do drzwi. Żadne się nie poruszyło. Zapukano ponownie.

— Otwórz — usłyszeli głos Wina.

Win nigdy nie przeszkadzał bez powodu. Myron otworzył drzwi. Win zerknął na Jessicę, lekko skinął jej głową i podał mu komórkę.

— To Norm Zuckerman — wyjaśnił. — Próbował się do ciebie dodzwonić.

Jessica wyszła z pokoju. Szybkim krokiem. Przyglądający się jej Win nie zmienił wyrazu twarzy. Myron wziął od niego komórkę.

— Tak, Norm?

— Zaraz zacznie się mecz! — powiedział Norm w wielkim popłochu.

— I?

— Więc gdzie, do licha, jest Brenda?!

Myronowi serce skoczyło do gardła.

— Powiedziała, że zabierze się autobusem z drużyną.

— Nie wsiadła do niego, Myron!

Myron pomyślał o Horasie, leżącym na stole w kostnicy, i ugięły się pod nim kolana. Spojrzał na Wina.

— Ja poprowadzę — powiedział Win.

31

Pojechali jaguarem. Win nie zwalniał na czerwonych światłach. Nie zwalniał z powodu przechodniów. Dwa razy, żeby ominąć korki, wjeżdżał na chodnik.

Myron patrzył przed siebie.

— Powiedziałem ci wcześniej, że posuwasz się za daleko.

Win czekał na dalszy ciąg.

— Zapomnij o tym.

Zatrzymali się z piskiem opon na zabronionym miejscu na południowo-wschodnim rogu Trzydziestej Szóstej Ulicy i Ósmej Alei. Myron popędził do wejścia dla personelu w Madison Square Garden. Do Wina podszedł władczym krokiem policjant. Win przedarł studolarówkę i wręczył mu pół banknotu. Stróż prawa skinął głową i strzelił w daszek czapki. Porozumieli się bez słów.

Strażnik przy wejściu rozpoznał Myrona i przepuścił go.

— Gdzie jest Norm Zuckerman? — spytał Myron.

— W sali konferencyjnej. Po drugiej stronie...

Myron wiedział gdzie. Wbiegając po schodach, słyszał przedmeczowy szum publiczności. Odgłos ten dziwnie koił. Na poziomie boiska skręcił w prawo. Sala konferencyjna była po drugiej stronie. Wbiegł na parkiet i ze zdziwieniem stwierdził, że przyszło mnóstwo ludzi. Norm zamierzał zaciemnić i odciąć wyższe sektory, skrywając niezajęte fotele za czarną kurtyną, tak żeby hala stwarzała wrażenie zatłoczonej, a jednocześnie przytulnej. Ale sprzedaż biletów znacznie przerosła oczekiwania. Sprzedano wszystkie, a widzowie szukali swoich miejsc. Wielu kibiców trzymało hasła: POCZĄTEK NOWEJ ERY, BRENDA RZĄDZI, WITAJCIE W HALI BRENDY, TERAZ MY, SIOSTRY POTRAFIĄ, NAPRZÓD, DZIEWCZYNY! i podobne. Dominowały jednak, niczym dzieło szalonego artysty grafficiarza, znaki firmowe sponsorów. Nad tablicą wyników przesuwały się olbrzymie zdjęcia zjawiskowej Brendy Slaughter w kostiumie drużyny uniwersyteckiej, dokumentujące najważniejsze chwile jej kariery. Buchnęła głośna czadowa muzyka. Czadowa! Tak jak chciał Norm. Nie pożałował też darmowych zaproszeń. Tuż przy boisku siedzieli Spike Lee, Jimmy Smits, Rosie O'Donnell, Sam Waterston, Woody Allen i Rudy Giuliani. Kilkoro prezenterów MTV, byłe wielkie, przygasłe gwiazdy, mizdrzyło się do kamer, wychodząc ze skóry, żeby się pokazać. Supermodelki w okularach w drucianych oprawkach wkładały odrobinę za dużo wysiłku, by wyglądać i pięknie, i inteligentnie.

Przyszli tu wszyscy podziwiać nową fenomenalną nowojorską sportsmenkę, Brendę Slaughter.

Miał to być jej wieczór, jej szansa na stanie się gwiazdą zawodowej koszykówki. Myron łudził się, że rozumie, dlaczego Brenda tak bardzo chce zagrać w tym meczu. Nie rozumiał. Szło o coś więcej niż sam mecz. O coś więcej niż miłość do koszykówki. O coś więcej niż zdobycie uznania. Te motywy należały do przeszłości. Teraz marzyło jej się, by w epoce zblazowanych supergwiazd stać się pozytywnym wzorem dla młodych, kształtować ich postawy. Być może to naiwne, ale tak właśnie było. Myron przystanął na chwilę i spojrzał na olbrzymi ekran. Cyfrowo powiększona Brenda ze zdeterminowaną miną pędziła z piłką w stronę kosza, w każdym ruchu gracka, zwinna, zawzięta i groźna.

Nie do zatrzymania.

Znów ruszył sprintem. Opuścił parkiet, zbiegł po pochylni i wpadł do korytarza. Kilka chwil później dotarł do sali konferencyjnej. Za nim podążał Win. Myron otworzył drzwi. W środku był Norm Zuckerman. A także detektywi Maureen McLaughlin i Dan Glazur.

Glazur demonstracyjnie zerknął na zegarek.

— Szybko — powiedział, być może uśmiechając się krzywo pod szuwarem, uchodzącym za jego wąsy.

— Jest? — spytał Myron.

Maureen McLaughlin posłała mu domyślny uśmiech.

— Może pan usiądzie — zaproponowała.

Zignorował zaproszenie.

— Przyjechała? — spytał Norma.

— Nie — odparł Norm Zuckermann, ubrany dziś jak Janis Joplin występująca gościnnie w *Policjantach z Miami*.

Do Myrona dotruchtał Win. Glazurowi się to nie spodobało. Przeszedł przez salę i zmierzył go wzrokiem twardziela. Win nie zareagował.

— A to kto? — spytał Glazur.

Win wskazał na jego twarz.

— Coś przywarło panu do wąsów — powiedział. — Wygląda jak jajecznica.

— Co oni tutaj robią? — spytał Myron, nie zdejmując oczu z Norma.

— Proszę usiąść — odezwała się McLaughlin. — Musimy porozmawiać.

Myron zerknął na Wina. Win skinął głową. Podszedł do Norma Zuckermana, otoczył go ramieniem i odeszli w kąt sali.

— Niech pan siada — powiedziała detektyw McLaughlin bardziej zdecydowanym tonem.

Myron zajął krzesło. Ona również, cały czas zachowując z nim kontakt wzrokowy. Glazur nie usiadł, groźnie na niego łypiąc. Należał do idiotów przekonanych, że zlęknie się ich każdy, na kogo spojrzą z góry.

— Co się stało? — spytał Myron.

Maureen McLaughlin splotła ręce.

— A może pan nam powie.

Myron potrząsnął głową.

— Nie mam czasu, Maureen. Co was tu sprowadza?

— Szukamy Brendy Slaughter. Wie pan, gdzie ona jest?

— Nie. Dlaczego jej szukacie?

— Mamy do niej kilka pytań.

Myron rozejrzał się po sali.

— I wykombinowaliście, że najlepiej je zadać tuż przed najważniejszym meczem w jej karierze?

McLaughlin i Glazur wymienili szybkie spojrzenia. Myron sprawdził, co robi Win. Wciąż rozmawiał szeptem z Normem.

— Kiedy po raz ostatni widziałeś Brendę Slaughter? — przystąpił do rzeczy Glazur.

— Dzisiaj.

— Gdzie?

Zanosiło się na dłuższe spytki.

— Nie muszę odpowiadać na twoje pytania — odparł Myron. — Brenda również. Jestem jej adwokatem, pamiętasz? Masz coś do mnie, to mów. A jak nie, to nie marnuj mojego czasu.

Wąsy Glazura wykrzywiły się jak w uśmiechu.

— Ależ mam, cwaniaku.

Myronowi nie spodobał się sposób, w jaki to powiedział.

— Słucham.

McLaughlin pochyliła się, patrząc na niego z powagą.

— Dziś rano dostaliśmy nakaz rewizji pokoju Brendy Slaughter w akademiku — oświadczyła urzędowym tonem. — Znaleźliśmy tam broń, smitha wessona kalibru trzydzieści osiem. Z takiej samej zastrzelono Horace'a Slaughtera. Czekamy na wyniki badania balistycznego.

— A co z odciskami palców?

McLaughlin pokręciła głową.

— Pistolet dokładnie wytarto.

— Nawet jeżeli jest narzędziem zbrodni, to przecież jasne, że go podrzucono.

— Skąd pan to wie? — spytała zaintrygowana.

— No wie pani! Kto po wytarciu pistoletu zostawiłby go tam, gdzie go znaleźliście?

— Był ukryty pod materacem — odparowała.

Win odszedł od Norma Zuckermana, zadzwonił z komórki i zaczął cicho rozmawiać.

Myron z udaną nonszalancją wzruszył ramionami.

— I to wszystko, co macie?

— Nie mydl nam oczu, bucu! — wtrącił Glazur. — Mamy motyw: na tyle bała się ojca, że wydano mu zakaz zbliżania. Pod jej materacem znaleźliśmy narzędzie zbrodni. A teraz doszła ucieczka. To aż nadto wystarczy, żeby ją zamknąć.

— Więc po to przyjechaliście? Żeby ją zamknąć?

Detektywi znów wymienili spojrzenia.

— Nie — odparła McLaughlin takim tonem, jakby odpowiedź kosztowała ją wiele wysiłku. — Ale bardzo chcielibyśmy porozmawiać z nią jeszcze raz.

Win rozłączył się i przywołał Myrona skinieniem głowy.

— Przepraszam.

Myron wstał.

— Co jest?! — spytał Glazur.

— Muszę zamienić słowo ze wspólnikiem. Zaraz wrócę.

Myron i Win zaszyli się w kącie. Glazur opuścił brwi do pół masztu i podparł się w biodrach kułakami. Win wpatrzył się w niego, wetknął kciuki do uszu, wysunął język i zamachał palcami. Glazur, zachowując marsa na czole, nie odpłacił mu pięknym za nadobne.

— Norm twierdzi, że ktoś zadzwonił do Brendy na rozruchu przed meczem — powiedział cicho Win. — Odebrała telefon i wybiegła. Czekano na nią chwilę w autobusie, ale się nie pokazała. Po jego odjeździe asystentka trenerki została na miejscu. Zresztą wciąż tam czeka z samochodem. Tyle wiadomo Normowi. Zadzwoniłem do Arthura Bradforda. Wie o nakazie rewizji. Twierdzi, że przeprowadzono ją i znaleziono pistolet przed waszą umową o ochronie Brendy. Skontaktował się już z wpływowymi znajomymi, którzy przyrzekli, że w tej sprawie nie będzie pośpiechu.

Myron skinął głową. To wyjaśniało podchody McLaughlin i Glazura. Najwyraźniej chcieli aresztować Brendę, ale przełożeni ich powstrzymali.

— Coś jeszcze? — spytał.

— Arthur bardzo się przejął zniknięciem Brendy.

— No jasne.

— Chce, żebyś zaraz do niego zadzwonił.

— No cóż, nie zawsze dostajesz to, na czym ci zależy. — Myron zerknął na detektywów. — Dobra, muszę się szybko zmyć.

— Masz jakiś pomysł?

— Myślę o Wicknerze. Detektywie z Livingston. Na szkolnym boisku do bejsbolu prawie pękł.

— Myślisz, że pęknie tym razem?

Myron skinął głową.

— Tak.

— Mam z tobą pojechać?

— Zostań. Załatwię to sam. Wprawdzie McLaughlin i Glazur nie mogą mnie zatrzymać, ale pewnie spróbują. Przeszkodź im.

Win niemal się uśmiechnął.

— Nie ma sprawy.

— Postaraj się też znaleźć tego, kto na treningu odebrał telefon do Brendy. Dzwoniący mógł się przedstawić. Może któraś z koleżanek z drużyny lub trenerek coś widziała.

— Sprawdzę. — Win wręczył Myronowi pół studolarówki i kluczyki do jaguara. — Włącz komórkę — dodał, wskazując swój telefon komórkowy.

Myron nie bawił się w pożegnania. Szybko wypadł z sali.

— Stać! Skur... — zawołał Glazur, rzucając się za nim, ale Win zastąpił mu drogę. — Co jest, kur...

Glazur nigdy nie kończył przekleństw.

Win zamknął drzwi za Myronem. Glazur nie miał szans wyjść z sali.

Wydostawszy się z hali, Myron wcisnął połówkę banknotu czekającemu krawężnikowi i wskoczył do jaguara. Odszukał w książce telefonicznej numer telefonu Eliego Wicknera w domu nad jeziorem i zadzwonił. Wickner odpowiedział po pierwszym sygnale.

— Brenda Slaughter zniknęła — powiedział Myron.

Nie dostał odpowiedzi.

— Musimy porozmawiać, Eli.

— Dobrze — odparł emerytowany detektyw.

32

Jazda zabrała mu godzinę. Zapadła noc i nad jeziorem, jak często nad jeziorami bywa, zalegał gęsty mrok. Nie było latarni. Dojazd wąski i tylko częściowo brukowany. Myron zwolnił. Na końcu drogi reflektory jaguara wyłowiły drewniany znak w kształcie ryby, a nad nim napis WICKNERO-WIE. Wicknerowie. Myron pamiętał panią Wickner. Prowadziła stoisko z jedzeniem podczas meczów szkolnej ligi bejsbolowej. Tak przesadnie dbała o ciemnoblond włosy, że wyglądały jak siano, a jej śmiech brzmiał jak ciągły, głęboki odgłos dławika. Rak płuc uśmiercił ją dziesięć lat temu. Po przejściu na emeryturę Eli Wickner zamieszkał w tym domku sam.

Myron wjechał na podjazd. Opony zaszurały na żwirze. Zapaliły się światła, włączone prawdopodobnie przez wykrywacz ruchu. Zatrzymał samochód i wysiadł w cichą noc. Taki domek często nazywano solniczką. Sympatycznie. Stał nad samą wodą. Na przystani cumowały łodzie. Myron daremnie nasłuchiwał plusków. Jezioro było niewiarygodnie spokojne, jakby ktoś przykrył je na noc szklanym kloszem. Na gładkiej powierzchni wody błyszczały tu i ówdzie nieruchome światła. Księżyc wisiał w górze niczym kolczyk, a nietoperze na konarze drzewa wyglądały jak miniaturowi królewscy gwardziści.

Myron pośpieszył do drzwi. W środku paliły się światła, ale

nie widział nikogo. Zapukał. Nie było odpowiedzi. Gdy zapukał ponownie, z tyłu głowy poczuł lufę strzelby.

— Nie odwracaj się — powiedział Eli.

Myron nie odwrócił się.

— Jesteś uzbrojony?

— Tak.

— Zajmij pozycję. Obym nie musiał strzelić. Dobry z ciebie chłopak.

— Po co ta strzelba, Eli?

Było to niemądre pytanie, ale Myron wypowiedział je nie do Wicknera. Słuchał go Win. Szybko obliczył, że skoro jemu dojazd tu zajął godzinę, to Winowi zajmie z pół.

Musiał grać na zwłokę.

Od obszukującego go Wicknera zaleciało alkoholem. Nie wróżyło to nic dobrego. Rozważał, czy go zaatakować, ale miał do czynienia z doświadczonym policjantem, a poza tym na jego żądanie „zajął pozycję". Niewiele więc mógł zrobić.

Wickner natychmiast znalazł jego pistolet, opróżnił go z kul i schował do kieszeni.

— Otwórz drzwi — polecił.

Myron przekręcił gałkę. Wickner szturchnął go lekko. Myron wszedł do środka i... serce zjechało mu do kolan, a gardło ścisnął strach, tak że ledwo mógł oddychać. Wnętrze było urządzone, jak można oczekiwać po domku wędkarza: nad kominkiem wypchane trofea, ściany z desek, barek ze zlewem, wygodne fotele, wysoki stos drew, wysłużony dywan z grubym, średnio długim włosem. Niespodzianką były za to przecinające jego beżową powierzchnię ciemnoczerwone ślady butów.

Krew. Świeża krew, która wypełniła pokój zapachem podobnym do woni mokrej rdzy.

Myron obrócił się w stronę Eliego. Wickner zachował odległość. Strzelbą mierzył w najłatwiejszy cel — jego pierś. Odrobinę za szeroko rozwarte oczy miał jeszcze mocniej zaczerwienione niż na boisku do bejsbolu, a skórę jak pergamin. Na prawym policzku przysiadł mu „pajączek". Na lewym też być może popękały mu naczynka, ale nie było ich widać spod kropelek krwi.

— Ty?

Wickner milczał.

— Co ty wyprawiasz, Eli?

— Wejdź do drugiego pokoju.

— Przecież nie chcesz tego zrobić.

— Wiem, Myron. Obróć się i idź.

Myron podążył po krwawych śladach jak po makabrycznej wersji bostońskiego Szlaku Wolności, wymalowanej specjalnie dla niego. Na ścianie wisiały zdjęcia szkolnych drużyn, najwcześniejsze sprzed jakichś trzydziestu lat. Na wszystkich Wickner stał dumnie w otoczeniu młodych podopiecznych, uśmiechających się do mocnego słońca na jasnym niebie. Na wszystkich pary małych bejsbolistów w pierwszym rzędzie trzymały w ręku nazwy drużyn reklamujące sponsorów: SENATOROWIE — LODY FRIENDLY'EGO, TYGRYSY — WYCINKI PRASOWE BURRELÓW, INDIANIE — BUFET SEYMOURA. Dzieciaki mrużyły oczy, ruszały się i uśmiechały szczerbato. Na dobrą sprawę wyglądały jednakowo. Zadziwiające, jak mało różniły się od siebie ich kolejne roczniki. Tylko Eli się starzał. Z każdym zdjęciem na ścianie przybywało mu lat. Efekt był niesamowity.

Weszli do drugiego pokoju. Przypominał biuro. Na ścianach wisiało więcej zdjęć. Na jednym Wickner odbierał nagrodę dla najlepszego trenera Livingston. Na innym przecinał wstęgę z okazji nazwania jego imieniem boiska. Na jeszcze innym stał w policyjnym mundurze z Brendanem Byrne'em, byłym gubernatorem stanu. Na kolejnym otrzymywał nagrodę Raymonda J. Clarke'a za zdobycie tytułu policjanta roku. Było też trochę plakietek, trofeów, piłek bejsbolowych na podstawkach, oprawiony w ramki dokument — prezent od jednej z drużyn — zatytułowany „Czym jest dla mnie trener"... i więcej krwi.

Zimny strach owinął się wokół Myrona i mocno zacisnął macki.

W kącie, z rękami rozpostartymi jak do ukrzyżowania, leżał

na plecach szef detektywów policji w Livingston, Roy Pomeranz. Jego koszula wyglądała tak, jakby ktoś oblał ją syropem. Martwe oczy miał szeroko otwarte i suche.

— Zabiłeś partnera — powiedział Myron, ponownie do Wina, na wypadek, gdyby przyjechał za późno, a ponadto, żeby obciążyć mordercę, na użytek potomności lub z innego równie błahego powodu.

— Dziesięć minut temu, może mniej — odparł Wickner.

— Dlaczego?

— Usiądź, Myron. Tam.

Myron usiadł w za dużym krześle z drewnianymi szczeblinami.

Mierząc cały czas ze strzelby w jego pierś, Wickner obszedł biurko, otworzył szufladę, schował do niej pistolet i rzucił Myronowi kajdanki.

— Przykuj się do poręczy — powiedział. — Nie będę musiał mieć cię cały czas na oku.

Myron rozejrzał się po pokoju. Wóz albo przewóz. Dobrze wiedział, że jeżeli się przykuje, straci wszelkie szanse. Ale nie miał wyjścia. Wickner stał za daleko, a poza tym dzieliło ich biurko. Na jego blacie leżał nóż do otwierania listów. Łatwizna. Wystarczyło, by sięgnął, rzucił nim jak filmowy ninja i trafił wroga w szyję. Bruce Lee byłby z niego bardzo dumny.

Wickner, jakby czytając w jego myślach, uniósł nieco strzelbę.

— Zapnij je, Myron — polecił.

Nie było wyjścia. Pozostało grać na czas i liczyć na to, że Win zdąży. Myron zapiął kajdanki na przegubie lewej ręki i solidnej poręczy krzesła.

Wicknerowi opadły ramiona, nieco się odprężył.

— Powinienem był się domyślić, że założą mi podsłuch — powiedział.

— Kto?

Wickner jakby go nie słyszał.

— Tyle że do tego domu nie da się podejść niepostrzeżenie. Nie z powodu żwiru. Wszędzie umieściłem czujniki ruchu.

Skądkolwiek nadejdziesz, dom rozjarzy się jak świąteczna choinka. To odstrasza zwierzęta od grzebania w śmietniku. Ale oni wiedzieli o czujnikach. Dlatego przysłali kogoś, komu mogłem ufać. Mojego byłego partnera.

— Chcesz powiedzieć, że Pomeranz przyjechał cię zabić? — spytał Myron, chcąc upewnić się, czy dobrze zrozumiał.

— Nie czas na pytania, Myron. Chciałeś wiedzieć, co zaszło. I dowiesz się. A potem... — Reszta zdania wyparowała w drodze do ust. Wickner odwrócił wzrok. — Po raz pierwszy zobaczyłem Anitę Slaughter na przystanku autobusowym na rogu Northfield Avenue, gdzie kiedyś była szkoła Roosevelta. — Jego głos nabrał policyjnej monotonności, jakby odczytywał raport. — Otrzymaliśmy anonimowy telefon. Ktoś zadzwonił z automatu u Sama po drugiej stronie ulicy. Powiedział, że jakąś kobietę pokaleczono i krwawi. Poprawka. Powiedział, że krwawi czarna kobieta. W Livingston Murzynki spotykałeś wyłącznie na przystankach autobusowych. W tamtych czasach przyjeżdżały tam tylko po to, żeby sprzątać w domach. Jeżeli pojawiały się z innych powodów, grzecznie uzmysławialiśmy im, że zabłądziły i odstawialiśmy do autobusu... Odebrałem ten meldunek, bo akurat byłem w wozie patrolowym. Anita Slaughter rzeczywiście mocno krwawiła. Ktoś ją nieźle poharatał. Ale wiesz, co od razu rzuciło mi się w oczy? Ta kobieta była piękna. Czarna jak węgiel, ale nawet z podrapaną twarzą wyglądała oszałamiająco. Spytałem, co się stało, ale nie chciała powiedzieć. Pomyślałem, że doszło do kłótni domowej. Sprzeczki z mężem. W tamtych czasach, choć tego nie pochwalałem, zostawiało się takie sprawy własnemu biegowi. Zresztą do dziś niewiele się pod tym względem zmieniło. W każdym razie wymogłem na niej, że zawiozę ją do szpitala Świętego Barnaby. Tam ją opatrzyli. Była roztrzęsiona, lecz w zasadzie nic wielkiego jej się nie stało. Zadrapania były głębokie, jakby zaatakował ją kot. No, ale zrobiłem co trzeba i zapomniałem o tym, aż do telefonu w sprawie Elizabeth Bradford, trzy tygodnie później.

Zegar wybił godzinę. Eli obniżył lufę i zamyślił się. Myron

spojrzał na kajdanki na przegubie. Krzesło było ciężkie. Nic nie mógł zrobić.

— Jej śmierć nie była przypadkowa, prawda, Eli? — spytał.

— Tak — potwierdził Wickner. — Elizabeth Bradford popełniła samobójstwo.

Wziął z biurka starą piłkę bejsbolową — pamiątkę z rozgrywek szkolnej ligi, z niewprawnym autografem jakiegoś dwunastolatka — i wpatrzył się w nią jak Cyganka w szklaną kulę.

— Tysiąc dziewięćset siedemdziesiąty trzeci — rzekł z bolesnym uśmiechem. — W tym roku zdobyliśmy mistrzostwo stanu. To była świetna drużyna. — Odłożył piłkę. — Kocham Livingston. Poświęciłem temu miastu życie. Ale każde dobre miasto ma swoich Bradfordów. Pewnie dla zwiększenia pokus. Swojego węża w rajskim ogrodzie. Zaczyna się od drobnostek. Przymykasz oko na nieprawidłowe parkowanie. Odwracasz wzrok, kiedy któryś z nich przekracza prędkość... Tacy ludzie nie przekupują otwarcie, ale mają sposoby, żeby mieć cię w garści. Zaczynają od góry. Zatrzymaj Bradforda za jazdę po pijanemu, to któryś z twoich przełożonych go wypuści, a ciebie nieoficjalnie ukarzą. Koledzy też się na ciebie wkurzą, bo Bradfordowie fundują im bilety na mecze Gigantów, darmowe wycieczki i tym podobne. W głębi duszy wszyscy wiemy, że to złe. Źle robimy, lecz się z tego rozgrzeszamy. Źle robiłem. — Wskazał na ciało na podłodze. — I Roy też. Byłem pewien, że kiedyś się to na nas zemści. Tylko nie wiedziałem kiedy. Gdy klepnąłeś mnie na boisku w ramię, zrozumiałem, że nadszedł czas.

Wickner zamilkł i uśmiechnął się.

— Odbiegłem trochę od tematu, co?

Myron wzruszył ramionami.

— Mnie się nie śpieszy.

— A mnie, niestety, tak.

Wickner znów się uśmiechnął, a Myrona ścisnęło w sercu.

— Napomknąłem ci o drugim spotkaniu z Anitą Slaughter. Jak już wspomniałem, w tym dniu Elizabeth Bradford popełniła

284

samobójstwo. O szóstej rano na komendę zadzwoniła kobieta, przedstawiła się jako pokojówka. Dopiero po przyjeździe odkryłem, że to Anita. Kiedy ustalaliśmy, co się stało, stary Bradford wezwał nas do swojej wymyślnej biblioteki. Widziałeś ją? Bibliotekę w silosie?

Myron skinął głową.

— Czekali na nas we trzech: stary, Arthur i Chance. W swoich drogich jedwabnych piżamach i szlafrokach! Stary Bradford poprosił nas o drobną przysługę. Tak to nazwał. Drobną przysługą. Jakby prosił o pomoc w przesunięciu pianina. Chciał, żebyśmy przez wzgląd na dobre imię rodziny napisali w protokole, że Elizabeth zmarła wskutek nieszczęśliwego wypadku. Nie posunął się do tego, żeby wyłożyć pieniądze na stół, ale jasno powiedział, że nas za to dobrze wynagrodzi. „Co nam szkodzi", pomyśleliśmy z Royem. Wypadek czy samobójstwo, kogo to w sumie obchodzi. Takie zmiany to powszechna praktyka. Nic wielkiego, prawda?

— Uwierzyłeś im?

To pytanie wyrwało Wicknera z mgły wspomnień.

— O czym mówisz? — spytał.

— Że to było samobójstwo. Uwierzyłeś im na słowo?

— To było samobójstwo, Myron. Potwierdziła to twoja Anita Slaughter.

— Jak?

— Wszystko widziała.

— Mówisz o znalezieniu ciała.

— Nie, widziała jej skok.

Zaskoczył Myrona.

— Zeznała, że przyjechała do pracy i gdy szła podjazdem, zobaczyła, że na przymurku stoi żona Bradforda. Widziała, jak skacze na głowę.

— Może ją poinstruowali, co ma zeznać.

Wickner potrząsnął głową.

— Nie.

— Skąd masz pewność?

— Ponieważ Anita Slaughter zeznała to nam, zanim zobaczyła się z Bradfordami, najpierw przez telefon, a potem na miejscu. Bradfordowie jeszcze nie wstali w łóżek. Gdy przejęli kontrolę, zmieniła zeznanie. To wtedy oświadczyła, że znalazła zwłoki po przyjeździe do pracy.

Myron zmarszczył brwi.

— Nie rozumiem — powiedział. — Po co zmieniać czas skoku z balkonu? Jaka to różnica?

— Pewnie woleli ogłosić, że zdarzyło się to w nocy, żeby uprawdopodobnić wersję o nieszczęśliwym wypadku. Bardziej przekonująco brzmi, że kobieta wypadła z mokrego balkonu ciemną nocą, niż że doszło do tego o szóstej rano.

Myron przemyślał to sobie. Wątpliwości pozostały.

— Nie było żadnych śladów walki — dodał Wickner. — A poza tym Elizabeth Bradford zostawiła list.

— Co w nim było?

— Głównie bełkot. Naprawdę nie pamiętam. Zatrzymali go Bradfordowie. Oświadczyli, że ma charakter prywatny. Upewniliśmy się, że własnoręcznie go napisała, i to mi wystarczyło.

— Wspomniałeś w protokole, że Anita wciąż nosiła ślady napaści.

Wickner skinął głową.

— Nie miałeś żadnych podejrzeń?

— Względem czego? Pewnie że się zastanawiałem. Ale nie dopatrzyłem się żadnego związku. Pokojówkę pobito trzy tygodnie przed samobójstwem jej chlebodawczyni.

Myron pokiwał głową. Spojrzał na zegar nad głową Wicknera. Piętnaście minut, ocenił, a potem ostrożnie nadejdzie Win. Ominięcie czujników ruchu wymagało czasu. Wziął głęboki oddech. Wierzył, że Winowi się uda. Zawsze mu się udawało.

— To nie wszystko — powiedział Wickner.

Myron czekał na dalszy ciąg.

— Widziałem Anitę Slaughter jeszcze raz. Dziewięć miesięcy potem. W Holiday Inn.

Myron zdał sobie sprawę, że wstrzymał oddech. Wickner odłożył broń na biurko — stanowczo za daleko od niego —

pociągnął z butelki łyk whisky, wziął strzelbę i ponownie ją wycelował.

— Zastanawiasz się, dlaczego ci o tym mówię — rzekł nieco bełkotliwie.

Wymierzona w Myrona, coraz większa, ciemna, gniewna paszcza lufy próbowała połknąć go żywcem.

— Nie powiem, że nie.

Wickner uśmiechnął się. A potem odetchnął głęboko, nieco opuścił strzelbę i zaczął mówić.

— Tego wieczoru nie miałem służby. Roy też nie. Zadzwonił do mnie i powiedział, że trzeba coś zrobić dla Bradfordów. Odparłem, że niech idą do diabła, nie jestem ich osobistym ochroniarzem. Ale były to puste słowa. Kazał mi się przebrać w mundur i stawić w Holiday Inn. Oczywiście pojechałem. Spotkaliśmy się na parkingu. Spytałem go, co się stało. Odparł, że jeden z młodych Bradfordów znowu narozrabiał. Spytałem, co zrobił? Odparł, że nie zna szczegółów. Jakieś kłopoty z dziewczyną. Za mocno się napalił albo naćpał. Coś w tym rodzaju. Pamiętaj, że było to dwadzieścia lat temu. Pojęcia takie jak gwałt na randce jeszcze nie istniały. Kiedy dziewczyna szła do pokoju hotelowego z facetem, to, bądźmy szczerzy, dostawała to, na co zasługiwała. Nie bronię tego. Mówię tylko, że tak wtedy było... Spytałem Pomeranza, czego od nas oczekują. Roy odparł, że musimy odciąć dostęp do tego piętra. W hotelu odbywało się właśnie wesele i jakiś duży zjazd. Wszędzie gęsto, a ten pokój znajdował się w powszechnie dostępnym miejscu. Potrzebowali nas, żebyśmy usunęli stamtąd ludzi, a oni mogli usunąć bajzel. Roy i ja stanęliśmy na końcach korytarza. Nie podobało mi się to, ale nie miałem wyboru. Co mogłem zrobić, donieść na Bradfordów? Już wbili we mnie szpony. Wyszłoby na jaw, że dla osobistej korzyści zatuszowaliśmy samobójstwo. Wyszłyby na jaw wszystkie inne sprawki. Nie tylko moje, ale i kolegów. Zagrożeni policjanci reagują dziwnie. — Wskazał na podłogę. — Widzisz, jaki los Roy szykował swojemu partnerowi?

Myron skinął głową.

— Tak więc opróżniliśmy piętro z ludzi. I wtedy zobaczyłem siepacza starego Bradforda, tak zwanego eksperta od spraw ochrony, Sama jakiegoś tam. Odrażający mały podlec. Zwyczajnie się go bałem.

— Sama Richardsa.

— O właśnie, Richardsa. Zasunął mi śpiewkę, którą już słyszałem. Kłopoty z dziewczyną. Nie ma się czym przejmować. Wszystko posprząta. Dziewczyna jest trochę roztrzęsiona, ale już ją opatrzyli i zapłacili. Sprawa rozejdzie się po kościach. Tak już jest z bogatymi. Pieniądze wywabiają wszelkie plamy. Najpierw zabrał stamtąd dziewczynę. Miałem tego nie widzieć. Miałem stać na końcu korytarza. Ale zobaczyłem. Owinął ją w jakąś płachtę i wyniósł na ramieniu jak strażak. Ale przez ułamek sekundy widziałem jej twarz. To była Anita Slaughter. Oczy miała zamknięte. Zwisała mu z ramienia jak worek owsa.

Wickner wyjął z kieszeni kraciastą chustkę, rozłożył ją powoli i wytarł nią nos takim ruchem, jakby polerował błotnik. Po chwili złożył ją i schował.

— Nie spodobało mi się to. Pobiegłem więc do Roya i powiedziałem mu, że trzeba z tym skończyć. A jak wytłumaczymy, że tu jesteśmy?, spytał. Co powiemy? Że pomagamy Bradfordowi zatuszować drobne przestępstwo? Miał oczywiście rację. Nic nie mogliśmy zrobić. Wróciłem więc na koniec korytarza. Słyszałem, że Sam włączył odkurzacz. Bez pośpiechu wysprzątał cały pokój. Wciąż powtarzałem sobie, że to nic takiego. Chodzi o Murzynkę z Newark. One wszystkie ćpają, no nie? Poza tym była piękna. Pewnie rozstała się z jednym z młodych Bradfordów i sprawa wymknęła się spod kontroli. Może przedawkowała. Może Sam miał ją dokądś zawieźć, zapewnić pomoc i zapłacić. Tak jak powiedział. Patrzyłem, jak kończy sprzątać. Widziałem, jak wsiada do samochodu i odjeżdża z Chance'em Bradfordem.

— Z Chance'em? — spytał Myron. — Był tam Chance Bradford?

— Tak. To on wpadł w kłopoty. — Wickner usiadł prosto. Wpatrzył się w strzelbę. — Koniec opowieści.

— Chwileczkę. Anita Slaughter zameldowała się w hotelu z córeczką. Widziałeś ją tam?

— Nie.

— Nie wiesz, gdzie może być teraz Brenda?

— Pewnie związała się z Bradfordami. Jak jej matka.

— Pomóż mi ją uratować, Eli.

Eli Wickner potrząsnął głową.

— Jestem zmęczony, Myron. Nie mam nic więcej do powiedzenia.

Podniósł strzelbę.

— To się wyda — ostrzegł Myron. — Nawet jeżeli mnie zabijesz, nie zatuszujesz morderstwa.

— Wiem.

Wickner nie opuścił strzelby.

— Mam włączoną komórkę — dodał prędko Myron. — Mój przyjaciel słyszał każde słowo. Nawet jeżeli mnie zabijesz...

— O tym też wiem. — Z oka Eliego spłynęła łza. Rzucił Myronowi kluczyk. Do kajdanek. — Powiedz wszystkim, że mi przykro.

Włożył lufę do ust.

Myron chciał się zerwać z krzesła, ale kajdanki go zatrzymały.

— Nie! — zawołał, ale jego okrzyk zagłuszył wystrzał.

Nietoperze odfrunęły z piskiem i znów zapadła cisza.

33

Win nadjechał kilka minut później.

— Pięknie — rzekł, patrząc na dwa ciała.

Myron nie odpowiedział.

— Czegoś dotykałeś?

— Zdążyłem wszystko wyczyścić.

— Mam prośbę.

Myron spojrzał na przyjaciela.

— Kiedy następnym razem w podobnych okolicznościach wypali broń, natychmiast się odezwij. Powiedz, na przykład: „Żyję".

— Następnym razem — przyrzekł Myron.

Opuścili dom i pojechali do pobliskiego całodobowego supermarketu. Myron zaparkował taurusa i wsiadł z Winem do jaguara.

— Dokąd? — spytał Win.

— Słyszałeś, co powiedział Wickner?

— Tak.

— I co myślisz?

— Wciąż to przetrawiam. Ale odpowiedź znajduje się bez wątpienia na Farmie Bradfordów.

— Brenda pewnie też.

Win skinął głową.

— Jeśli jeszcze żyje.

— No, to jedźmy tam.

— Na ratunek księżniczce uwięzionej w wieży?

— Wcale nie ma pewności, że tam jest. Zresztą nie możemy tam wparować, waląc z pistoletów. Ktoś mógłby wpaść w popłoch i ją zabić. — Myron sięgnął po komórkę. — Arthur Bradford chce być informowany na bieżąco. Przekażę mu więc wiadomość. Osobiście.

— A jeśli spróbują cię zabić?

— To wkroczysz.

Win uśmiechnął się.

— Byczo.

Tak brzmiało jego słowo tygodnia.

Wjechali na drogę 80. i skierowali się na wschód.

— Pozwól, że odbiję od ciebie kilka myśli — powiedział Myron.

Win skinął głową. Przywykł do gry w umysłowego squasha.

— Oto, co wiemy. Na Anitę Slaughter napadnięto. Trzy tygodnie potem stała się świadkiem samobójstwa Elizabeth Bradford. Mija dziewięć miesięcy. Anita ucieka od Horace'a. Opróżnia konto bankowe, zabiera córkę i ukrywa się w Holiday Inn. Dalszy ciąg tej historii jest niejasny. Wiemy, że byli tam Chance Bradford i Sam. Wiemy, że zabrali stamtąd ranną Anitę. Wiemy również, że jakiś czas przedtem Anita zadzwoniła do Horace'a i kazała mu odebrać Brendę... — Myron urwał i spojrzał na Wina. — O której?

— Słucham?

— Anita zadzwoniła do Horace'a, żeby zabrał Brendę. Zrobiła to na pewno przed przyjazdem Sama, tak?

— Tak.

— W tym sęk. Horace powiedział Mabel o telefonie Anity. Może skłamał. No bo po co Anita by do niego dzwoniła? To bez sensu. Ucieka od niego. Zabiera wszystkie pieniądze. Po co dzwoniłaby i zdradzała, gdzie jest? Mogła zadzwonić, na przykład, do Mabel, ale do niego? Nigdy.

Win skinął głową.

— Mów dalej.

— Przypuśćmy... że w tej sprawie kompletnie się mylimy. Zapomnijmy na moment o Bradfordach. Spójrzmy na to oczami Horace'a. Wraca do domu. Znajduje list Anity. Być może odkrywa, że ograbiła go z pieniędzy. Wścieka się. Jakimś swędem wpada na jej trop i jedzie do Holiday Inn odzyskać córkę i pieniądze.

— Odzyskać siłą.

— Tak.

— Zabija Anitę?

— Nie. Ale ją masakruje. A być może zostawia, sądząc, że ją zabił. W każdym razie zabiera Brendę i pieniądze. Później dzwoni do siostry i mówi, że Anita kazała mu zabrać dziecko.

Win zmarszczył brwi.

— A potem? Anita ukrywa się przed Horace'em przez dwadzieścia lat, godzi się, by sam wychował córkę, bo się go boi?

Myron stropił się.

— Może — odparł.

— I wtedy raptem odkrywa, że Horace jej szuka. To ona go zabija? W ostatecznym starciu? Kto w takim razie porwał Brendę? I dlaczego? A może Brenda działa w zmowie z matką? Jaką rolę odgrywają w tym wszystkim Bradfordowie, których odstawiłeś na bok? Co za interes mieliby w ukryciu przestępstwa Horace'a Slaughtera? A przede wszystkim, co robił tamtego wieczoru w Holiday Inn Chance Bradford?

— Hipoteza ma luki — przyznał Myron.

— Luki ogromne jak przepaście — sprostował Win.

— Nie rozumiem jeszcze jednego. Skoro Bradfordowie cały czas podsłuchiwali telefon Mabel, dlaczego nie wytropili, skąd dzwoni Anita?

Win przetrawił ten dylemat.

— Może wytropili — odparł.

Myron nie odpowiedział. Włączył radio. Trwała druga połowa meczu. New York Dolphins dostawały baty. Sprawozdawcy spekulowali, co się stało z Brendą Slaughter. Myron ściszył odbiornik.

— Coś pominęliśmy — powiedział.

— Tak, ale jesteśmy blisko.

— Pozostaje sprawdzić Bradfordów.

Win skinął głową.

— Otwórz schowek — powiedział. — Uzbrój się jak dyktator paranoik. Może być gorąco.

Myron nie protestował. Zadzwonił na prywatny numer Arthura Bradforda. Bradford odebrał telefon, nim wybrzmiał pierwszy sygnał.

— Znalazłeś Brendę? — spytał.

— Jadę do was.

— A więc znalazłeś ją?

— Będę za kwadrans. Uprzedź strażników.

Myron rozłączył się.

— Ciekawe — powiedział do Wina.

I nagle go olśniło. Nie stopniowo. Od razu. Jakby znienacka zwaliła się na niego lawina. Trzęsącą się ręką wystukał jeszcze jeden numer.

— Proszę z Normem Zuckermanem — powiedział. — Tak, wiem, że ogląda mecz. Proszę mu przekazać, że dzwoni Myron Bolitar. W pilnej sprawie. I że chcę mówić z detektywami McLaughlin i Glazurem.

34

Strażnik Farmy Bradfordów oświetlił samochód latarką.

— Jest pan sam, panie Bolitar? — spytał.

Brama uniosła się w górę.

— Pan podjedzie do głównego domu.

Myron ruszył wolno. Zgodnie z planem za następnym zakrętem zwolnił jeszcze bardziej.

— Wysiadłem — dobiegł chwilę później z telefonu głos Wina.

Win wydostał się z bagażnika tak gładko, że Myron nic nie słyszał.

— Milknę — powiedział Win. — Cały czas przekazuj, gdzie jesteś.

Plan był prosty: Win poszuka Brendy, a Myron postara się przeżyć.

Ściskając oburącz kierownicę, kontynuował jazdę. Choć korciło go, żeby odwlec decydującą rozmowę, to najchętniej rozmówiłby się z Arthurem Bradfordem natychmiast. Już znał prawdę. W każdym razie częściowo. Na tyle, by ocalić Brendę.

Być może ocalić.

Ziemia tonęła w aksamitnych ciemnościach, zwierzęta milczały. Dom wyłonił się nad nim, jakby płynął w mroku, ledwo ledwo związany ze światem w dole. Myron zaparkował samochód i wysiadł. Zanim dotarł do drzwi, w progu wyrósł służący

Mattius. Choć minęła dziesiąta, wciąż był w pełnym rynsztunku kamerdynera. Prężąc się jak struna, czekał w milczeniu, z nieludzką wprost cierpliwością.

— Pan Bradford przyjmie pana w bibliotece — oznajmił.

Myron skinął głową i w tym momencie w nią oberwał. Po głuchym „bum" pociemniało mu w oczach, zamrowiło w czaszce i cały zdrętwiał. Gdy się chwiał, dostał cios pałką w uda, nogi ugięły się pod nim i padł na kolana.

— Win — wydusił z siebie.

Mocny kopniak butem między łopatki powalił go twarzą na ziemię i uszło z niego powietrze. Czyjeś ręce przeszukały go i zabrały broń.

— Win — powtórzył.

— W Agencji Ucho ciemno i głucho — oznajmił Sam. W ręku trzymał jego komórkę. — Wyłączyłem ją.

Dwóch mężczyzn chwyciło Myrona pod pachy i powlokło przez hol wejściowy i korytarz. Zamrugał oczami, żeby pozbyć się mroczków. Cały czuł się jak kciuk, w który walnięto młotkiem. Idący przodem Sam otworzył jakieś drzwi, a dwaj jego kompani cisnęli Myrona niczym worek torfu. Potoczył się po schodach, ale udało mu się zatrzymać, nim dotarł do podnóża.

Sam wszedł do środka. Drzwi zamknięto.

— Dobra — powiedział. — Załatwmy to.

Myron usiadł. Znajdował się w piwnicy. Na piwnicznych schodach.

Sam wyciągnął do niego rękę. Myron chwycił ją i podźwignął się na nogi. Dwaj kompani Richardsa zeszli na dół.

— Ta część piwnicy nie ma okien i jest z betonu — rzekł Sam takim tonem, jakby oprowadzał go po domu. — Można tu wejść i stąd wyjść tylko przez te drzwi, rozumiesz?

Myron skinął głową.

— Na górze mam dwóch ludzi. Zaraz się rozstawią. W przeciwieństwie do tego ciołka Maria to zawodowcy. Nikt nie przejdzie przez te drzwi. Rozumiesz?

Myron ponownie skinął głową.

Sam wyjął papierosa i włożył go do ust.

— Ostatnia uwaga. Widzieliśmy, jak twój koleżka wyskakuje z bagażnika. Na zewnątrz mam dwóch snajperów z piechoty morskiej. Walczyli w wojnie w Zatoce. Jeżeli twój znajomy zbliży się do domu, marnie skończy. Okna uruchamiają alarm. Wykrywacze ruchu są włączone. Z całą czwórką jestem w kontakcie radiowym na czterech osobnych pasmach.

Pokazał Myronowi radiotelefon z cyfrowym odczytem.

— Osobne pasma? Ale bajer!

— Nie mówię tego, żeby ci zaimponować, tylko żebyś wiedział, że próba ucieczki to głupota. Rozumiesz?

Myron znów skinął głową.

W piwnicy trzymano wino. Unosił się w niej dębowy mocny zapach jak z dobrego starego chardonnay. Był tam Arthur. Skóra tak mocno opinała mu policzki, że wyglądał jak kościotrup. Towarzyszył mu Chance, który siląc się na luz, sączył czerwone wino i studiował jego kolor.

Myron rozejrzał się po piwnicy. Na półkach spoczywało mnóstwo butelek ułożonych pod lekkim kątem, żeby korki zachowały należytą wilgotność. Był też wielki termometr i kilka drewnianych baryłek, głównie na pokaz. Żadnych okien. Drzwi. Innych widocznych wejść. Pośrodku stał ciężki drewniany stół.

Pusty, jeśli nie liczyć lśniącego sekatora.

Myron spojrzał na Sama. Sam uśmiechnął się. W ręku wciąż trzymał pistolet.

— No, to mnie zastraszyłeś.

Sam wzruszył ramionami.

— Gdzie jest Brenda? — spytał Arthur.

— Nie wiem — odparł Myron.

— A Anita?

— Czemu nie spytasz Chance'a?

— Słucham?

Chance usiadł prosto.

— Bredzi — powiedział.

Arthur wstał.

— Nie wyjdziesz stąd, dopóki się nie przekonam, że nic przede mną nie ukryłeś.

— Proszę bardzo. Przystąpmy do rzeczy. Błądziłem w tej sprawie jak pijane dziecko we mgle. A przecież miałem w ręku wszystkie tropy. Stare podsłuchy telefoniczne. Twoje wielkie zainteresowanie moim śledztwem. Napad na Anitę przed śmiercią twojej żony. Włamanie do mieszkania Horace'a i zniknięcie listów Anity. Tajemnicze telefony do Brendy, nakazujące jej skontaktować się z matką. Przecięcie przez Sama tym chłopakom ścięgien Achillesa. Stypendia. Ale wiesz, co w końcu mnie oświeciło?

Chance chciał coś powiedzieć, ale Arthur uciszył go gestem i potarł podbródek palcem.

— Co? — spytał.

— Godzina samobójstwa Elizabeth.

— Nie rozumiem.

— Godzina samobójstwa — powtórzył Myron — a przede wszystkim zabiegi waszej rodziny, żeby ją zmienić. Dlaczego Elizabeth zabiła się o szóstej rano, akurat wtedy, kiedy Anita Slaughter przyjechała do pracy? Przypadkiem? Skoro tak, to dlaczego aż tak bardzo zależało wam na zmianie czasu jej śmierci? Taki „wypadek" mógł się równie dobrze zdarzyć o szóstej rano, jak o północy. Po co to zmieniać?

Arthur wciąż stał prosto.

— To ty mi powiedz.

— Ponieważ czas śmierci nie był przypadkowy. Twoja żona specjalnie wybrała godzinę i sposób samobójstwa. Chciała, żeby Anita Slaughter zobaczyła jej skok.

Chance prychnął.

— Co za bzdury!

— Elizabeth, nie wątpię, była w depresji — ciągnął Myron patrząc na Arthura. — Nie wątpię też, że kiedyś ją kochałeś. Ale było to dawno temu. Powiedziałeś mi, że od lat nie była sobą. W to również nie wątpię. Ale na trzy tygodnie przed jej śmiercią na Anitę napadnięto. Podejrzewałem, że pobił ją któryś z was. Ale jej najbardziej widocznymi obrażeniami były zadrapania. Głębokie zadrapania. Jakby zrobił to kot, powiedział Wickner.

297

Myron spojrzał na Arthura. Miał wrażenie, że kurczy się na jego oczach, jakby zżerały go własne wspomnienia.

— Anitę zaatakowała twoja żona — ciągnął. — Najpierw zaatakowała ją, a po trzech tygodniach, wciąż w głębokiej depresji, popełniła na jej oczach samobójstwo, ponieważ Anita miała romans z jej mężem. To ją ostatecznie dobiło psychicznie, tak, Arthurze? Jak do tego doszło? Czy Elizabeth was nakryła? Czy jej stan pogorszył się tak bardzo, że stałeś się nieostrożny?

Arthur odchrząknął.

— Zgadza się. Tak z grubsza było. I co z tego? Co to ma wspólnego z dniem dzisiejszym?

— Ile trwał twój romans z Anitą?

— A jakie to ma znaczenie?

Myron przyglądał mu się dłuższą chwilę.

— Jesteś złym człowiekiem. Wychował cię zły człowiek i masz w sobie wiele z niego. Zadałeś wiele cierpień. Przez ciebie ginęli ludzie. Ale to nie była przelotna miłostka. Ty ją naprawdę kochałeś, tak, Arthurze?

Arthur Bradford nie odpowiedział. Coś jednak zaczęło się kruszyć pod fasadą jego milczenia.

— Nie wiem, jak do tego doszło — ciągnął Myron. — Może Anita chciała odejść od Horace'a. A może ty ją do tego namówiłeś. Nieważne. Postanowiła uciec i zacząć nowe życie. Jaki mieliście plan? Chciałeś ją urządzić w jakimś mieszkaniu? W domu poza miastem. Żaden Bradford z pewnością nie poślubiłby czarnej pokojówki z Newark.

Arthur prychnął. Z pogardą? A może jęknął?

— Z pewnością — rzekł.

— Więc co się stało?

Sam, który trzymał się kilka kroków od nich, wędrując spojrzeniem od piwnicznych drzwi do Myrona, co jakiś czas szeptał do krótkofalówki. Chance siedział jak zaklęty, zdenerwowany, ale i zadowolony. Zdenerwowany tym, co wyszło na jaw, a zadowolony, ponieważ wierzył — zapewne nie bez podstaw — że prawda nie wyjdzie poza tę piwnicę.

— Anita była moją ostatnią nadzieją — odparł Arthur,

stuknął dwoma palcami w usta i zmusił się do uśmiechu. —
Ironia losu, co? Jeżeli pochodzisz z rodziny patologicznej,
winę za swoje grzechy możesz zwalić na środowisko. Ale jeśli
pochodzisz z rodziny, która może wszystko? Co z tymi, których
wychowuje się, żeby panowali nad innymi i robili, co im się
żywnie podoba? Co z ludźmi wychowanymi w przekonaniu, że
są wyjątkowi i że inni niewiele się różnią od rzeczy z wystawy
sklepowej? Co z takimi dziećmi?

— Następnym razem, kiedy będę sam, zapłaczę nad ich
losem — obiecał Myron.

Arthur zaśmiał się.

— Słusznie — rzekł. — Ale mylisz się. To nie Anita chciała
uciec, tylko ja. Tak, kochałem ją. Kiedy z nią byłem, do-
stawałem skrzydeł. Nie umiem tego inaczej wyjaśnić.

Nie musiał. Myron pomyślał o Brendzie i zrozumiał.

— Zamierzałem opuścić Farmę Bradfordów. Mieliśmy wyjechać razem. Zacząć samodzielne życie. Uciec z tego więzienia. — Arthur znowu się uśmiechnął. — Naiwne, prawda?

— I co się stało?

— Anita zmieniła zamiar.

— Dlaczego?

— Był ktoś inny.

— Kto?

— Nie wiem. Mieliśmy się spotkać rano, ale się nie zjawiła.
Myślałem, że może mąż coś jej zrobił. Śledziłem go. A potem
dostałem od niej list. Napisała, że musi zacząć nowe życie.
Beze mnie. I odesłała mi pierścionek.

— Jaki pierścionek?

— Ten, który jej dałem. Nieoficjalny zaręczynowy.

Myron spojrzał na Chance'a. Chance milczał. Myron wpatrywał się w niego jeszcze kilka sekund.

— Ale nie zrezygnowałeś — powiedział do Arthura.

— Nie.

— Szukałeś jej. Kazałeś założyć podsłuch. I nie zdejmowałeś
go przez wiele lat. Sądziłeś, że Anita w końcu zadzwoni do
rodziny. Chciałeś wyśledzić skąd.

— Tak.

Myron przełknął ślinę, mając nadzieję, że nie załamie mu się głos.

— A potem były mikrofony w pokoju Brendy — rzekł. — Stypendia. Przecięte ścięgna Achillesa.

Arthur milczał.

Do oczu Myrona napłynęły łzy. Do oczu Arthura również. Obaj wiedzieli, co za chwilę nastąpi. Myron mówił spokojnie i z opanowaniem, ale przychodziło mu to z najwyższym trudem.

— Dzięki mikrofonom mogłeś ją pilnować. Jej stypendia ufundował ktoś bogaty i znający się na finansach. Nawet gdyby Anita dostała do rąk gotówkę, nie wiedziałaby, jak przekazać ją za pośrednictwem banku na Kajmanach. Ty natomiast tak. Pozostają ścięgna Achillesa. Brenda sądziła, że zrobił to jej ojciec. Uważała, że jest nadopiekuńczy. I miała rację.

Arthur wciąż milczał.

— Zadzwoniłem do Norma Zuckermana i w karcie zdrowia Brendy sprawdził grupę jej krwi. Grupę krwi Horace'a policja ustaliła w czasie sekcji zwłok. On i Brenda nie byli spokrewnieni. — Myron pomyślał o jej jasnokawowej karnacji, o wiele tonów jaśniejszej od barwy skóry rodziców. — Dlatego tak bardzo się nią interesowałeś. Dlatego tak chętnie uchroniłeś ją od aresztu. Dlatego tak bardzo się teraz o nią martwisz. Brenda Slaughter jest twoją córką.

Po twarzy Arthura płynęły łzy. Nie zrobił nic, żeby je powstrzymać.

— Horace o tym nie wiedział, prawda?

Arthur potrząsnął głową.

— Anita zaszła w ciążę na początku naszego związku. Ale Brenda okazała się na tyle ciemna, żeby ujść za jego dziecko. Anita nalegała, żeby utrzymać to w tajemnicy. Nie chciała, żeby nasza córka była napiętnowana. A poza tym... nie chciała, żeby wychowywała się w tym domu. Rozumiałem ją.

— A jak to było z Horace'em? Dlaczego zadzwonił do ciebie po dwudziestu latach?

— Z podpuszczenia Ache'ów, którzy pomagają Davisonowi.

W jakiś sposób dowiedzieli się o stypendiach. Pewnie od jednego z prawników. Chcieli mi zaszkodzić w wyścigu do fotela gubernatora. Powiedzieli o nich Slaughterowi. Myśleli, że z chciwości zażąda ode mnie pieniędzy.

— Ale on miał gdzieś pieniądze. Chciał znaleźć Anitę — dopowiedział Myron.

— Tak. Zaczął do mnie wydzwaniać. Zjawił się w sztabie wyborczym. Nie chciał się odczepić. Musiałem zlecić Samowi, żeby go zniechęcił.

Krew w szafce w szpitalu.

— Oberwał?

Arthur skinął głową.

— Ale nie mocno. Chciałem go przestraszyć, a nie zranić. Dawno temu Anita wymogła na mnie obietnicę, że go nie skrzywdzę. Starałem się jej dotrzymać.

— Zleciłeś Samowi, żeby miał na niego oko?

— Tak. Dopilnował, żeby nie sprawiał kłopotów. Poza tym, czy ja wiem, liczyłem też trochę na to, że znajdzie Anitę.

— Ale uciekł.

— Tak.

To się zgadzało. Horace'owi rozkwaszono nos. Po pobiciu dotarł do szpitala Świętego Barnaby i doprowadził się do porządku. Sam go przestraszył, owszem, ale tylko na tyle, iż uznał, że musi się ukryć. Tak więc opróżnił konto bankowe i zniknął. Sam i Mario szukali go. Śledzili Brendę. Odwiedzili też Mabel Edwards i ją nastraszyli. Sprawdzili podsłuch w jej telefonie. Wreszcie Horace zadzwonił do niej.

A potem?

— Zabiliście Horace'a.

— Nie. Nie znaleźliśmy go.

„Luka — pomyślał Myron. — Do zapełnienia pozostało jeszcze kilka".

— Ale poleciłeś swoim ludziom wykonać kilka tajemniczych telefonów do Brendy.

— Tylko po to, żeby sprawdzić, czy wie, gdzie jest Anita. Pozostałe, te z pogróżkami, to sprawka Ache'ów. Chcieli odnaleźć Horace'a i sfinalizować kontrakt z nią przed meczem otwierającym sezon.

Myron skinął głową. To również się zgadzało. Obrócił się i wpatrzył w Chance'a. Chance wytrzymał jego spojrzenie. Na twarzy miał uśmieszek.

— Powiesz mu, Chance? — spytał.

Chance podniósł się, podszedł i stanął oko w oko z nim.

— Już nie żyjesz — rzekł niemal z satysfakcją. — Właśnie wykopałeś sobie grób.

— Powiesz mu, Chance?

— Nie, Myron. — Chance wskazał na sekator i przysunął się bliżej. — Będę patrzył, jak cierpisz i umierasz.

Myron cofnął się i rąbnął go głową w nos. W ostatniej chwili złagodził uderzenie. Jeżeli walisz głową z całej siły, możesz zabić. Głowa jest ciężka i twarda, a twarz, w którą uderza, przeciwnie. Jakie szanse ma ptasie gniazdo, na które spada stalowa kula do kruszenia murów?

Ale i tak cios wywarł skutek. Nos Chance'a zrobił szpagat. Myron poczuł na włosach ciepłą, lepką ciecz. Chance upadł na wznak. Z nosa chlusnęła mu krew. Oczy miał rozszerzone, wzrok zszokowany. Nikt nie skoczył mu na pomoc. Sam lekko się uśmiechnął.

— Chance wiedział o twoim romansie, prawda? — spytał Myron Arthura.

— Oczywiście.

— I o planach ucieczki?

— Tak — odparł Arthur, ale nieco wolniej. — I co z tego?

— Okłamywał cię przez dwadzieścia lat. Sam również.

— Słucham?

— Przed godziną rozmawiałem z detektywem Wicknerem. Był tamtego wieczoru w Holiday Inn. Nie wiem, co tam dokładnie zaszło. On również nie. Ale widział, jak Sam wynosi Anitę z hotelu. A w samochodzie zobaczył Chance'a.

— Chance?

Arthur spojrzał groźnie na brata.

— On kłamie!

302

Arthur wyjął pistolet i wymierzył.

— Mów.

— Komu uwierzysz? — Chance wciąż próbował zatamować krwotok z nosa. — Mnie czy...

Arthur nacisnął spust. Kula rozłupała Chance'owi staw kolanowy. Trysnęła krew. Chance zawył z bólu. Arthur wycelował pistolet w drugie kolano brata.

— Mów — rozkazał.

— Straciłeś rozum! — krzyknął Chance i zagryzł zęby. Oczy mu zmalały, lecz zarazem dziwnie się rozjaśniły, jakby ból przemył je. — Naprawdę myślałeś, że tata pozwoli ci uciec?! Wszystko byś zniszczył. Próbowałem ci to uświadomić. Rozmawiałem z tobą. Jak brat z bratem. Ale nie chciałeś słuchać. Poszedłem więc do Anity. Żeby porozmawiać. Przekonać ją, że to zgubny pomysł. Nie chciałem zrobić jej krzywdy. Próbowałem pomóc.

Twarz Chance'a była zakrwawiona, ale twarz Arthura wyglądała o wiele straszniej. Wciąż spływały po niej łzy, choć nie płakał. Skórę miał popielatą, rysy wykrzywione jak w pośmiertnej masce i wyglądał tak, jakby coś przepaliło się w nim z wściekłości.

— I co się stało? — spytał.

— Znalazłem numer jej pokoju. Drzwi były uchylone. Przysięgam, w takim stanie ją zastałem. Przysięgam, Arthurze! Nie tknąłem jej. Z początku pomyślałem, że ty to zrobiłeś. Że doszło między wami do walki. Ale tak czy owak wiedziałem, że jeżeli wieść o tym wycieknie na zewnątrz, zrobi się afera. Za wiele było pytań, za dużo niewiadomych. Dlatego zadzwoniłem do taty. Załatwił resztę. Przyjechał Sam. Wysprzątał pokój. Zabraliśmy pierścionek i sfałszowaliśmy list. Żebyś jej nie szukał.

— Gdzie ona jest? — spytał Myron.

Chance spojrzał na niego zaskoczony.

— O czym ty mówisz, do diabła?

— Zawieźliście ją do lekarza? Daliście jej pieniądze? Czy...

— Anita nie żyła.

Zapadła cisza.

Arthur zawył rozdzierająco jak zwierzę i zwalił się na podłogę.

— Kiedy przyjechałem, ona nie żyła! Przysięgam, Arthurze!

Myron poczuł, jak serce zapada mu się w głębokie błoto. Próbował mówić, lecz nie mógł dobyć słów. Spojrzał na Sama. Sam skinął głową.

— Co z jej ciałem? — wydusił z siebie, patrząc mu w oczy.

— Jak się czegoś pozbywam, to na dobre — odparł Sam.

Anita Slaughter nie żyła. Myron próbował się z tym oswoić. Przez te wszystkie lata Brenda niesłusznie czuła się odrzucona.

— A gdzie Brenda? — spytał.

Adrenalina przestawała już działać, ale Chance resztką sił potrząsnął głową.

— Nie wiem.

Myron spojrzał na Sama. Ten wzruszył ramionami.

Arthur Bradford usiadł. Objął rękami kolana, opuścił głowę i rozpłakał się.

— Moja noga — upomniał się Chance. — Potrzebuję lekarza.

Arthur nie poruszył się.

— Poza tym trzeba go zabić — dodał Chance przez zaciśnięte zęby. — Za dużo wie, Arthurze. Wiem, że rozpaczasz, ale nie możemy pozwolić, żeby wszystko zniszczył.

Sam skinął głową.

— Racja — powiedział.

— Arthur — odezwał się Myron.

Arthur podniósł wzrok.

— Tylko ja mogę dać ci nadzieję, że twoja córka przeżyje.

— Wątpię — odparł Sam i wycelował pistolet. — Chance ma rację, panie Bradford. To za duże ryzyko. Przyznaliśmy się do ukrycia morderstwa. On musi umrzeć.

W tym momencie odezwał się radiotelefon.

— Nie radzę ci tego robić — rozległ się przez malutki głośniczek głos Wina.

Sam zmarszczył brwi. Przekręcił gałkę i zmienił częstotliwość. Po zmianie czerwonych cyferek na odczycie nacisnął guzik.

— Ktoś zdjął Fostera — powiedział. — Wejdź i usuń go.

— Nie mogę go utrzymać, kapitanie — odparł Win głosem Scottiego z serialu *Star Trek*. — Rozpada się!

Sam zachował spokój.

— Ile masz radiotelefonów, kolego? — spytał.

— Zgłoś się po wszystkie cztery, specjalnie zapakowane i oznakowane.

Sam gwizdnął z podziwem.

— Dobra, mamy pat — rzekł. — Pogadajmy.

— Nie.

Powiedział to nie Win, lecz Arthur Bradford. Strzelił dwa razy. Obie kule trafiły Sama w pierś. Zwalił się na podłogę, zadrgał spazmatycznie i znieruchomiał.

Arthur spojrzał na Myrona.

— Proszę, znajdź moją córkę — powiedział.

35

Pobiegli do jaguara. Poprowadził Win. Myron nie spytał go o los byłych właścicieli radiotelefonów. Nic go to nie obchodziło.

— Przeszukałem cały teren. Tu jej nie ma — poinformował Win.

Zagłębiony w myślach Myron przypomniał sobie, jak na szkolnym boisku bejsbolowym powiedział Wicknerowi, że nie zostawi tej sprawy. Zapamiętał też jego odpowiedź: „W takim razie zginie więcej osób".

— Miałeś rację — powiedział.

Win prowadził w milczeniu.

— Nie pilnowałem nagrody. Zagalopowałem się.

Win nie odpowiedział.

Na dźwięk dzwonka Myron sięgnął po komórkę. Zapomniał, że zabrał mu ją Sam. Dzwonił telefon w samochodzie Wina. Win odebrał go.

— Halo — powiedział, a potem przez pełną minutę słuchał bez słowa. Nie kiwał głową, nie wydawał dźwięków. — Dziękuję.

Rozłączył się, zwolnił i zjechał na pobocze. Jaguar zatrzymał się z poślizgiem. Win zgasił silnik i obrócił się do Myrona. Wzrok miał kamienny.

Przez krótką chwilę Myron nie wiedział, co myśleć. Lecz tylko przez chwilę. Głowa opadła mu na bok i cicho jęknął. Win skinął głową. W piersi Myrona coś nagle wyschło i obróciło się w proch.

36

Peter Frankel, sześciolatek z Cedar Grove w New Jersey, zaginął osiem godzin temu. Jego zrozpaczeni rodzice, Paul i Missy Frankelowie, zawiadomili policję. Ich podwórze za domem sąsiadowało z lasem, w którym był zbiornik wodny. Policjanci i sąsiedzi utworzyli grupy. Sprowadzono psy policyjne. Sąsiedzi wzięli ze sobą własne psy. Każdy chciał pomóc.

Petera odnaleziono szybko. Chłopczyk wcisnął się do szopy z narzędziami w sąsiedztwie i zasnął. Kiedy się obudził, nie mógł wyjść, bo zacięły się drzwi. Oczywiście najadł się strachu, ale nic mu się nie stało. Wszystkim ulżyło. Strażacka syrena obwieściła szukającym, że mogą wrócić do domu.

Ale jeden pies na nią nie zareagował. Owczarek niemiecki Wally, który zapuścił się głębiej w las, uporczywym szczekaniem ściągnął policjanta Craiga Reeda, od niedawna pracującego z psami.

Kiedy Reed dotarł na miejsce, żeby sprawdzić, co skłoniło Wally'ego do szczekania, odkrył, że są to zwłoki. Ofiara, dwudziestokilkuletnia kobieta, nie żyła od niespełna doby. Przyczyna śmierci: dwie rany z tyłu głowy od strzałów z przystawienia.

Godzinę później współkapitanka New York Dolphins potwierdziła, że zabitą jest jej przyjaciółka i koleżanka z drużyny, Brenda Slaughter.

Jaguar stał w tym samym miejscu.

— Chcę się przejechać — powiedział Myron. — Sam.

Win wytarł palcami oczy i bez słowa wysiadł z auta. Myron wsunął się na siedzenie kierowcy i nacisnął gaz. Mijał drzewa, samochody, znaki drogowe, domy, a nawet ludzi na późno-wieczornych spacerach. Z głośników płynęła muzyka. Nie dbał o to, żeby ją wyłączyć. Jechał. Niczym szermierz parujący ciosy przeciwnika walczył z narzucającymi się obrazami Brendy.

Jeszcze nie był na nie gotów.

Do mieszkania Esperanzy dotarł o pierwszej po północy. Siedziała na ganku, jakby go oczekiwała. Zatrzymał się i nie wysiadł z samochodu. Podeszła. Zobaczył, że płacze.

— Wejdź — powiedziała.

Potrząsnął głową.

— Win wspomniał mi wczoraj o ślepej wierze — zaczął.

Esperanza nie zareagowała.

— Nie miałem pojęcia, o czym mówi. Opowiedział o swoich doświadczeniach z rodzinami. Stwierdził, że małżeństwo zawsze prowadzi do katastrofy. Że niezliczone pary, które znał, z reguły w końcu się niszczyły. I że musiałby ulec ślepej wierze, żeby zmienić zdanie.

— Kochałeś ją — powiedziała Esperanza, wciąż płacząc.

Zacisnął mocno oczy, zaczekał i otworzył je.

— Ja nie o tym — odparł. — Mówię o nas. Cała moja wiedza, całe doświadczenie mówią mi, że nasza spółka nie ma szans. I wtedy patrzę na ciebie, Esperanzo. Nie znam lepszej osoby. Jesteś moją najlepszą przyjaciółką. Kocham cię.

— A ja ciebie.

— Jesteś warta ślepej wiary. Chcę, żebyś została.

Skinęła głową.

— To dobrze, bo i tak nie mogę od ciebie odejść. —
Przystąpiła do samochodu. — Wejdź do środka, Myron.
Porozmawiamy, dobrze?

Potrząsnął głową.

— Wiem, ile ona dla ciebie znaczyła.

Znów mocno zacisnął oczy.

— Za kilka godzin będę u Wina — odparł.

— Dobrze. Zaczekam tam na ciebie.

Odjechał, zanim mogła cokolwiek dodać.

37

Do trzeciego domu dotarł tuż przed czwartą rano. W środku wciąż paliło się światło. Niezbyt go to zdziwiło. Zadzwonił do drzwi. Otworzyła mu Mabel Edwards. We flanelowej koszuli nocnej i frotowym szlafroku. Z płaczem wyciągnęła ręce, żeby go uściskać.

Myron cofnął się.

— Zabiłaś ich wszystkich — powiedział. — Najpierw Anitę. Potem Horace'a. A teraz Brendę.

Otwarła usta.

— Nie mówisz poważnie.

Myron przystawił do jej czoła pistolet.

— Jeżeli mnie okłamiesz, zabiję cię — powiedział.

Zaskoczenie w jej oczach szybko zmieniło się w zimne wyzwanie.

— Masz podsłuch, Myron? — spytała.

— Nie.

— Nieważne. Z lufą przystawioną do głowy powiem, co tylko chcesz.

Pod naporem pistoletu cofnęła się do środka. Myron zamknął drzwi. Na gzymsie kominka wciąż stało zdjęcie Horace'a. Zerknął na dawnego przyjaciela.

— Kłamałaś — powiedział. — Od samego początku. Wszystko było kłamstwem. Anita do ciebie nie dzwoniła. Nie żyje od dwudziestu lat.

— Kto ci tak powiedział?

— Chance Bradford.

Prychnęła z pogardą.

— I ty wierzysz takiemu człowiekowi?

— Miałaś podsłuch.

— Co?

— Arthur Bradford podsłuchiwał twój telefon. Przez dwadzieścia lat. Miał nadzieję, że Anita do ciebie zadzwoni. Ale wszyscy wiemy, że nie zadzwoniła.

— To o niczym nie świadczy. Może przegapił te rozmowy.

— Wątpię. Ale są inne dowody. Powiedziałaś mi, że w zeszłym tygodniu Horace zadzwonił do ciebie z ukrycia i ostrzegł, żebyś go nie szukała. Powtórzę: Arthur Bradford podsłuchiwał twój telefon. Szukał Horace'a. Dlaczego więc nie wie nic o twojej rozmowie z bratem?

— Ją pewnie też przegapił.

Myron pokręcił głową.

— Wpadłem do tępego zbira imieniem Mario — ciągnął. — Zaskoczyłem go podczas snu i zrobiłem mu kilka rzeczy, z których nie jestem dumny. Ale dzięki temu przyznał się do różnych łajdactw, w tym do próby wyciągnięcia z ciebie wespół ze swoim chudym kompanem informacji. Przysiągł jednak, że nie podbił ci oka. I ja mu wierzę. Bo w oko dostałaś od Horace'a.

Brenda zarzuciła mu seksizm, zastanawiał się też ostatnio nad swoimi poglądami rasowymi. Przejrzał na oczy. Na wpół skrywane uprzedzenia dopadły go jak wąż chwytający własny ogon. Mabel Edwards. Miła, starsza czarna pani. Jak Butterfly McQueen w *Przeminęło z wiatrem*. Jak panna Jane Pittman z serialu. Druty do włóczki, okulary do czytania. Duża, serdeczna, rodzinna. Aż trudno uwierzyć, że pod tak przykładną postacią mogło czaić się zło.

— Powiedziałaś mi, że wprowadziłaś się tu niedługo po zniknięciu Anity. Jak wdowa z Newark mogła sobie pozwolić

312

na taki dom? Powiedziałaś, że twój syn skończył prawo w Yale, dorabiając. Niestety, dorywczymi pracami nie da się zarobić na takie studia.

— Tak?

Myron cały czas mierzył do niej z pistoletu.

— Od początku wiedziałaś, że Horace nie jest ojcem Brendy, prawda? Anita była twoją najbliższą przyjaciółką. Pracowałaś jeszcze wtedy u Bradfordów, więc musiałaś wiedzieć.

— A jeśli nawet, to co? — odparowała.

— To wiedziałaś też o jej ucieczce. Zwierzała ci się. Gdyby w Holiday Inn napotkała kłopoty, zadzwoniłaby do ciebie, a nie do Horace'a.

— Może. Teoretycznie jest to możliwe.

Myron docisnął pistolet do czoła Mabel i pchnął ją na kanapę.

— Zabiłaś Anitę dla pieniędzy?

Uśmiechnęła się. Na dobrą sprawę był to ten sam, znany mu niebiański uśmiech, tym razem jednak dopatrzył się w nim zła i rozkładu.

— Teoretycznie znalazłbyś pewnie garść motywów — odparła. — Pieniądze? Tak. Czternaście tysięcy dolarów to duża suma. Siostrzana miłość? Anita chciała rzucić załamanego Horace'a. Zabrać dziecko, które uważał za swoje. A może nawet wyjawić mu, kto jest ojcem Brendy. Dowiedziałby się wtedy, że utrzymać ten fakt w tajemnicy dopomogła jego jedyna siostra. — Spojrzała na pistolet. — To sporo motywów, przyznaję.

— Jak to zrobiłaś, Mabel?

— Jedź do domu, Myron.

Podniósł pistolet i dźgnął ją lufą w czoło.

— Jak? — powtórzył.

— Myślisz, że się ciebie boję?

Dźgnął lufą mocniej. A po chwili jeszcze raz.

— Jak?

— Co znaczy jak?! — wyrzuciła z siebie. — To bardzo łatwe, Myron. Anita była matką. Pokazałabym jej pistolet i zagroziła, że jeżeli nie zrobi, co każę, zabiję Brendę. Anita, dobra matka, spełniłaby żądanie, uścisnęła córkę po raz ostatni i kazała jej zaczekać w holu. Żeby stłumić huk, użyłabym poduszki. Proste.

Myron znów zapłonął gniewem.

— Co zrobiłaś potem?

Mabel zawahała się. Dźgnął ją pistoletem.

— Odwiozłam Brendę do domu. Anita zostawiła Horace'owi list, że odchodzi i że Brenda nie jest jego dzieckiem. Podarłam go i napisałam drugi.

— A więc Horace nie dowiedział się, że Anita chciała zabrać Brendę.

— Nie.

— Brenda nic nie powiedziała?

— Miała pięć lat. Nie wiedziała, co się dzieje. Opowiedziała ojcu, że odebrałam ją od mamy i przywiozłam. Nie zapamiętała hotelu. A przynajmniej tak myślałam.

Mabel zamilkła.

— Co sobie pomyślałaś po zniknięciu ciała Anity?

— Domyśliłam się, że Arthur Bradford znalazł je i zrobił to, co zawsze robiła ta rodzina: pozbył się śmieci.

Myron znów zawrzał gniewem.

— Wykorzystałaś to! Załatwiłaś swojemu synowi, Teren-ce'owi, karierę polityczną.

Mabel potrząsnęła głową.

— Zbyt niebezpieczne — odparła. — Z takimi jak Bradfor-dowie nie warto zadzierać, nie opłaca się ich szantażować. Nie miałam nic wspólnego z karierą mojego syna. Ale prawdą jest, że Arthur chętnie mu pomagał. W końcu Terence to kuzyn jego córki.

Gniew Myrona wezbrał, gniotąc mu czaszkę. Z największą chęcią nacisnąłby spust i skończył z tym.

— Co się stało potem?

— Dajże spokój, Myron. Przecież znasz resztę historii. Horace znów zaczął szukać Anity. Po tylu latach. Powiedział, że wpadł na trop. Sądził, że ją znajdzie. Próbowałam go od tego odwieść, ale cóż, miłość to dziwna rzecz.

314

— Horace dowiedział się o Holiday Inn.

— Tak.

— Rozmawiał z Caroline Gundeck.

Mabel wzruszyła ramionami.

— Nie znam takiej.

— Dopiero co wyrwałem ją ze zdrowego snu. Mocno się przestraszyła. Ale porozmawialiśmy. Wcześniej rozmawiał z nią Horace. Dwadzieścia lat temu była pokojówką w Holiday Inn i znała Anitę. Anita dorabiała pracą na przyjęciach. Caroline Gundeck widziała ją tamtego wieczoru w hotelu. Zdziwiło ją, że jest w charakterze gościa. Zapamiętała też małą córeczkę Anity. I to, że dziewczynka wyszła z hotelu z inną kobietą. Opisała ją jako zaćpaną narkomankę. Nie domyśliłbym się, że to ty. Ale Horace owszem.

Mabel Edwards nic nie powiedziała.

— Domyślił się, kiedy to usłyszał. Wściekły wpadł tutaj. Ciągle się ukrywał. I miał przy sobie pieniądze, jedenaście tysięcy. Uderzył cię. Był tak zły, że walnął cię w oko. Wtedy go zabiłaś.

Mabel znów wzruszyła ramionami.

— To wygląda na samoobronę.

— Tylko wygląda. Z Horace'em poszło ci łatwo. Uciekał. Wystarczyło stworzyć pozory, że dalej się ukrywa. Był Murzynem, który uciekł, a nie ofiarą morderstwa. Kto takiego szuka? Powtórzyłaś ten sam chwyt co z Anitą. Przez lata rozmaitymi drobiazgami wmawiałaś ludziom, że Anita żyje. Pisałaś listy. Zmyślałaś, że dzwoniła, i tak dalej. Postanowiłaś więc to powtórzyć. Raz już ci się udało. Nie byłaś jednak tak dobra w pozbywaniu się zwłok jak Sam.

— Sam?

— Zbir na żołdzie Bradfordów. Domyślam się, że w usunięciu ciał pomógł ci Terence.

Uśmiechnęła się.

— Nie doceniasz mojej siły, Myron. Nie jestem bezradna.

Skinął głową. Miała rację.

— Podsuwam ci inne motywy, lecz zgaduję, że głównym

były pieniądze. Anicie zabrałaś czternaście tysięcy. Horace'owi jedenaście. A twój drogi, kochany mąż Roland, którego zdjęcie skropiłaś łzami, miał na pewno polisę ubezpieczeniową.

Skinęła głową.

— Tylko pięć tysięcy, biedaczek.

— To ci wystarczyło. Strzał w głowę pod własnym domem. Żadnych świadków. W poprzednim roku trzy razy trafiłaś do aresztu, dwa razy za drobną kradzież, a raz za posiadanie narkotyków. Tak więc twój zjazd na dno zaczął się przed śmiercią Rolanda.

Mabel westchnęła.

— Skończyliśmy? — spytała.

— Nie.

— Sądzę, że omówiliśmy wszystko.

Potrząsnął głową.

— Oprócz śmierci Brendy.

— A tak, rzeczywiście. — Odchyliła się do tyłu. — Widzę, że znasz wszystkie odpowiedzi. Dlaczego zabiłam Brendę?

— Przeze mnie?

Mabel uśmiechnęła się. Myron zacisnął palec na spuście.

— Czy tak?

Uśmiechała się dalej.

— Dopóki nie pamiętała Holiday Inn, nie stanowiła zagrożenia. Niestety, powiedziałem ci o naszej wizycie w tym hotelu. Powiedziałem, że Brenda coś pamięta. I wtedy postanowiłaś ją zabić.

Mabel nie przestała się uśmiechać.

— Sprawę ułatwiło ci, że po odkryciu zwłok Horace'a stała się podejrzana. Wrobić Brendę i sprawić, żeby znikła, to zabić dwa ptaki jednym kamieniem. Dlatego podłożyłaś pistolet pod jej materac. Znowu jednak pojawił się kłopot z pozbyciem się ciała. Zastrzeliłaś ją i zostawiłaś w lesie. Domyślam się, że zamierzałaś powrócić tam nazajutrz, kiedy będziesz miała więcej czasu. Nie przewidziałaś, że poszukujący chłopca znajdą ją tak prędko.

Mabel Edwards pokręciła głową.

— Masz bujną fantazję, Myron.

— To nie fantazja. Oboje to wiemy.

— I oboje wiemy, że nic mi nie udowodnisz.

— Znajdą się włókna, Mabel. Włosy, nitki, cokolwiek.

— I co z tego? — Jej uśmiech ponownie dźgnął go w serce jak druty do włóczki. — Widziałeś przecież, jak ściskam w tym pokoju bratanicę. Jeżeli na jej ubraniu są jakieś włókna czy nitki, to właśnie stąd. Horace też mnie odwiedził przed śmiercią. Wspomniałam ci o tym. Stąd na jego zwłokach mogą być włosy czy włókna. Jeżeli w ogóle jakieś znajdą.

Gorąca wściekłość, która wybuchła mu w głowie, niemal go oślepiła. Mocno przycisnął lufę do czoła Mabel. Ręka zaczęła mu dygotać.

— Jak to zrobiłaś? — spytał.

— Co?

— W jaki sposób wyciągnęłaś Brendę z treningu?

— Powiedziałam, że znalazłam jej matkę — odparła bez zmrużenia oka.

Myron zamknął oczy. Próbował trzymać pistolet nieruchomo. Mabel wpatrzyła się w niego.

— Nie zastrzelisz mnie, Myron — powiedziała. — Nie należysz do tych, którzy strzelają do kobiet z zimną krwią.

Nie zdjął pistoletu z jej głowy.

Sięgnęła ręką, odepchnęła lufę od twarzy, wstała, obciągnęła szlafrok i odeszła.

— Kładę się — oznajmiła. — Wychodząc, zamknij drzwi.

Zamknął drzwi.

Pojechał na Manhattan. Czekali na niego Win i Esperanza. Nie zapytali, gdzie był. A on im nie powiedział. Nigdy.

Zadzwonił do mieszkania Jessiki. Odezwała się sekretarka. Po sygnale nagrał wiadomość, że zamierza zamieszkać na jakiś czas u Wina. Nie wie, na jak długo.

Dwa dni później w domku nad jeziorem znaleziono ciała Roya Pomeranza i Eliego Wicknera. Typowe zabójstwo zakończone samobójstwem. Livigstończycy spekulowali, ale nikt nie wiedział, co doprowadziło Eliego do ostateczności. Boisko jego imienia natychmiast przemianowano.

Esperanza wróciła do pracy w RepSport MB. Myron nie. Nie odkryto zabójcy Brendy Slaughter i Horace'a Slaughtera. Nikt się nie dowiedział, co tamtego wieczoru zaszło na Farmie Bradfordów. Rzecznik prasowy kampanii wyborczej Arthura Bradforda potwierdził, że Chance Bradford przeszedł pomyślnie operację kolana po dokuczliwej kontuzji, której nabawił się podczas gry w tenisa. Szybko wracał do zdrowia.

Jessica nie oddzwoniła.

O swoim ostatnim spotkaniu z Mabel Edwards Myron powiedział tylko jednej osobie.

Epilog

15 września
Dwa tygodnie później

Cmentarz sąsiadował z podwórzem szkoły.

Nie ma nic cięższego od żalu. Żal jest straszliwą otchłanią w najczarniejszym oceanie, bezdenną głębią. Zżera człowieka. Dusi. Paraliżuje skuteczniej od przeciętych nerwów.

Myron spędzał tu teraz dużo czasu.

Za plecami usłyszał kroki. Zamknął oczy. Tak jak oczekiwał, kroki się zbliżyły. Nie odwrócił się, gdy ucichły.

— Zabiłeś ją — powiedział.

— Tak.

— Ulżyło ci?

— Rzecz w tym, Myron, czy ulżyło tobie — odparł Arthur Bradford, pieszcząc jego kark głosem jak zimna, bezkrwista ręka.

Myron nie wiedział.

— Jeżeli to cokolwiek dla ciebie znaczy, wiedz, że Mabel Edwards konała bardzo powoli.

Nie znaczyło nic. Mabel Edwards miała rację: nie należał do tych, którzy strzelają do kobiet z zimną krwią. Był gorszy.

— Postanowiłem też wycofać się z wyborów na gubernatora. Spróbuję przypomnieć sobie, jak się czułem, kiedy byłem z Anitą. Zmienię się.

Myron wiedział, że się nie zmieni, ale było mu to obojętne.

Arthur Bradford odszedł. Myron wpatrywał się w kopczyk

319

ziemi jeszcze jakiś czas. Potem położył się przy nim, rozmyślając, że istoty tak wspaniałej i tryskającej życiem nie ma już na świecie. Zaczekał na ostatni szkolny dzwonek, a potem patrzył na dzieci, wysypujące się ze szkoły niczym pszczoły z ula. Ich gwar nie przyniósł mu ulgi.

Błękit zasnuły chmury i zaczęło padać. Myron niemal się uśmiechnął. Deszcz. Pasował do jego nastroju znacznie lepiej niż czyste niebo. Zamknął oczy i pozwolił kroplom, by na niego spadały — rosiły płatki złamanej róży.

W końcu wstał i zaczął schodzić ze wzgórza do samochodu. Stojąca tam Jessica majaczyła przed nim jak przezroczyste widmo. Nie widzieli się i nie rozmawiali od dwóch tygodni. Piękną twarz miała mokrą od deszczu albo łez.

Zatrzymał się jak wryty i spojrzał na nią. Coś roztrzaskało się w nim jak upuszczona szklanka.

— Nie chcę cię zranić — powiedział.

Skinęła głową.

— Wiem.

Odszedł od niej. Przyglądała mu się w milczeniu. Wsiadł do samochodu i przekręcił kluczyk. Stała nieruchomo. Ruszył, patrząc we wsteczne lusterko. Przezroczyste widmo malało, malało... i nie chciało zniknąć.